JN039984

小室直樹

小室直樹の中国原論

徳間書店

この本は、あなた自身が中国を考えるための水先案内である。

はしがき

中国に投資をするべきか――。

中国で商品を売りたい――。

中国で働きたい――。

このような相談をよく受ける。

中国に関する情報が少ないのではない。あまりにも多すぎるのだ。しかも、それらの情報は矛盾している。

ある人は、「ドブに捨てても惜しくない金額だけを投資するべきだ」と言う。「中国の経済は失敗する」と予測する人はあとを断たない。しかし、その予測は今までのところ覆えされてきてはいる。では今回も覆えされるかというとそうとも断言できない。あまりにも急速な高度成長の矛盾撞着が切羽詰まっているのだ。だが、日本の中小企業はそんなこと言ってはいられない。人手がなくて、日本にいるかぎり廃業のほかはなく、清水の舞台から飛び降りる以上の覚悟をしたうえで出て行かざるを得ない。ところがその中国からくる情報が何とも手に負えないのだから――。

洪水のような中国取材レポートで、論者の意見が一致しているのは、中国はあまりにも早く変わる。このことである。

かつてヘーゲルは、中国を持続の帝国（Ein Reich der Dauer）と呼んだ。二〇〇〇年たっても、何回易姓革命を繰り返しても、中国では本質的に同じような王朝（漢と清）を発見するからである。

いまや、中国は変化の帝国か。

この一、二年、周到な現地取材を含めて、汗牛充棟［書物が非常に多いたとえ］もただならぬ中国関係文献が出版されている。データとしては貴重なものも多いことであろう。だが、断片的なのだ。あるレポートは、「この国の全体像をつかもうなどという野心は極力排除し、局地戦を挑もうということだ」と告白している（NHK中国プロジェクト『中国――12億人の改革開放Ⅳ』日本放送出版協会）。巨額のコストと膨大な手間をかけたNHKスペシャルすらかくのごとし。他のレポートがそれ以上に断片的であったとしても止むを得ない。

「Aさん、Bさん……そしてHさんの触れた中国はそれぞれの中国であり、その印象もまた個人的なものである。一つの事件で中国全体を知ることはできない」（中央公論一九九四年七月臨時増刊『中国ビジネス徹底研究』中央公論社）。それ故に、〝中国を知ることは「暗闇に手を突っ込むようなもの」である。手で摑むことのできた範囲内では理解することができるが、手で触れられない領域の膨大な事象は関知することができない〟（同右）。

体験で体当たり。日本人が中国を知ろうとすると、みんなこの態度である。

アメリカならどうする。

アメリカは、中国の巨大市場制覇に本格的に乗り出してきている。台湾をめぐって米中間に戦雲急。一触即発である。

それでいてアメリカは、宿願の中国市場開拓をゆめ忘れない。高度成長を続ける一二億人の市場は、行き詰まったアメリカ経済の救世主となり得るからである。

こんなとき、アメリカならどうする。

科学者を集めて学問的に研究する。

第二次大戦のとき、アメリカは戦争に勝つために、あらゆる分野の学者を集めて研究させた。その結果、新兵器は続々と開発され、「日本はどういう国なのか」がかなりわかってきた。

このとき日本はどうしていた。

体当たりと突撃。「B29に竹槍」という言葉が生まれた。

この日米の態度は、半世紀以上たった今でも変わっていない。これほどまで中国に対する関心がたかまっているのに、中国を科学的に分析しようとする者がいない。

本書の目的は中国の科学的分析である。分析結果を誰にでもわかるように解説した。

本書は、どこから読み始めてもよい。中国でこれから仕事がしたい人には、実例の分析に興味があろう。そのような人は第六章からお読みいただけばよい。

本書は「原論」であるから理論を先にしたが、抽象的理論は実例の後で読んでいただいても結構。どの章から読み始め、どの章をとばしてもいいように構成してある。

理論は中国の歴史からとった。中国の歴史こそ中国理解の宝庫である。鍵、要諦である。

中国に進出した外国企業が苦しみぬき、ついに撤退の止むなきにいたるのは何故か。「契約」「法律」「所有」などのキー概念の意味が、資本主義諸国とあまりにもちがっているために理解を絶するからである。

理解の鍵は中国の歴史にある。中国の歴史は、激動の大波を越えて今も生きている。

中国社会の経緯は、タテの共同体（Gemeinde）たる「宗族」と、ヨコの共同体たる「帮」である。

しかし、日本人、アメリカ人などの外国人にとって、これほど理解困難な概念もない。日本やアメリカには、「宗族」や「帮」に該当する共同体なんか想像もできないからである。

これらの共同体の存在によって、中国は幾重もの二重規範（Doppel-norm, double norm）が入り乱れた社会になっている。

「中国は人間関係の国である」「中国でいちばん大切なのは人間関係である」とは、誰もが口をそろえて言う。

では、「中国の人間関係とはどういうものなのか」「中国は人治の国だと言われているが、その人治はどのように行われているのか」と問われると中国通の人でも答えられない。

その理由は、入り乱れた幾重もの二重規範の網は、盤根錯節（ばんこんさくせつ）〔複雑に入り組んで解決しがたいこと〕していて、科学的分析に依（よ）らなければ解きほぐすことはできないからである。

本書の主目的は、中国史の鏡に照らすことによって、「中国の人間関係」の謎（なぞ）を解き明かし、「帮（ほう）」「宗族（そうぞく）」の意味を明らかにするにある。また、同じ方法によって、中国における「契約」「法」「所有」が、近代資本主義（Der Moderne Kapitalismus, The modern capitalism）におけるそれらとどうちがうのかを、本格的に分析するにある。

平成八年（一九九六年）四月

小室直樹（こむろなおき）

新装版刊行にあたって

本書は1996年4月に初版が刊行された。それから25年以上が経過した現在、世界では中国とどのようにつきあうべきかが大問題となっていることは、周知のとおりである。

アメリカをはじめとする資本主義陣営は、中国が国有企業を使って市場経済を不公正に蹂躙し、さらには強大化した経済力によって他国を服従させ、国際秩序の変更に挑もうとしていると警戒を強めている。そして、普遍的価値を否定し、国際法を守ろうとしない異質性に大きな脅威を感じるようになった。

本書の初版刊行当時は、世界的な対中投資ブームが起こっており、日本を含め、多くの国、企業がこぞって中国に繰り出していた。その一方で、「中国は信用できない」といった不信感や、「人治の国と言われる中国で契約、法など通用するのか」といった疑問も高まっていた。

そこでこのような疑問に答え、「わかるようでわからない」といわれる中国の本質を、小室直樹氏が社会学の手法を駆使して解読したのが本書である。しかも、『三国志演義』などを用いての説明は非常にわかりやすく、幾度と版を重ねてきた。

初版刊行時の1996年、中国の名目GDP（国内総生産）は約8605億ドルで、日本（約4兆9234億ドル）の5分の1以下にすぎず、世界ランキングも7位だった。

ところがそのわずか14年後、2010年にGDPで日本を抜き世界2位となり、以後も中国の膨張はとどまるところを知らず、世界1位のアメリカを抜くのも時間の問題とされている。しかし、その傍らで、常に「中国経済崩壊論」も唱えられてきた。いずれにせよ、かつて以上に、中国はわれわれにとって不可解で、しかも無視できない存在になっている。

いま、改めて中国理解を深めるべきときがきたといえるだろう。そして本書は、天才社会学者と称された小室氏による第一級の解読書であり、現在もなお、まったくその輝きを失っていないどころか、優れて現状理解に役立つことに驚かされる。そうした思いから、今回「新装版」として再刊した。なお、再刊にあたっては、1996年版の注記や見出し、文字強調の体裁を一部見直した。

これを機に、さらに多くの読者に手に取っていただけることを願う。

2021年10月

徳間書店書籍局

小室直樹の中国原論

装幀――川畑博昭

【第一章】

中国人理解の鍵は「帮(ほう)」にあり

●中国とは？　中国人とは？

最近、猫も杓子も中国へとなびいて、中国関係の本や論文が夥しく出るという希有の中国ブームが起こっている。体験談も積み上げられ、「これが中国人だ」「日本人とはこうもちがう」というデータも積み上げられてきた。目から鱗が落ちたような情報も多い。が、こうなると問題は、矛盾する情報が多すぎることである。にわかに中国に興味を抱いた人の多くは、中国に投資をしたがっている人たちだが、本当に中国に投資をして大丈夫なのか。

このことをめぐっての代表的意見は、まっ二つに分かれている。ある人は大丈夫だと太鼓判を捺す。中国人は絶対に信用できる。誠実なことはとても日本人の比ではない。ところが別の人は「中国人のことなんかもう聞くのも嫌だ」と言う。中国人ほどひどい騙し方をする奴なんて日本では想像すらできない、と最大級の罵詈雑言を連ねて中国人を罵倒しさえする。

どちらが本当か。何故これほどまでに正反対の評価が併存し得るのか。

答え。両方ともまぎれもなく、本当。なんて聞けば、あっと驚く。

では、この驚くべき結論をどう説明するのか。一つの答えは、中国はあまりにも大きいということ。

かつて長谷川慶太郎氏は言った。「中国はあまりにも大きい。だから中国からくる情報で矛盾しないものがあったら疑ってかかれ」と。

中国の大きさときたら！　面積は日本の二七倍。しかも、日本のように大部分が山というのではない。人口は一二億〇七七八万人（いや、一四億以上であるという説さえある）。民族は――いろんな数え方があるが――五四もあると言われている。人種、宗教、習慣、言葉……などがあまりにも違う人々が住んでいるのである。

だから、中国に関する情報は矛盾して当然だ。矛盾しなかったらおかしい。こうも言える。

しかし、宗教、人種、習慣、風俗、言葉……を同じくする、その顔つきたるや日本人にはまったく区別できないほどの中国人に対しても、「中国人は絶対に信用できる」という命題（文章）と「中国人は少しも信用できない」という命題とが同時に成り立つことがある。

あの体験談とこの体験談とが矛盾するとき、どちらを信用したらいいのだろう。そのための規矩準縄（きくじゅんじょう）（規則）は何か。

何を参考にして商売をしたらいいのだろう。

そう、中国人は、まことに不思議な人々なのである。

中国人は、「絶対に信用できるのと同時に少しも信用できない」、この一見矛盾する命題に、中国を理解するための第一の鍵がある。山海関（さんかいかん）*のような天下第一関があるのだ。なにしろ、右の命題（文章）は、同一人物に関して成立することさえあるのだから。

ある人は、この「矛盾」を、「それは、相棒（共同経営者）のよしあしによる」と説明した。

たしかに、そうも言えよう。日本やアメリカとはちがって、中国では何か仕事をするときに、原則的に中国人の共同経営者を必要とする。そのよしあしこそが企業の成功、失敗を決める。中国において共同経営者が重要なことは、いくら強調しても強調しすぎることはない。

しかし、「共同経営者のよしあし」だけで「中国人は絶対に信用できるのと同時に少しも信用できない」という命題が証明できるのであろうか。

それにしても、この命題における断定。あまりにも強すぎるとは思いはしないか。日本人、アメリカ人、……などに対してならば、これほど強い断定はしないであろう。

「どこの国にも、よい人とわるい人がいる」くらいのことでは、とても十分な説明にはなっていないとは思いはしないか。いくつかの補助線を引いたうえで、徹底的に考えてみよう。

＊山海関　華北地区北部、華北省東端にある遼寧省との境界近くの町。中国中央部と東北部をつなぐ要衝地で、天下第一関の称がある。

●中国特有の人間関係、帮とは何か

本稿のはじめにおいて、「中国人は絶対に信用できると同時に少しも信用できない」というストレートに矛盾する命題（文章）を掲げた。

これこそ、中国を本当に理解するための鍵。

いろいろと仕事をしてみて、誰もがつくづくと言う。「中国では人間関係が大切である」と。

でも、これもまた、説明にはなっていない。商売で人間関係が大切でない国なんかどこにあるのか。日本だってアメリカだってどこだって、商売において人間関係がどうでもいい国なんてある筈(はず)がないではないか。

たしかに、「中国において人間関係は大切」である。しかし、その「大切である」という意味が、日本ともアメリカとも、たいへんちがっている。

では、どこがどうちがうのか。

中国における人間関係で、まず刮目(かつもく)すべきは帮(ほう)（帮会(パンフエ)）という人間関係である。自己人(ツーチーレン)とも呼ぶ（例：高橋正毅「中国人の法意識が変わり始めた」——中国ビジネス徹底研究／中央公論一九九四年七月号臨時増刊）。

根元的人間関係とでもいうか、最も親しい朋友(ほうゆう)関係とでもいうか、中国固有の人間関係で、日本にも欧米にも無(な)い。人的結合の固きこと世界中どこにもありはしない。

では帮(ほう)（自己人(ツーチーレン)）とは、いかなる人間関係か（ちなみに「帮」は「幇」とも書く）。

これは、内輪の人と言ってもよいのだが、中国独自の社会学的意味をもっている。

厳密にいうと次のようになる。

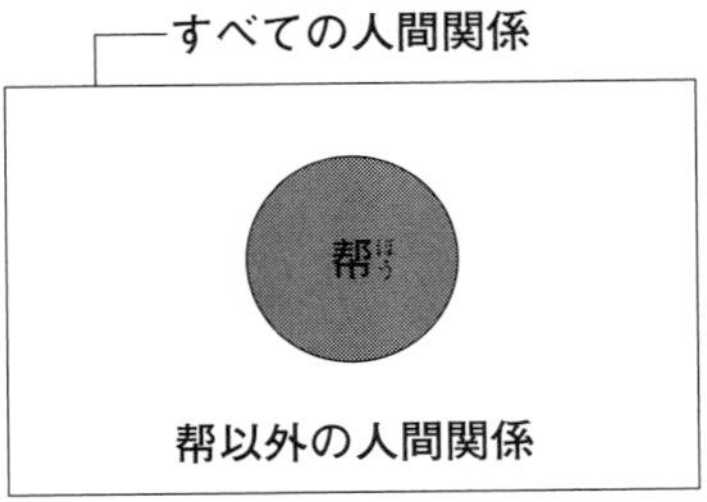

いま、「すべての人間関係」という集合を作るとする。この集合の中に、帮という、ごく特殊な（人間関係の）一つの部分集合をとる。するとすべての人間関係は、帮と帮の余集合（補集合）「帮^{C}」とに分けられる。

すべての人間関係

帮

帮以外の人間関係

●図1●

さて、集合「帮」と余集合「帮^{C}（帮以外の人間関係）」とのちがいとは――。

ちがうの、ちがわないのって、根本的にちがう。天地雲壌のちがいである。

帮（自己人）内の人間関係たるや、盟友も盟友、絶対的盟友である。死なばもろともである。勿論、いくら借金したって証文なんか毫釐［ほんの少し］も必要としないことは言うまでもない。

この帮こそ中国独特の人間関係であるから、徹底的に腑に落としきっておかねばならぬ。

どう説明しようか。『三国志』で説明してみようか。

●桃園の義盟は帮の誓い

昔から、日本人にとって『三国志』ほど馴染の深いものはあるまい。徳川時代以前から吉川英治『三国志』にいたるまで、ベスト・セラー。ミリオン・セラー。今も、横山光輝のマンガ『三国志』はミリオン・セラーで、子供や若者にも人気沸騰。

『三国志』を例にとって話を進めていくとコミュニケーションが容易であろう。「次々と制定される資本主義最先端の法律」（前掲、高橋論文の副題）を論じたときに『三国志』とは、なんて言いたもうこと勿れ。中国人の基本的行動様式（Ethos）たるや、今も『三国志』の時代も変わってはいない（このことは第五章で詳説する）。

『三国志』は桃園の義盟で始まる（なお、以下『三国志』といえば、とくに断らなければ羅貫中*の『三国志演義』のことを指す）。

桃園で義盟を結ぶことによって、劉備、関羽、張飛の三人は義兄弟になったと書いてある。この「義兄弟」だが、親の血を分けた兄弟、本当の兄弟よりもずっと固い契りである。なんて言うとヤクザめいてくるが、ヤクザでもよろしい、カタギでもよろしい。皇帝でも王でも、どんなに身分の低い者でも高い者でも。階級、階層その他、一切合切全く関係なし。義で結ばれた「義兄弟」の契りたるや、血を分けた本物の兄弟の契りなんかとは比較にも何もならないほど固い。金鉄のごとし。いや、金鉄以上。

本当の兄弟だって、裏切ることもある。何となくコミュニケーションが困難になることもある。生死を共にするなんてとても言えまい。いや、それどころではない。兄弟は他人のはじまりなんて言うが、親の遺産相続のケースを思ってもご覧じろ。血で血を洗って僅かな利得をめぐって醜い争いが展開されることさえある。

本当の兄弟は、利害から自由ではない。絶対には信頼できない。完全に理解しあえるとも言えない。兄弟間の争いも（戦争も）あり得る。……生死を共にするなんて、とてもとても。

このような「本当の兄弟」とは全くちがって、利害、争いから完全に自由であり、絶対に信頼でき、完全に理解しあい、生死を共にする。これが「義兄弟」、帮（帮会）の中の人間関係なのである。帮の中の規範は絶対である。ここがポイント。

劉備、関羽、張飛*の三人は、以前からずっと見知っていたわけではないし、血を分けた兄弟でもない。しかし、ひとたび桃園で義盟を結ぶや、実の兄弟なんかとは桁ちがいに固い契りの義兄弟となって、ここに劉備・関羽・張飛の三人帮、三人組が成立する。今の言葉で言うと彼らは自己人である。

こうなったら最後、彼ら三人のあいだの契りがいかに固いものか。

よく『三国志』をお読みいただきたい。吉川『三国志』でも、柴田錬三郎『三国志』でも、横山光輝のマンガ『三国志』でも結構。

彼ら三人のあいだでは、利害、争いから完全に自由であり、絶対に信頼でき、完全に理解しあい、そして生死を共にする。まことにそのとおり。一点の疑点もない。

これが、帮（帮会）内の人間関係である。
『三国志』こそ、中国的人間関係を理解するために、まことによき教科書かな。
毛沢東*は『三国志』を熟読した故に人民革命に成功し、蒋介石*は『三国志』を読まなかった故に大陸を失ったのだという説があるが、まことに宜なるかな。
おわかりか。ここのところをしっかりと腑に落とし込んでからにしないと話が先に進まない。

***羅貫中**（?～?）元末、明初の小説家。『三国志演義』『水滸伝』*など、初期の語り物文学の作者とされる。経歴の詳細は不明。

***劉備**（一六一～二二三年）字は玄徳。三国蜀漢の初代皇帝、昭烈帝。黄巾の乱に際し、関羽、張飛とともに挙兵。後漢末の群雄割拠の中、力を蓄え、二二一年蜀漢を建国。

***関羽**（?～二一九年）字は雲長。三国蜀漢の武将。劉備に従い各地を転戦。知勇兼備の将で義に篤い人物の代表とされ、後年、関帝と崇められた。

***張飛**（?～二二一年）字は翼徳。正史では益徳。三国蜀漢の武将。剛勇でならすもその粗暴な性格のため、部下に暗殺された。

***毛沢東**（一八九三～一九七六年）字は潤之。初代中国共産党主席。一九一九年、日本の二一箇条要求拒否を訴えた五・四運動時期に長沙で活動開始。抗日運動、対国民党戦を指導。四九年、中華人民共和国を建国、初代国家主席となる。六六年には文化大革命を指導するなど、思想面理論面でも現代中国に多大な影響を与えた。

***蒋介石**（一八八七～一九七五年）字は中正。中華民国初代総統。辛亥革命に参加後、孫文の信任を得て国民党に重きをなし、南京政府を樹立。内戦を繰り返しながらも、日中戦争勃発

時には共産党と統一戦線を組み抵抗するが、のち、共産党の反抗を受け台湾へ亡命。
＊水滸伝　明代の長編通俗小説。施耐庵作（羅貫中と合作との説もあり）。『三国志演義』『金瓶梅』『西遊記』と共に四大奇書と呼ばれる。北宋の時代、高官らの腐敗を憎む豪傑好漢一〇八人が梁山泊に集い活躍する物語。

●帮の外では、略奪、強姦、虐殺がやり放題

さて今まで、帮（帮会）内の人間関係について論じてきた。

では、帮外の人間関係とは。

すでに示したように、帮内の人間関係と帮外の人間関係とは余集合である。集合論的に言うとこういうことになるのだが、社会学的に言っても、両者は全くちがう。

帮内の人間関係と帮外の人間関係とは全然ちがう。

この命題（文章）こそ、中国人理解のためのいわば公理、大法則である。

帮内の人間関係は、まことに生死を共にするものである。このことは、繰り返し強調した。

では帮外の人間関係は、どういうことになるのだろうか。

一言でこれを言うと——。

何をしてもよろしい。窃取強盗ほしいまま。略奪、強姦、虐殺……何をやっても少しもかまわない。いや、かまわないどころではない。それが、倫理であり、それが道徳である。

ナニ、略奪、虐殺……が倫理・道徳だなんて。——驚きたもうこと勿れ。

よく知られているところでは、かつての古代ベドウィン*の民。沙漠の流浪民なのだが、チャンスがあれば、隊商でも村落でも、ほしいままに略奪し、虐殺し……。

こんなこと、古代ベドウィンの倫理・道徳では、少しも不倫でも非道でもない。全くもって、倫理的・道徳的な行いそのもの。

では、古代ベドウィンの倫理・道徳において不倫・非道とはどういうことなのか。

まず、卑怯未練であって、あるいは未熟であって、まともな戦闘ができないこと。戦う民たる古代ベドウィンにとってこれほどの不倫・非道はない。

ここまでなら、日本人にもよくわかるはず。日本武士にとって、「卑怯者」と呼ばれることは最大の屈辱であり、不倫・非道のうちの最大のものであるのだから。

が、古代ベドウィンの倫理・道徳は、そこには止まらない。

略奪、強姦、虐殺ができるのにそれをやらないこと。

これもまた、古代ベドウィンからすると、たいへんな不倫・非道徳。

なんて言ったら途端に反論が出てきそう。太古のベドウィンなんて、そんなとんでもない民族（people）を引き合いに出してきたって、それはあんまり意味がない、と。

とんでもない。

古代ベドウィンだけではない。太古だけではない。前近代社会においては、どこでもいつでも、こんなぐあいであった。あに古代ベドウィンのみならんや。

前近代社会においては、日本の倭寇*だって誰だって、基本的にはこんなぐあいであった。

これは、一体全体、どういうことか。

倫理・道徳は自分たちの集団の中にだけ存在するのであって、集団の外には存在しない。いや、正確に言うと、倫理・道徳は、集団の内と外では、全くちがったものとなる。すなわち、二重規範(double norm)となるのだ。

帮(帮会)とは、かかる集団である。

帮内の規範と帮外の規範とはちがう。全くちがう。根本的にちがう。

帮内では、生死を共にするというほどの最高の倫理・道徳が支配しているが、帮の外では、窃取強盗、略奪、殺戮やり放題。まるで倫理・道徳なんか無いようにも見える。

二重規範が共同体(Gemeinde, commune)の特徴であると、マックス・ウェーバー*は言った。中国の帮は、共同体を作っているのである。

どのような共同体を作っているかによって、当該社会の組織的特徴が決まる。中国社会における一つの共同体がこの帮である。もう一つは、血縁共同体たる宗族であるが、宗族については第三章で論ずることにしよう。

宗族と帮が経緯となって中国社会は構成される。ここでは、帮を理解していこう。

＊古代ベドウィン　アラビア半島、中近東の砂漠・乾燥地帯を移動していたアラブ系遊牧民の俗称。
＊倭寇　一三～一六世紀頃に、朝鮮半島、中国大陸沿岸で行動した海賊的集団。当初は日本人により明、高麗で略奪行為に及んだが、後期には密貿易目当ての中国商人らも出現した。
＊マックス・ウェーバー(Max Weber　一八六四～一九二〇年)　ドイツの経済学・社会学者。近代資本主義の成立とプロテスタンティズムの関連を解明。歴史社会の法則的発展説にも疑問を投げ、マルクスとならび社会主義者に大きな影響を与えた。

●事情変更はなぜまかり通る

本稿の初めに示した「中国人は絶対に信用できると同時に少しも信用できない」という端的に矛盾する命題（文章）、帮会という分析概念を使えば説明できるであろう。

あなたがもし、或る中国人と帮（帮会）を形成することができれば――。

その中国人は絶対に信用できる。

もし、中国人と帮を形成することができなければ、すなわち、もしあなたが中国人の帮の外にいるならば――。

あなたは中国人を少しも信用することができない。何しろ、強盗、略奪、殺戮さえ自由自在なのだから、どんなにあくどく騙し込まれたからとて、それくらい平チャラであろう。怒るほうが不思議ではないか。

と、こう説明してくると、必ず質問される。

話を聞いて、「根本的」にはわかったみたいだが、「皮相」「うわべ」のところがどうもよくわからない。日常の商売では、「皮相」のところもまた重要なのではないか、と。

信用しきっていた中国人に土壇場で騙されて、もう中国のことなんか聞くのも嫌だという人ならば、右の説明はピンとくるかもしれない。やはりそうであったのか、と。しかし、中国人とのトラブルは、この種のものばかりであるとも限らない。ちっとも納期を守らないだとか、約束とはちがった品物を納めてくるとか……最も多い苦情が、約束の解釈が伸縮自在、自分の都合のよいように解釈してしまうということ。日本人を最も驚かすことは、「事情変更の原則」を、いとも安易にもち出してしまうことである。

資本主義経済下の私法、とくに商法や民法は、法適用の安定(Stabilität)をとくに重視する。これなくしては、目的合理的な経営をなし得ないからである。故に、事情変更の抗弁(Die Einrede der Veränderten Umstände)を最も嫌う。ひとたびキチンと契約がなされたのに、事情が変わりましたという理由で一方的に契約が変更されたのでは、資本主義的取引はスムーズに行い得ないからである。「約束は厳守せざるべからず」「厳守せよ」という大原則が確立していないところでは、市場機構(market mechanism)は作動し得ないのだ。

これ、マックス・ウェーバーも強調するように、市場経済の大原則だ。

約束の厳守なくして目的合理的生産計画、販売計画……一切の経営計画は立て得ない。

これはすでに述べたことではあるが、この上なく大切なことなのでここにもう一度繰り返す。

故に、「事情が変更した」ことを理由に、一旦(いったん)結んだ契約を変更することは許されない。契約の当事者(ザ・パーティーズ)(the parties)は、「事情変更」の結果生じる危険を負担しなければならないのである。

これが、「約束は厳守せざるべからず」が市場経済の根本原則でなければならない所以(ゆえん)。

ところがなぜか、中国では、この根本原則が確立されていない。

日本人が「中国人は信用できない」と言うときの大きなテーマの一つが、この「事情変更の原則」である。中国人はすぐ、約束したときと事情がこう変わりました、ああ変わりましたと、それを理由に約束を反故(ほご)にしてしまって平気である。反故(ほご)にまではしなくても、勝手に変更しておいて涼しい顔をしている。

一体全体、どういうことになっているんだ。だから中国人は信用できない。

こういうことになる。

「まことにそのとおり」と言いたいがそうもいくまい。それほどまでに、中国社会は日本人にとって、「複雑怪奇」なのである。

●曹操と関羽の関係は帮の関係か

ま、「帮（帮会）」、自己人の外は、倫理・道徳の通用しないところ。殺されないだけましで、約束の反故くらい目くじらを立てるなと言ってしまえばそれまでだが。

帮外の人間関係ときたら、全くの無秩序なのか。いや、そうでもない。

では、どんな秩序があるのか。ここでも、『三国志』を援用して説明を試みよう。

かの有名な赤壁の戦い。曹操*は、一〇〇万の大軍をひっさげて呉を一気に征服しようとしたが、周瑜、孔明*の火計にひっかかって全滅した。

> 曹操の軍勢は槍先にかかり矢に仆れた者、焼死、水死した者、数えきれぬほどであった。
>
> （羅貫中『三国志演義4』立間祥介訳、徳間書店）

> 曹操と張遼*は僅か百余騎をひきい、火の林をくぐって逃れようとしたが……
>
> （同右）

そうはさせじと、孫権*、劉備の軍勢は追いすがる。

曹操は、呂蒙、凌統、太史慈、陸遜*……などをふり切り、途中、張郃*の軍勢に出会って後詰めを命じ彝陵（現在の湖北省宜昌付近）をめざして落ちのびていった。

しかし、さすが孔明。要所、要所には伏勢をしておいた。

宜都（現在の湖北省宜都）では趙雲*が伏せていて曹操に攻めかかってきたが、徐晃*と張郃とが奮戦して辛くも切りぬけた。が、多くの人馬が失われた。

葫蘆谷には張飛が伏せていて、四方を火煙でとりかこみ、どっと鬨の声をあげて曹操の敗残兵におそいかかった。

もはやこれまでと思われたが、許褚*、張遼、徐晃は必死になって張飛に斬ってかかった。曹操は裸馬にとびのって、一目散に逃げに逃げた。張飛は追い立てたが、曹操の残軍は一団となって死物狂いに張飛の追撃をふり切った。

鞍も着る物も棄ててきたので、冬の盛りの寒気きびしいおり、その苦しみは耐え難いものであった。曹操は、少しでも遅れる者は斬って棄てさせた。


この時、兵士らはすでに飢えと疲れで、ばたばたと倒れたが、曹操は皆にその上を踏みつけて進ませたので、死んだ者は数知れず、泣き叫ぶ声は、途中、絶え間なくつづいた。

（同右）

しかし、曹操は休息を許さなかった。

が、数里も行かぬうちに、彼はとつぜん鞭を上げてからからと笑った。

「人はみな周瑜、諸葛亮の智謀を言うが、わしの見たところ、やはり能なしどもじゃ。もしここに一隊の伏勢を置けば、われらとて手を束ねて捕えられるほかないではないか」

（同右）

その声も終わらぬうちに、関羽が赤兎馬にまたがり、五〇〇の精兵をひっさげて曹操勢の行く手をさえぎった。曹操の軍勢は、もはや胆をつぶすことすら忘れ呆れ果てるばかり。最後の力をふりしぼって戦おうにも、今は、馬が役に立たないのであった。

一世の梟雄曹操も、ここで関羽に討ち取られて、『三国志』は一巻の終わり。

本来、そうなる筈であった。

めでたしめでたし。

いや、めでたくも何ともありはしない。

中国と日本とは、最大の大衆文学を失っていたろう。出師表*も秋風五丈原もなかったろう。

毛沢東が『三国志』を参考にして、圧倒的に優勢であった蔣介石を破って人民革命に成功することも、関羽が「関帝」としてまつられ、庶民の神様に成ることもなかったであろう。弱り切って馬も動けない曹操の軍勢を目の前にして、関羽の精鋭は、たやすく捕らえることができた。しかし、関羽は曹操を捕らえも斬りもしなかった。「わしの命もこれまでか」と覚悟をきめた曹操を、どうしたわけか、逃がしたのである。

「どうしたわけか」ではない。昔受けた曹操の恩義を思い出したからであった。

雲長（関羽）は義を重んずること山の如き人であるから、かつての日、曹操から受けたいくたの恩義、そして五関の守将*を斬って棄てた時のことを思い起こして、心を動かさぬはずはない。その上、曹操の軍勢が戦々兢々、みな涙を浮かべているのを見ては、惻隠の情を禁じ得なかった。そこで馬首を返すと、

「散れ」

と手勢に下知した。（同右）

曹操、兵敗れて華容に走り
正に関公と狭路に逢う
ただ当初の恩義の重きがため

金鎖を放ち開きて蛟竜を走らしむ　（同右）

関公の恩義の重きがため蛟竜曹操を走らせた。
ここに、中国人を真に理解するための鍵がある。

＊曹操（一五五〜二二〇年）　字は孟徳。三国魏の武帝。後漢末、黄巾の乱の余賊を破り勢力を拡大、献帝を擁して朝廷の実権を握る。華北を統一し、孫権、劉備と鼎立。二一三年魏公、二一六年魏王となり、子の曹丕による魏建国の礎を作った。文章にも優れ、数々の賦や、『孫子』の注なども著した。

＊周瑜（一七五〜二一〇年）　字は公瑾。三国呉の武将。孫権の建国を助け、二〇八年、赤壁に曹操軍を破る。

＊孔明（一八一〜二三四年）　姓名は諸葛亮、孔明は字。三国蜀漢の政治家。劉備より三顧の礼を受け、天下三分の計を持って幕下に参加。蜀漢の建国の原動力となった。劉備の死後も後主劉禅をもり立て、丞相として蜀の運営に尽くした。魏・司馬懿との対峙中、五丈原にて戦没。

＊張遼（一六九〜二二二年）　字は文遠。三国魏の武将。丁原、董卓、呂布に仕えたのち、曹操に臣従。合淝の戦いなど数多くの戦功を立てた。

＊孫権（一八二〜二五二年）　字は仲謀。三国呉の初代皇帝。江東の豪族に生まれ、周辺勢力を糾合しつつ江東を統一。赤壁の戦いに曹操軍を破り国家の命脈を保ち、二二九年、建国。

＊呂蒙（一八一〜二一九年）　字は子明。三国呉の武将。蜀将関羽を破る大功をたてたほか、

「呉下の阿蒙にあらず」「男子三日あわざれば刮目して見よ」の成語でも知られる晩学の名将。

＊凌統（?～?）　字は公績。三国呉の武将。

＊太史慈（一六六～二〇六年）　字は子義。三国呉の武将。

＊陸遜（一八三～二四五年）　字は伯言。三国呉の武将。呂蒙と共に関羽を敗死させ、劉備軍をも破り、荊州を蜀から奪回した。

＊張郃（?～二三一年）　字は儁乂。三国魏の武将、街亭の戦いで蜀将馬謖を破る功をたて、諸葛亮の北進を阻んだ。

＊趙雲（?～二二九年）　字は子龍。三国蜀漢の武将。早くから劉備に仕え、勇名を持ってなり、長坂の戦いでは単騎で幼少時の後主劉禅を守るという武勇を示した。

＊徐晃（?～二二七年）　字は公明。三国魏の武将。曹操、曹丕、曹叡の三代に仕えた建国の功臣。

＊許褚（?～?）　字は仲康。三国魏の武将。曹操の側近として武名をとどろかせた、怪力を持つ勇将。

＊出師表　蜀漢の諸葛亮が魏侵攻の遠征に向かう折り、後主劉禅に上呈した書。蜀漢の将来を憂い、政治の要諦までを教え諭す叙述で、二二七年、翌年の二度にわたり出され、特に二二七年のものは「これを読み涙せぬ者は忠臣ではない」と賞されたほどの名文として名高い。

＊五関の守将　関羽が曹操のもとを去り、劉備のいる河北へ向かう途上で、関を開けなかった守将ら六人を斬ったことがあった。曹操は守将らへの関羽の通行を許可する指示が遅れたことを悔い、関羽が配下の守将を斬ったことは不問に処した。

●帮(ほう)の外には絶対規範はない

すでに論じた帮(ほう)理論を補充発展させるための方法論がある。

帮(ほう)理論は、勿論(もちろん)、一つの理念型(モデル)（Ideal Typus(イデアール・テイープス)）であり、中国を理解するにあたっての、最も根本的ではあるが最単純な理念型(モデル)。それは、あたかも、古典力学における質点の力学のようなものであり、またそれは、あたかも巨視経済理論(マクロ・エコノミクス)における最単純ケインズ模型(モデル)のようなものとも言える。

帮(ほう)理論によれば、すべての人間関係は、帮(ほう)（帮会(パンフエ)）内の人間関係と帮(ほう)外の人間関係とに、二分法的(ダイカタマス)（dichotomous）に分けられる。

帮(ほう)内では、死なばもろともというほどの最高の倫理・道徳が支配する。帮(ほう)外は、いわば化外(けがい)の地であって、倫理・道徳が必要でないところ。盗もうと殺そうと自由。いわんや、騙(だま)すくらい、気にしない気にしない。

根本的には、まさにこのとおり。

しかし、帮(ほう)の外には倫理・道徳が全く存在しないのか。存在の余地が全くあり得ないのか。

帮(ほう)の外では、（帮(ほう)の中のごとき）倫理・道徳を必要としない。が、帮(ほう)の中とは異質的な倫理・道徳を容(い)れる余地が全くないのか。

帮(ほう)は、すでに論じたように共同体(ゲマインデ)である。二重規範(ダブルノルム)の世界である。故に、帮(ほう)内の規範(ノルム)（倫理・道徳）と帮外のそれとが同一であるということはあり得ない。

しかし、帮外に、帮内とは異質的な規範が発生する余地はないものか。『三国志』における華容ストーリーは、右の設問に対する示唆を与えてくれる。劉備（玄徳）、関羽（雲長）、張飛（翼徳）の三人は、桃園で義盟を結んで、三人帮を作っている。この三人帮内の規範は絶対であって生死を共にするほどのもの。三人帮の外には、かくほどまでの規範は存在しない。だから、殺したっていい。実際、関羽は、華容において敗残の曹操を殺そうとし、曹操も、もはやこれまでと覚悟する。必死になって生命乞いをする曹操に対して関羽は言い放つ。

「あいや、それがしとて丞相の厚恩を蒙ったことはござれど、すでに顔良、文醜*を斬って白馬*での危地をお救いし、ご恩報じをいたしました。今日は私情は許されませぬ」

（同右）

曹操は、関羽の帮外の人間である。故に、曹操と関羽との間には、絶対規範はない。しかし、恩義の貸借という相対規範は、やはり成立していることがわかるのである。

この「恩義の貸借」という相対規範が、三人帮内の絶対規範とは異質的であること、はるかにレベルの低いものであることも、右の例からわかる。

三人帮内の規範は絶対だから、「恩義の貸借」なんかあり得ない。いかなる場合でも無条件に相手に全力をあげて尽くすだけ。無償の奉仕である。

しかし、「恩義の貸借」は相対規範であるから、守る人もあり、守らない人もある。これは、何とも仕方がない。この点、帮内の絶対規範とは、根本的にちがう。

帮内の規範は絶対であるから、誰でも守らないわけにはいかない。帮内の規範を破ったら最後、その人はもはや人間扱いを受けない。帮内の鉄則にしたがって必ず殺されるか、人間以外の生物として扱われるか、それらのいずれかで、それ以外ということは断じてあり得ない。

いい人だから守る。わるい人だから破る。この事情だから守れるけれどもあの事情では破る。こういうことは絶対にあり得ない。帮内の規範は絶対であるから、誰でもいつでも、いかなる条件下でも守らなければならない。これこそ、絶対規範が絶対規範である所以である。

帮外の相対規範はこれとは全くちがう。言ってみれば、守るか守らないかは当人の自由。

雲長（関羽）は義を重んずること山の如き人であるから、かつての日、曹操から受けたいくたの恩義……を思い起こして、心を動かさぬはずはない。（同右）

実に、示唆に富む文章である。

「義を重んずる人だから恩義を思い出す」ということは、裏から言えば、「義を重んじない人ならば恩義を思い出さない」ことになるではないか。

世の中には、「義を重んずる人」もいれば「義を重んじない人」もいる。これは、どうにも仕方がない。世の中に、よい人もいればわるい人もいるがごとくに。そのうえに、「義を重んずる」ということになれば、これは二分法的ではなくて程度の問題となる。どの程度「義を重んずる」のか、これこそ問題なのである。

トコトン追い詰められた曹操は、伏兵の将が関羽だと知ると、もしやと思った。もしや、昔の恩を思い出して助けてくれるかもしれない、と。

「もしや、助けてくれるかもしれない」ということは、当然「もしや、殺されるかもしれない」ということでもある。

曹操の部下はみんな、いくら関羽が恩を思い出しても、よもや助けてはくれないだろうと絶望的。何しろ、敵味方なのだから。

関羽も言下に助命嘆願を断っているではないか。

「もはや私情は許されません」と。

公の軍律はきわめて重く、私情によって敵を逃したりしたら――。

死刑。それに決まっている。法家の元祖商鞅*以来、それ以外の軍律というものはあり得ない。

しかし、関羽は、曹操から受けた恩を思い出して曹操を助けた。

曹操を生かすも殺すも関羽の自由だったのに、関羽は、自由意志で曹操を助けたのだった。

***顔良・文醜**（?～二〇〇年）　ともに後漢末の群雄・袁紹の武将。曹操軍と袁紹軍が対峙した白馬の戦いにおいて、関羽に斬られた、とある。

***白馬**　現在の河南省滑県の東方。曹操、袁紹が激突した官渡の戦いの前哨戦地で、兵力に勝る袁紹軍を最終的には曹操軍が撃破した。

***商鞅**（?～前三三八年）　戦国時代秦の政治家。商に封じられたためこの名がある。衛の公子として生まれ、姓名は衛鞅。公孫鞅とも呼ばれる。秦の孝公に仕え変法を断行、富国強兵に努め秦の国力を上げ、その功で商邑に封じられた。その峻厳を極めた改革は貴族の反感を買い、孝公死後、車ざきの刑に処された。逃亡時に宿を求めた折り、「商鞅様の決めた法律で、証明書のないものを泊めるとお咎めがありますので」と拒絶され、「法の弊、ここにいたるか」と嘆息した故事は有名。

●どれほど重い恩義でも「帮」の重さにはかなわない

関羽が曹操から受けた恩。

昔の戦いで、劉備、関羽、張飛の軍勢は、曹操にさんざん破られて、彼ら三人は散り散りになった。あとの二人の行途はともかく、関羽は曹操に捕らえられた。この頃の習慣として、任意に斬られたからとて文句の言えない時代。捕虜の権利に関する条項なんて薬にしたくてもない時代だったから。

しかも、曹操は、関羽を斬らなかっただけではない。あくまで降伏を肯んじない関羽を捕虜としてではなく賓客として扱った。これだけでもすでに破格の待遇と言わなければならない。

曹操の人材道楽は名高い。いや、道楽ではなかった。人材を得ることこそ天下を獲るための道であることをよく知っていたのだった。

英雄豪傑として関羽ほどの人材はいない。曹操もつとに属目していた。サア、その関羽がわが手に落ちたというのだから、曹操が喜んだの喜ばないのって。

人材をチヤホヤする方法として、「馬に乗れば金を与え馬を下りれば銀を与える」という表現があるが、曹操が関羽を遇するやこれ以上。天子に奏して高位高官を与え寿亭侯に封じ、曹操に仕えたならば立身出世なんか思うままであることを示した。住宅、財宝は最高のものが与えられたことは言うまでもなし。選りすぐった一〇人の美女まで与えられ、呂布*から奪った天下第一の馬、一日に千里を行くという赤兎馬、この馬も関羽に与えられた。それから、『三国志』随一の美女で、中国四大美女（その他の三人たるや何と西施、王昭君、楊貴妃*）の一人として今も名を残す貂蟬*。彼女もまた関羽に与えられたのであった。

これ以上の待遇は考えられない。

しかし、それでも関羽は少しも心を動かさなかった。曹操に感謝はするけれども、劉備から曹操に鞍替えして曹操に仕えるそぶりなんか少しもない。あくまでも、私の主人は劉備だけである、と。勿論、曹操の知遇に報いるために関羽は戦場で抜群の働きを遂げる。曹操の危ういところを救ったこともあり、そのたびに、曹操の恩賞はますます厚くなっていく。

こうなれば、曹操から受ける恩義はますます厚くなって、義理でも曹操の下からは立ち去りがたくなっていくのであるが。

とある日、突然、劉備の居所が知れた。そうすると、関羽は、少しの躊躇もなく、飄然として曹操の下から立ち去って行く。曹操は、関羽の態度を見て、これこそ義士であると感嘆久しゅうした、とか。

中国人の基本的行動様式を知る上で決定的に重要なことは——。

帮（帮会）内の規範は、帮外の如何なる規範よりも、比較を絶してはるかに重い。

このことである。

命を助けられた上に破格の待遇をし、度重なる恩賞を与えてくれた。曹操こそ、関羽を知る者の一人である。関羽を天下の英雄として遇してくれた。その恩義たるや、きわめて重いことは言うまでもない。義人たる関羽、もとよりこれを知る。それであればこそ、華容においては、厳重なる軍律を犯してまでも曹操を逃がすことになるのである。

それほど重い恩義でも、帮（桃園の義盟によって結ばれた三人帮）内の規範の重さにくらべれば、鴻毛［おおとりの羽毛］より軽いのである。

この一例からも、帮内の規範の重み、知るべきのみ。

「関羽は義を重んずること山の如き人であるから、……曹操から受けたいくたの恩義……を思い起こして、心を動かさぬはずはない」「……惻隠の情を禁じ得」ず、「心を動かさぬはずはない……」（羅貫中、前掲書）

ここがポイント。

規範が絶対的であって、どうしても「こうしなければならない」のであれば、「惻隠の情」［かわいそうに思うこと］を禁じ得なくてもどうしようもあるまい。「心を動かす余地」はあり得ない。

そうではなくて、帮外の恩義は相対的だからこそ「心を動かす」自由があり得るのである。

関羽は、曹操から受けた恩義を思い出して「心を動かして」、あえて軍律に反してまで曹操を許して逃れ去らせたのであった。

＊呂布（?～一九八年）後漢末の群雄。武勇無双を謳われるが、次々と主君を変える節操無さが災いし、非業の最期を遂げる。

＊西施（?〜?） 春秋時代越の美人で、中国史上最高の美人とも言われている。呉に敗れた越が西施を呉王夫差に献上。夫差が西施の色香に溺れ、政治をないがしろにした隙をついて、越は呉を滅ぼした。文字通り、傾国の美女である。

＊王昭君（?〜?） 前漢の美人。元帝の後宮に入るも、賄をしなかったため冷遇を受け寵を得られず、匈奴の呼韓邪単于に嫁ぐことになった。嫁ぐ折りに初めて彼女が後宮一の美女であることに気づいた元帝だったが時すでに遅く、後悔の念にくれた、という。

＊楊貴妃（七一九〜七五六年） 唐の玄宗帝の妃。幼名は玉環、道名は太真。初め玄宗の子の妃となるが、玄宗の後宮に召され貴妃の称を受ける。寵を受け、一族揃い高位に就くが、安禄山の乱による逃避行の途中、兵士の強要にあい、縊死させられる。

＊貂蟬（?〜?） 後漢末の美人。司徒王允の命により、董卓、呂布を離反させるべく、両人に秋波を送り操り、ついには呂布をして董卓を殺させた。正史には名が見えない。

●あの呂布でさえ、社会生活不能者ではない中国社会

これが関羽ではなくて呂布であったならば、恩義なんか無視して「心を動かす」なんていうことはなかろう。たちどころに曹操を殺して手柄にしていたにちがいない。

関羽と呂布のちがい。帮外の規範を理解するための格好の例ではないか。

呂布は、無双の勇士ながら、恩義を無視することで名を残している。呂布は、はじめ丁原＊に仕えた。丁原は呂布をたいへん可愛がり、引き立て重用した。しかし、董卓＊がさらによい

条件で呂布を誘うと、丁原を殺して董卓の家来になった。董卓は呂布をこの上なく信頼し義子にまでしたのだが、これほどの恩義も呂布には効果がなかった。またも董卓を裏切って殺してしまう。呂布の行動たるや、まさに、転変常なきを地でゆくようなもの。

しかし呂布的人物でも、社会的生活が営めた。ここが肝要。

最後に、呂布は曹操の捕虜となる。雁字搦めにされても、呂布は、昂然として曹操に言い放つ。わしを前衛にして攻め進めれば敵する者なし。容易に天下を平定し得るであろう、と。

曹操は、それも尤もと心を動かした。人材に淫するとまで評される曹操である。人間の価値は能力によって決まるので、品行によって決まるのではないというのが曹操の持論。

それにしても、呂布は裏切り常習犯で、乱世の倫理水準からみてもひどすぎる。斬るべきか、生かしておいて覇権を得るために利用するべきか。さしもの曹操も迷って、当時同盟をしていた劉備に相談した。

劉備は、丁原や董卓やその他の例も挙げて、呂布を召しかかえたら、いつ裏切られるか心配ばかりしていなければならなくて、マイナスのほうがプラスより多いでしょうと忠告した。そこでついに、呂布は曹操に斬られたのである。

このストーリーで注目すべきことは、呂布ほどの裏切り常習犯でも、社会生活不能者とまではされていなかった、ということである。

それどころではない。諸侯になったり、地方長官になったり、立派に天下を横行していたではないか。曹操(そうそう)は、呂布(りょふ)を前衛にして天下を争う可能性さえも考えてみたではないか。

「ほとんど社会に生存することがむずかしい」状態ではない。

中国にも社会生活不能者と看做(みな)される人はいる。「出族(しゅつぞく)」と称される人である。一族から除外され、死後一族共同の墓地に葬ることを禁止された人のことである。「出族」は最大の懲罰であって、この罰を受けた者は、生きているときでも、まともな社会生活は営めない。「ほとんど社会に生存することがむずかしい」状態になってしまう(桑原隲蔵(くわばらじつぞう)『中国の孝道』宮崎市定(いちさだ)校訂　講談社学術文庫)。

社会生活不能が最大の制裁(サンクション)(sanction)であるから、呂布(りょふ)ていどの裏切り(恩義無視)では、社会生活不能というまでの制裁は加えられなかった。ということは、呂布(りょふ)が無視したていどの規範は、まだ相対規範であって絶対規範とまでは言えなかったことを意味している。

＊丁原(ていげん)(?〜一八九年)　後漢(ごかん)末の群雄。字は建陽(けんよう)。霊帝(れいてい)の死後、兵を率い洛陽(らくよう)に乗り込んだが、董卓(とうたく)にそそのかされた配下の呂布(りょふ)に殺された。

＊董卓(とうたく)(?〜一九二年)　後漢(ごかん)末の軍人。黄巾(こうきん)の乱平定には失敗したが、霊帝(れいてい)の死後、洛陽(らくよう)に乗り込み勢力を拡大。少帝(しょうてい)を廃し献帝(けんてい)を擁立し、朝政を壟断(ろうだん)。袁紹(えんしょう)、曹操(そうそう)らの挙兵を機に洛陽(らくよう)を焼き払い長安遷都(ちょうあんせんと)を強行。暴政の限りを尽くすが、計略に乗った呂布(りょふ)に殺された。

●帮の規範は公の法律に優先する

これに対して、帮内の規範はどうなのか。

すでに述べたように、関羽は、昔の恩義を思い出して曹操を逃がした。

しかし、恩義は私情である。私情をもって軍律を犯すこと、これが許されるわけがない。断罪にあたる。

軍師は、軍律厳正をとくに重んずる諸葛亮（孔明）。後に、「泣いて馬謖を斬る」＊という成句まで残した諸葛孔明である。どんなに可愛い部下でも、どんなに有力な人でも、誰でも、軍律を犯した者は、断乎として斬らなければならない。それが軍律というもの。孫子＊は、部下を命令に従わせられなかったというだけの理由によって、王の寵姫を斬ったではないか。

孔明は、帰陣した関羽を尋問し、私情によって軍律を破って曹操を逃がしたことが明らかになると斬ろうとした。孔明は、関羽を引き出して首を斬れと刑吏に命じたのである。

公の法律は、まさにこのとおり。一点の疑点もない。断じてあり得ない。

私情をもって軍律を犯すことを許したのでは、軍隊は解体のほかないではないか。これこそ、まさしく公の法律なのだ。

関羽が軍法によってまさに斬られようとしたとき、劉備が進み出てこう言った。

むかしわれら三人が兄弟の契(ちぎ)りを結んだとき、生死をともにせんことを誓いました。このたび雲長(うんちょう)（関羽(かんう)）が軍律に触れることをなしたのは確かでござるが、それではそれがしらの契(ちぎ)りを全うすることができなくなりますゆえ、ここは一応、罪を預けおき、後日の功をもって償(つぐな)わせることにして下さらぬか。

（羅貫中　前掲書）

この論理こそ、中国理解の要諦(ようたい)。

劉備(りゅうび)は君主であるから、軍律維持の主体である。軍律が維持できなくなって軍隊が解体して困るのは、まさに劉備(りゅうび)その人ではないか。軍律は公の法律であり、私情をもって公の法律を蹂躙(じゅうりん)してはならないことくらい百も承知でなければならない。

たしかにその筈(はず)であるのに、そうはしなかった。

「生死をともにする」契(ちぎ)りを全うするほうを公の法律たる軍律より優先させた。

すなわち、帮(ほう)の規範のほうが、公の法律より重いことを立証(デモンストレート)（demonstrate）した。

これが中国。

劉備(りゅうび)にこう主張されるや、軍律厳正をもって鳴(な)る孔明(こうめい)も、それ以上は何も主張せず、「泣いて関羽(かんう)を斬る」ということにはならずに、黙って引き下がったのであった。

公の法律でも、そこのけそこのけ、帮会(パンフェ)が通る。

中国における帮の凄さ、この一例だけでもおわかりであろう。
桃園の義盟は、劉備・関羽・張飛の三人帮（帮会）だが、二人帮でもよい。
劉備と孔明との集合は二人帮である。
出師表にも言っているではないか。

臣はもと庶民で南陽（現在の河北省南西部）で農民をしていました。それなのに、先帝（劉備）は、臣が卑鄙であることなんか気になさらずに、自ら草廬の中に三回もたずねてきて、天下の計について質問なさいました。是に由りて感激し、先帝（劉備）のために全力をあげて献身することにいたしました、と。

孔明こそ忠臣の模範として、それ以後英雄をして涙にむせばせている。
劉備が孔明を三顧して当世の事を諮うたことに孔明が感激して、劉備・孔明の二人帮が成立したと分析できる。この二人帮たるや、桃園の義盟の三人帮にも劣らないもので、劉備にとって孔明は、「わしに孔明があるのは、魚に水があるようなものである」とまで言っている。「君臣水魚」という成句はこれを出典としている。孔明はこれに感激して、劉備が生きている間は勿論、死んで後も後主劉禅*を立てて、中原を恢復して漢朝を復興すべく努力するのである。これぞ、二人帮のサンプル。

*泣いて馬謖を斬る　二二八年、蜀軍の第一回北伐の折り、街亭の戦いにおいて諸葛亮の命に背き布陣を行い、軍を敗退に追い込んだ蜀将馬謖（一九〇〜二二八年　字は幼常）に対し、諸葛亮は処刑を決断。人材難の蜀において将来を嘱望されていた将であるだけに諸官から助命嘆願の声があがるが、法を正さずして勝利はおぼつかぬとして刑を執行した故事をいう。

*孫子（?〜?）　春秋時代呉の兵法家・孫武を指す。呉王闔廬に仕え、兵法書『孫子』一三篇を残したといわれている。

*劉禅（二〇七〜二七一年）　字は公嗣。三国蜀漢の後主。劉備の長子として生まれたが、暗愚のため、諸葛亮ら功臣の死後宦官を重用し国を滅ぼした。

●刺客に見る中国人の本質

前段において、『三国志』を引照することによって、帮（帮会）について論じた。

帮こそ中国固有の人間関係であり、日本にもアメリカにも、これに該当する人間関係はない。

だから、帮の理解は、日本人にとってもアメリカ人にとっても、困難に絶する。

しかも、帮の理解こそ中国理解の急所である。中国人とつきあう秘訣もここにある。

『三国志』を引いて帮の説明をしたのは、『三国志』が日本の人口に膾炙している［広く知れ渡っている」からである。

これで、あるいは十分かとも思われるが、帮の理解こそ中国理解の鍵であるので、なお念のため、例をもう一つだけ追加しておきたい。

暗殺者である。暗殺者を、中国では刺客という。

刺客（「せっかく」の慣用読み）は中国独自の存在であって、アメリカの殺し屋（professional killer）とも、日本の鉄砲玉ともちがう。

刺客は尊敬され社会的地位も高い。この点、殺し屋とも鉄砲玉ともちがう。『戦国策』『史記』はじめ、歴史書で刺客は、政治指導者、軍人などとともにヒーローである。『史記』は、七〇列伝中早くも第二六に「刺客列伝」を立てている。べつに、前にあればあるほど重要というものでもないが、「刺客列伝第二六」が、「呂不韋*列伝第二五」と「李斯*列伝第二七」の間にあるのは印象的である（呂不韋も李斯も秦の丞相―総理大臣―）。

刺客について分析するまえに、いくつかの例をあげておきたい。

『史記』が上げている刺客は、曹沫、専諸*、予譲、聶政、荊軻、高漸離*の六人である。とくに、「荊軻、聶政」は成句となり刺客の代名詞にも使われているほどである。なかでも、とくに名高いのが、「風蕭々と易水寒く、壮士ひとたび去って復た還らず」の荊軻である。が、荊軻の秦王政（のちの始皇帝）暗殺ストーリーは、あまりにも有名なので、ここでは、予譲と聶政とを挙げる（曹沫のエピソードは第四章で紹介する）。

*呂不韋（?〜前二三五年）　戦国秦の政治家。商人として財を成し、趙で人質となっていた秦の荘襄王を救い、王の即位後秦の宰相となる。荘襄王の子・始皇帝即位後も仲父と呼ばれ

権勢を誇ったが、醜聞事件に連座し自殺した。始皇帝の実父との説もある。
＊李斯（?～前二一〇年）　韓非子を毒殺した秦の政治家。楚に生まれ、韓非子とともに荀子に学ぶ。始皇帝の天下統一に大きく貢献したが、同門の秀才・韓非子が始皇帝に重用される事を恐れ嫉み、自らの栄達を守るため毒殺した。始皇帝の死後、宦官趙高の讒言により、極刑に処せられる。
＊専諸（?～?）　春秋呉の義士。呉の公子光の知遇を得て、その意を受け王僚の暗殺を決意。魚の腹中に匕首を忍ばせ、隙をついて刺殺に成功。専諸はその場で誅殺されたが、公子光は王位に就き、呉王闔廬となった。
＊荊軻（?～?）　戦国衛の義士。秦に人質にとられた燕の太子丹が秦を脱出帰国した後、その怨みを晴らすため、秦王政（後の始皇帝）の暗殺を願い、白羽の矢を立てたのが荊軻であった。荊軻は秦から亡命してきた将軍樊於期に、秦王に会うための手土産としてその首を要求。快諾して自ら命を断った樊於期の首を持ち秦王に面会するも、刺殺には失敗、斬殺された。
＊高漸離（?～?）　戦国燕の義士。荊軻の親友で筑（弦楽器の一種）の名手。荊軻の暗殺行では易水まで見送りに行き、筑を奏でた。荊軻の失敗後、その筑の技を始皇帝に愛され、目をつぶされた後近侍。隙を見て筑に鉛を仕込み始皇帝に打ちかかるが狙い外れて失敗、誅殺された。

●帮に生き、歴史に生きた予譲

予譲は晋の人で智伯に仕えた。
趙襄子は智伯を攻め滅ぼし、智伯の頭骨に漆をぬって杯にした。予譲は趙襄子を殺して旧主智伯の仇を報いることを議り、復讐のためならどんなことでもしようと、日夜、身を苦しめ心を砕いた。

予譲は顔を変え姿を変えて刑余の人々（囚人）に成りすまし、趙襄子の晋陽城へもぐり込み、便所の壁塗りをしながら彼を刺し殺す機会を狙っていた。趙襄子は便所に入ろうとしたが、あやしいと感づき捕らえさせてみると懐から匕首がでてきた。「旧主智伯さまのために趙襄子を殺すつもりだ」と予譲は昂然と言った。左右の家来は予譲を殺そうとした。が、趙襄子は「智伯はすでに滅んでしまって子孫もいない。それなのに智伯のために仇を討とうとする。予譲は義士である。ゆるしてやれ」と言って予譲を釈放した。

しばらくすると、予譲は、体に漆を塗って癩者（ハンセン病患者）を装い、炭を飲み喉をつぶして唖者（声の出ない人）を装い、ボロボロの服装をして物乞いしながら機会をうかがっていた。彼の妻すら、こんな予譲を見て夫と気づかないほどであった。

中国人が思い込んだら最後、ここまで極端なことをするのである。この話は記憶に値する。

ある日、彼の志を知っている親友が、予譲だと気づいて声をかけた。

「きみほどの才能のある者が、なんでこんなことまでするのだ。趙襄子に仕えて才能を発揮したら、彼はきみを必ず重く用いるだろう。親近されているときに油断を見すまして襲えば志を遂げることは容易ではないか。これほどまでに体を傷つけて苦しむ必要はないではないか」

なるほど、こういう手もあるのだ。が、そこがスーパー義士予譲のこと。

「いったん家来になりながら、その主人を殺そうと狙うのは、二心を抱いて仕えることになるではないか」

とてもそんなことはできないと、彼はせっかくの忠告も拒否する。予譲は、何故仇討ちをするにしても、容易な必殺の方法を選ばずに、身を苦しめ、そこない、至難の方法を選ぶのか。

予譲の答えは中国人の歴史観をズバリ一言で言い表している。

「わたしが至難の道を選んだのは、後世の人々に、二心を抱いて君に仕えることを愧じさせるためである！」

中国人は、「丹青」にたれる（歴史の手本になる）ためならば、どんなことでもする。身を傷つけ生命を棄てても悔いないのである。このことは第五章で稿を改め詳しく検証する。

その後の予譲は、あくまで趙襄子を殺そうとつけ狙う。

殺そうといったって、今や趙襄子は堂々たる諸侯（とのさま、王さま）。予譲は一介の物乞い。復仇「仇討ち」といったってこれ至難の業である。四十七士が吉良上野介を討ち取るようなぐあいにはいかないのである。しかし、予譲は、あくまでも復仇を志す。

しばらくして、予譲は趙襄子が城を出ることを知り、道筋の橋の下に隠れて待った。趙襄子が橋まで来たとき、馬が驚いて立ちすくんだ。予譲がいるにちがいないと思った趙襄子が、家来に橋の下を調べさせるとそこにいたのは、癩者を装いボロをまとった予譲であった。予譲を捕らえた趙襄子がやったことは、予譲と議論をすることであった。

趙襄子は権力者、予譲はもはや俎上の鯉。生かすも殺すも、趙襄子の勝手である。将軍綱吉*と四十七士の関係だと言えばいいのかもしれない。綱吉は、四十七士を義士として高く評価した。が、四十七士は死刑に値する違法行為をしている。如何にするべきか、綱吉は矛盾に苦しんだ。四十七士を如何に評価すべきか。その後、徳川時代を通じて多くの議論がなされてきた。その綱吉自身も学問を好み、たいへんな論者だということになっていた。

だが、日本ではどの論者も夢にも考えなかったことがある。

将軍綱吉と四十七士の討論である。

この討論が、もし行われていれば、どんなに面白かったことか。シミュレーションをやってみる価値が十分にあると思われる。が、日本では、権力者と一介の浪士との討論なんかは、てんで、あり得ない。考えることすらナンセンスなのである。

日本ではあり得る筈のないことが中国では起きる。

堂々たる大諸侯たる趙襄子は、ボロをまとった物乞い（身分から言えば浪士よりずっと下である）に論争を挑み討論をする。

これが中国。

趙襄子は予譲を論難して言った。「おまえはかつて范氏に仕え、中行氏にも仕えたではなかったか。智伯は、范氏も中行氏も滅ぼしたのに、おまえは二氏のために仇を討とうとせず、かえって智伯に、仕えたのは如何なる理由か。そして、智伯のためだけに仇討ちをしようとするのは何故か」

するどく、予譲の行為の矛盾を衝いたのであった。

生かすも殺すも、その前に論争。予譲は矛盾を衝かれたと思いきや、直ちに反論する。

曰く、「わたくしは、いかにも、范氏にも中行氏にも仕えました。だが二氏は、わたくしを普通の人として待遇したにすぎませんでした。だからわたくしも普通の人としての義務をつくしたにすぎませんでした。しかし、智伯はわたくしを国士（一国でとくに傑出した人物）として待遇してくださいました。だからわたくしも国士としての義務を果たすのです」

この反論、効果があった。趙襄子は、深くため息をつき、泣きながら言った。

「おまえが智伯につくす忠義の名分は十分に立った」

「忠義の名分を立てる」ことが予譲の目的であった。

その目的達成を論争相手たる趙襄子にも認めさせたのだから、この論争、予譲の勝ち。

「忠義の名分を立て」て論争に勝った予譲は、満足して自決して果てた。

この予譲ストーリーのポイントは、「国士としての待遇」にある。

国士として待遇すれば国士として報い、庶人（普通の人）として待遇すれば庶人として報いる。

人間関係の軽重は、相手の待遇の軽重である。

国士待遇とは待遇の最高である。これほどの待遇を与えられれば、最高の人間関係が発生する。智伯と予譲とのあいだには、二人帮が形成されるのである。二人帮は共同体であるから、帮内の規範は絶対である。生命を棄てても何をしても、帮内の規範は絶対に守らなければならない。予譲は、ただ鞠躬尽力して、何がなんでも智伯のために仇を討とうとした。諸葛孔明の鞠躬尽力のごとし。

これに対し、范氏も中行氏も、予譲を庶人としてしか待遇しなかった。ゆえに、重大な人間関係は発生するべくもない。予譲は、范氏とも中行氏とも帮を作らなかった。

ゆえに、規範は相対的である。ま、普通ていどの義務を果たせばよい。鞠躬尽力する必要はない。生命を棄てて仇を討つ必要はないのである。

＊将軍綱吉（一六四六〜一七〇九年）　江戸幕府第五代将軍、徳川綱吉。家光の四男で八〇年将軍就任。統治前期は湯島聖堂の建立など文治主義を進めるが、後期は柳沢吉保が実権を握り

「生類憐みの令」、貨幣改鋳などの失政を続けた。

●「訪ねていく」という意味

これで、帮（帮会）ということの意味がおわかりかな。

帮は、中国独特の人間関係である。帮を理解することにこそ、中国理解の急所がある。

予譲ストーリーで十分であるとも思われるが、例をもう一つ追加しておこうか。いわば、追実験である。追実験でも検証されたら、それは真理であると言っても差し支えがなかろう。荊軻と並んで刺客として名声の高い聶政について論じたい。このストーリーには、実にいろいろ示唆に富む話がつまっているので、少し詳しく紹介しよう。「中国人とのつきあい方」の根本もここにある。


聶政は人を殺したので、仇討ちされるのを避けるために、母や姉と斉に行き、狗の屠殺をしていた。といっても、日本の所謂犬殺しとはちがう。狗を殺してその肉を売るのである。ちなみに、中国には食用の狗がいて、狗の肉を売る商売が成立している。が、当時はこの商売は賤業とされていた。

その聶政のところへ、ある日突然、立派な人物が訪ねてきた。この人は厳遂（字は仲子）

といい、元韓（戦国七雄のうちの一国）の大臣（上卿）で韓の首相侠累と剣で斬り結ぶほどの大喧嘩をしたため、死刑にされることを危懼して出奔して斉に来ていた。そして、侠累韓首相に報復してくれる人物を探していた。

中国の刺客の多くは、報復のために雇われる。が、その「雇われ方」たるや、殺し屋（professional killer）を雇うのと全然ちがう。では、どうちがうのか。

ここでは、殺し屋と比較するために、あえて、「雇う」なんていう表現を用いた。が、「雇う」という表現では、誤解のおそれがある。

実は、お願いをするのである。が、この「お願い」たるや、たいへんなことである。

礼を厚うし、辞を低うして、只管お願いするのである。身分の高い人が、最低階層の人に、一向に、ただお願いする。土下座も何も厭うところではない。これぞ、中国人的人間関係。それでも相手は受けてくれるかどうかわからない。にべもなく拒否されても文句は言えない。文句もぐちも言わずに、ただただ、お願いしまくる。

これが、刺客を引き受けてもらうための必要条件なのである。

ある人が厳遂に、聶政こそ刺客に成るために十分な能力のある人物であると教えてくれた。仇を避けて屠殺者の中に身を隠しているとも知らせてくれた。

この人だと思った厳遂は、自ら訪問して聶政の家の門まで行ったが会えなかった。こんなことが数回繰り返された。

この時代、元大臣と市井の匹夫とでは、身分の差は天地もただならぬものがあり、今日では想像もつかないほどである。

それにもう一つ。

「訪ねていく」ということの意味である。

「三顧の礼をとる」という成語がある。劉備は諸葛孔明を三度訪れて軍師に迎えたことはすでに紹介した。三度訪れるとは、たいへんに厚い礼である。これほどまでの厚遇をされたので、諸葛孔明は感激して、報いるに鞠躬尽力をした。出師表にも曰っているではないか。「わたしはもといやしい一庶人でした。それなのに先帝陛下（劉備）は、わたくしがいやしい者であることなど意に介さず、尊き御身をもって三度まで庵にお訪ねになりました」

『三国志』でも、あまりにも有名な章句である。

そこで孔明は、「是に由って感激し、遂に先帝に許すに駆馳をもってせり」（これによって、わたくしは深く感激し、ついに先帝陛下のためにかけまわってご奉公もうしあげることになったものでございます）ということになった。

これぞ中国人。

ひとを訪れてゆくということは、中国ではこれほどの意味をもつ。訪れてゆくほうが下、訪ねられる方が上、礼では必ずこうなる。アメリカだと、必ずしもこうは解釈されない。礼儀上、どちらが上というのではなしに、どちらがどちらを訪問しても差し支えはない。

キッシンジャー［米大統領補佐官］＊は、米中の礼法上のちがいを活用して電撃的米中復交に成功した。

アメリカだと、大統領が外国を訪問したからとてどうということはない。アメリカがその国へ属国の礼をとったなんてとんでもない。これに反して中国のほうは、外国の王や大統領、首相が訪問すると、朝貢(ちょうこう)にでもきたと感じてか、すごく喜ぶ。

有能な政治家キッシンジャーはこの点をついた。

何しろアメリカは、世界最大最強国である。その大統領といえば、いわば世界の権力者。ニクソン大統領＊が自ら訪問して、毛沢東(もうたくとう)主席をわざわざ自宅に顧(かえりみ)たのである。中国人の満足、知るべきのみ。その他の諸条件なんか、ま、ほどほどでいいや。米中復交（一九七二年）は、たちまち成った。

田中角栄＊もこれと同じ。中国における国交回復交渉の過程のことである。

この席上、周恩来(しゅうおんらい)首相は田中首相に、日中の戦争で日本軍がいかに多くの中国人を殺したか、次々と具体的な数字をあげた。

角栄首相はその言葉を全部聞いた後、一言で片づけたのである。

「だから、私はこうして北京へやって来た。あなたが東京へ来られたのではなく、私がやって来たのだ」

見事としか言いようがないではないか。

すでに強調したように、中国にはアメリカとはちがう牢固たる習慣がある。交渉する場合には、必ず下位者が上位者を訪問する。その逆は絶対にあり得ない。ゆえに、日本の首相が自ら中国を訪問して交渉することは、日本が中国に最高の敬意を表したことになる。

この対中外交のコツを、田中角栄は理解していたが、近衛文麿*には理解できなかった。

最高の敬意に対しては、最高のおかえしがなければならない。毛沢東、周恩来の田中角栄へのおかえしは、賠償の放棄（但し、個人補償まで放棄するとは言っていない）。

まことに、驚くべきおかえしだとは思わないか。これほどまでのおかえしが贈られた理由は、「毛沢東や周恩来*は、いくたびも死線を越えている。だから、できることとできないこととの区別がわかっている」からでもあるが、もう一つの理由は、日本が中国に最高の礼をつくしたからでもある。

このように、「古を鏡にすれば」今の中国を知ることもできるのである。

＊キッシンジャー（Henry Alfred Kissinger　一九二三年〜）　アメリカの政治家。ドイツに生まれ、三八年渡米。大統領顧問、ハーバード大教授、大統領補佐官などを経て、七三年、ニクソン政権の国務長官に。対中国、対ベトナム、対中東一時的和平など、外交手腕を発揮した。

＊ニクソン（Richard Milhous Nixon　一九一三〜九五年）　アメリカの政治家。弁護士生活の後、第二次世界大戦に従軍。下院、上院議員を経て、五三年、アイゼンハワーの下で副大統領。六八年、二度目の挑戦で第三七代大統領に当選。中国との復交をはじめとし多極化外交を推進。ドル危機緩和のための保護貿易主義的傾向を強めた。七四年、ウォーターゲート事件で辞任。

＊田中角栄（一九一八〜九三年）　新潟県生まれ。四七年、新憲法下の第一回総選挙で初当選。郵相、蔵相、党幹事長、通産相を経て、七二年首相。コンピュータ付きブルドーザーと称された明晰な頭脳と素早い判断力、加えて小卒の庶民宰相ということで人気を得た。日中国交正常化などの業績の一方、日本列島改造論に刺激された土地投機によるインフレが進行、金脈問題の追及もあり、七四年退陣。以後、八五年に脳梗塞で倒れるまで実力者の地位を保った。

＊近衛文麿（一八九一〜一九四五年）　五摂家筆頭関白家の出身。貴族院副議長、同議長を経て、三七年、第一次近衛内閣を組閣。日中戦争勃発時に当初の不拡大方針が破れると、「国民政府を相手にせず」と声明、解決の道を塞ぐ。枢密院議長を経て二度の組閣を行うも、四五年服毒自殺。

＊周恩来（一八九八〜一九七六年）　中国の政治家。南開大学在学中に五・四運動が起こり天津の運動を指導、仏留学中に中国共産党入党。長征参加後、西安事件に際しては党を代表し蒋介石釈放に努め、国共全面内戦勃発まで国民党との折衝にあたった。四九年の建国以後、国務院総理、外相を兼任、内政、外政の両面に多大な功績を残した。

●何度も「訪ねていく」という意味

また、韓の元大臣厳遂が、たびたび聶政の家を訪問しても会えなかった、という件にはまだ大きなポイントが隠されている。

ときに、中国は階層社会（stratification society）であることをお忘れなく。

上下の身分差はきわめて大きい。普通、身分の低い人が身分の高い人に会うなんていうことは滅多にない。高い身分の人が低い身分の人を訪ねて行くことも普通ではない。それだけでも、非常のことなのである。

それであればこそ、身分の低い孔明は、身分の高い劉備に三回も訪問された（三顧の礼）ので「是に由って感激し、遂に先帝（劉備）に許すに駆馳をもってせり」ということになるのである。

最高の礼をつくされたから、全力をあげて献身しなければならない。これぞ、古を鏡とすることによって得られた中国的結論の一つである。

もう少し、社会学的説明を加えるとこうなる。

中国では、最高の礼をつくして相手がこれを受ければ、人間関係が一変する。

それまでは路傍の人であったのに、最高の礼の授受によって、二人帮が形成されるのである。

これが定理である。が、コメントも必要である。

右の命題（文章）は、古も今も正しい。しかし、何が「最高の礼」であるかについて定義があるわけではない。いつどこででも成立する概念規定が正確になされているわけでもない。

但し、とくに大切であるのは次のことである。

「ただ、一回の行為だけによって最高の礼が成立するのではない」、このこと。行為の積み上げが必要なのである。これが、昔も今も、中国理解のエッセンス。

たとえば、「三顧の礼」というときに、とくに注意するべきは「三」である。

身分の高い劉備が身分の低い孔明を、自ら顧る（行って尋ねる）。

これだけでも、実にたいへんなことであるが、一回だけでは最高の礼とまでは言えない。

劉備は、わざわざ礼をつくして孔明を訪ねて行ったのに、第一回目は会えなかった。二回目も会えなかった。俗的表現を用いれば、追い返されたのであった。

それでも劉備はあきらめない。もう一度孔明を訪問した。これで、たいへんな礼が積み上がった。最高の礼の方向へむけて動きだしたのである。すなわち、「みだりに自ら枉屈し（へりくだって）、三たび臣を草廬（貧しいいおり）の中に顧」たのであった。

そのうえで、ファイナル・パンチ。

「臣に諮るに当世の事をもってしたまう」（いまの世でなすべきことは何かと質問なさいました）。

ときに劉備は五二歳、孔明は二七歳。体験ということになると、年齢差よりもはるかに大きかった。劉備は、すでに幾年となく兵馬倥偬の中をかけめぐって苦労を重ねてきた老将。孔明のほうは、政治にも軍事にも全く未体験な若者。年輪が桁ちがいなのである。

その宿将（力量ある老将）劉備が、世を隠棲している孔明青年に、天下の舵取りについて質問するのである。孔明を、よほど高く評価していなければ考えられないことではないか。

中国は老人の（老人を尊ぶ）国である。アメリカは若者の国である。若者にも大きな仕事とチャンスを与えることを誇る。そのアメリカですら、四三歳のケネディ＊に国の舵取りをまかせることには躊躇した（落合信彦『ケネディからの伝言』）。

老人尊重の中国において、老劉備が若き孔明に、「いま中国はいかにあるべきか」と問うのである。孔明に対する評価としてこれ以上のものはなく、礼としてこれ以上のものはない。

かくして最高の礼はつくされ、この礼を孔明は受けた。途端に、劉備と孔明の人間関係は一変して、二人帮が形成された。帮の規範は絶対である。

「鞠躬尽力」とは孔明のための熟語である。土井晩翠＊は、「心をこがし身をつくす。ああ漢朝の一孤臣」（『星落秋風五丈原』）と孔明をうたっているが、孔明の劉備およびその子劉禅に対する献身は、中国でも日本でも長く、人々の感嘆の的となった。

＊ケネディ（John Fitzgerald Kennedy　一九一七〜六三年）　アメリカの政治家。下院、上院議員を経て、六〇年、四三歳でニューフロンティアの旗印を掲げて大統領選に史上最年少で当

選。ベルリン危機の解決、キューバ危機の回避などの外交成果の他、新公民権法の提案など人種差別撤廃に尽力したが、六三年、ダラスにて暗殺された。

＊土井晩翠（一八七一～一九五二年）明治・大正・昭和期の詩人・英文学者。島崎藤村とならぶ同期の代表的詩人で、漢文脈の雄渾な詩風と思想史的内容が人気を得、「晩翠調」と称された。『荒城の月』の作詞者でもある。『星落秋風五丈原』は、九九年に発表された処女詩集『天地有情』に収載されている。

●賄賂は額の多少よりその「志」が重要

さて、聶政ストーリーにもどろう。

市井の一下層民聶政の家へ、韓の元大臣厳遂が訪ねてきた。しかも何度も。

当時としては、まずあり得ないこと。これほどまでに厳遂は聶政に礼をつくしたのである。

聶政が、なかなか会わないというのは、はたして厳遂がどれほどの礼をつくすか試しているのである。この試験に合格しないと、中国人と深い交わりを結ぶことはできない。

この中国的行動様式は、昔も今も同じ。銘記するべきである。

やっと会えた厳遂は、酒をプレゼントして酒宴がはじまった。

これでやっと、厳遂は一次試験には合格。では、第二次試験はどうなった。

酒宴がさかんになると、厳遂は、百鎰の黄金（おどろくべき大金）を贈って聶政の母の長寿を祝った。この大金を聶政が受け取るかどうか。

これが第二次試験である。ここにおけるポイントは何か。

お金そのものが問題ではない。これほどまでの大金をささげてまでも深い交わりを結びたいという、その志が問題なのである。大金は、いわば触媒にすぎないのである。

このことを誤解してとんでもないことになる日本人は、あまりにも多い。アメリカ人も同様。「いまの中国はお金がすべて」「役人に賄賂はつきもの」なんて思い込んでいる。

現象的に見ればそう見えないこともない。しかし、右のように言う人は、中国の社会構造（中国の社会法則）を少しも理解していないことを告白しているにすぎない。

トラブルは次のかたちで起きる。

「役人は賄賂がつきものだ」と納得した人は何かしようとするときに、要路の役人に十分な賄賂を贈る。それが中国の習慣ならば、まあ仕方あるまい、と。賄賂でコトが解決するというのであれば、これもコストの一部分であると、企業は目的合理的計算ができる。仕事は差し支えなく続けられよう。

ところが、どういたしまして。賄賂の効き目がさっぱり表れない事態が頻発するのである。

そこで日本（アメリカ）の企業は困ってしまう。

中国では、官庁の後ろ楯がないことには何もできない。しかも、「賄賂公行」は周知の事実である。その賄賂に効き目がないとすると、――どうすればいいんだと、外国企業は途方にくれる。「中国人は人非人だ」などと、あらゆる差別用語をなげつけて激昂する人も出てくる。

ところが他方、「賄賂に効き目があった」例もずいぶんあるのですゾ！

では、中国で賄賂を有効に使う方法は何か。

著者の答えは、「歴史を読みなさい。たとえば、『史記』の〈刺客列伝〉を読みなさい」。『史記』「刺客列伝第二十六」、聶政のこの件を読んだだけでも、中国における「贈り物」ということがよくわかる。

贈り物、とくに巨大な贈り物は、モノ自体が重要なものではない。これほどのモノを贈ってまであなたと親交を結びたいという、その志こそが重要なのである。

ゆえに、高額の贈り物を礼をもって贈って、相手がそれを受け取れば、そのことによって人間関係が一変する。贈り物はそのための触媒である。ここがポイント。

●人間関係形成には時間も手間もかかる

厳遂は、百鎰の大金をささげて、聶政の母の長寿をことほぐあいさつをした。礼をもって贈ったのであった。でも、聶政は、この大金を受け取らなかった。なんでこれほどまでの礼をつくされるのかが理解できなかったからである。厳遂が、どうしてこれほどまでに、聶政と深い交わりを結びたがるのか理解できなかったからである。

礼をつくした大金を受け取ったが最後、聶政と厳遂とはのっぴきならない深い人間関係を形成してしまう。厳遂には、どんな魂胆があるのだろう。

聶政は尋いた。「あなたはどんなことにわたしを使いたいのだ」と。

触媒としての大金は拒絶されたのである。まだ十分な人間関係は形成されていないと看て取った厳遂は、このときまだ要求をださなかった。

「どういうことがわたしの仕事なのですか」と問う聶政に対して厳遂は言う。

「ご交際を願いたいだけなのです。べつに頼み立てすることとてありません」

中国人との交際においては、ここが肝要。尚早に具体的要求なんか持ちだしてきたら、交際そのものが壊れるおそれがある。そうなったら今までの努力も無駄。「交際」を大切にして、その中における人間関係を次第に育ててゆくことこそが、昔も今も大切なのである。

まことに、中国人とつきあうことは容易ではない。このことを覚悟しておかないと、中国人との人間関係は育たない。つまり、何にもならないのである。

厳遂は、もとより中国人であるから、人間関係形成を急ぎはしない。

「ご交際を願ってから、まだいくばくにもなっていません。何で頼み立てなどできましょう」

と言って、悠々として迫らない。

これが大切。

中国人とのあいだの人間関係形成には、時間と手間がかかるのだ。エイヤ面倒くさいなんて言うようなら、はじめからあきらめてつきあわないほうがよろしい。歴史が長いぶんだけ中国人は悠長なのだ。

厳遂は急がなかった。ともかくも、聶政の母の長寿をことほいでの黄金百鎰をささげようと厳遂がなおも執拗にすすめても、聶政はあくまで固辞する。

「わたくしには老母がいます。家は貧しく亡命して他国にいますが、柔らかいものを得て（好物を食事に出すという意）親を養うことはできます。親に不自由はかけておりません。だから、こんなものを頂くことはできません」

ここまで言われれば、厳遂は、それ以上の要求はしない。人間関係を深めれば、それだけでよし、とする。後はあとのことだ。中国的人間関係形成ではここが急所。

人間関係を深めるためには、それなりの時間も手間も必要である。

繰り返し言う。中国における人間形成は、一般的に（特殊な例外的場合はべつにして）漸進的である。「あっという間に」とはいかないものなのである。このことを忘れたため、如何に多くの日本人が失敗したことか。

聶政・厳遂における人間関係形成を、くれぐれも思い出しておきたい。

●相手の身になって考えることが「本当の礼」のスタート

百鎰の大金は聶政に受け取ってもらえなかったけれども、これほどの大金を触媒として提供したことで、大きな礼はつくされた。今すぐに要求をきいてもらえるとも思えないが、厳遂は、将来の伏線を張るために、希望事項をともかくも述べるだけはしておいた。まだ、要求というかたちはとっていないことに注目されたい。さしあたっての目的は人間関係を深めること、それだけである。この呼吸がポイント。

もちろん、「心の大事をうちあけること」によって、人間関係はずっと深まる。

厳遂は、「わたくしには仇があります。仇を討ってくれる勇士を求めて諸国をめぐり歩いていたのでしたが、なかなか適当な人物が見つかりませんでした」と、やっと心の中を聶政にうちあけた。

中国人の執念深さ、日本人とは異質的ではないか。「仇討ち」を比較してみると、中国は日本にとって、異星(another planet)であることが腑に落ち込んでくる。

日本の仇討ちは、自分で行う。他人に頼んで代理で仇を討ってもらうということはしない。日本における仇討ちの模型は、親が誰かに殺されたとき、子が親を殺した相手を殺す。いくつかの変形もあるにはあるが、曾我兄弟*の仇討ちからはじまってこの模型が原型である。

四十七士の仇討ちは例外的で、主人の仇を家来が討つというかたちになっている。が、いずれにせよ、めざす仇は自分が討つ。他人に頼んで代理で仇討ちをしてもらうという例はない。考えられない。

それにもう一つの大きなちがい。

日本の仇討ちは親（主人）が殺されたことが原因となる。自分自身の恨みで人を殺す場合は仇討ちとは言わない。また、親（主人）の仇を討つときには、執念ぶかく追跡する。が、自分の恨み（など）で殺す（殺そうとする）場合には、突発的である。

中国ではちがう。自分自身の怨恨を原因として、しつこく仇を計画的に追い求めて殺す。しかも、自分自身で仇を殺すのではなく、刺客に頼んで殺してもらう。このタイプの仇討ち模型が多い。仇討ちの主体と実行者とを異にする模型である。

中国における仇討ちといえば、誰しも「荊軻・聶政」を思い浮かべる。日本における曾我兄弟、四十七士とのちがいが歴然としてくるではないか。荊軻模型も聶政模型も、仇討ちの主体（恨む人）と実行者を異にしている。刺客に頼んでの代理仇討ちなのである。

『史記』は、刺客の代表として五人をあげている（高漸離を入れると六人）。彼ら五人のうち、主体と実行者とが同人物であるのは予譲だけ。あとの四人は、何らかの意味で（怨恨だけが原因ともかぎらない）、代理殺人（あるいはその未遂）である。

日本人には考えられない中国人の執念は、比較社会分析（comparative analysis）のための格好のサンプルであることを注意しておいた。厳遂側からここまでのストーリーをまとめてみよう。

厳遂は、めざす仇の俠累（韓の首相）を討って恨みをはらすために、有能な刺客をさがして諸国を放浪している。

なかなか適当な刺客が発見できなかった厳遂ではあったが、やっと見つけた。それが聶政。

厳遂は、礼を厚うし、辞を低くして聶政に交際を求めた。交際が厚くなったと見計らった厳遂は、ついに聶政に心中を打ち明けた。

が、まだこの交際の段階で、刺客を引き受けてもらえるとまでは思っていない。

相手には相手の事情がある。ここのところを十分に斟酌しないと、人間関係は深まっていかないのである。相手の身になってふるまって人間関係を深めてゆく。

このことを知るのは中国人に如かず。日本人は、到底、遠く及ぶところではない。

中国における本当の礼とは、相手の身になって考え、ふるまうことからスタートする。

そこまで至らない「礼」なんかいくら「つくして」も、中国人はそんなことを「礼をつくした」とは見做さないのである。

厳遂は、聶政の事情をよく知っている。今の事情では刺客なんか引き受けられる術はない。

だから、本心をうちあけたからといって何の希望も表明しなかった。ただ、あなたとの交際をしたいだけだと言った。

他に何の目的もない交際のための交際。これぞ最高の交際ではないか。これが急所。

この意思表明によって、厳遂と聶政との人間関係は、さらにぐっと深まった。

厳遂は聶政に、「斉にきてみると、あなたがたいへん高義のかたであるとうかがいました。そこで、おつきあいを願いたいと思っただけです。ぶしつけに貢金をお贈りするのも、お母さまの粗餐のために使っていただきたいと思っただけです。なんの下心がありましょう」。

とは言うものの、本心は、「どうか刺客になってくれ」というに決まっている。そうでなくて、何でこれほどの礼をつくすものか。

聶政は、「身を辱かしめて狗の肉売りなんかして生活しているのも老母を養いたいと思えばこそです。老母が生きている限り、わが身をひとにあげるわけにはゆきません」と言って、厳遂がいくらすすめても百鎰を受け取らなかったのである。

一見、交渉決裂である。厳遂は目的を達しなかったのであった。

日本人ならば、ここであきらめることであろう。聶政がダメなら他を探すさ。他に高義な人もいるだろう。刺客としてももっと有能な人もいるかもしれない、なんて考えて。

しかし、中国人は日本人とはちがう。この人こそと思い込んだら生命がけ。何回失敗してもあきらめない。こうしないと、本当に深い人間結合は結べない。帮は作れないのである。
中国人との交際は時間がかかるのである。悠長なのである。急ぐと人間関係は失敗する。

厳遂は、断られたからサヨナラなんて言わなかった。丁重に聶政を賓客として遇して固い契りを結んで帰って行った。

これが、中国人と深い人間関係を結ぶコツ。人間関係の深さに応じて、相手はこちらの要求をきいてくれるようになっていく。深い人間関係には大きな要求。浅い人間関係には小さな要求。人間関係がなければ、要求は少しも通らない。ここのところを理解していないから、日本企業が、「賄賂をタダ取りされた」などと大騒ぎする事件が頻発するのである。

「お金を贈る」ということは、お金を触媒として人間関係を作る、あるいは人間関係を深めるということである。このことはすでに強調したが、何度強調しても強調しすぎることはない。

これが中国における型だから、いくらお金を贈ったからとて、それによって必要な人間関係が樹立されなければ、そのお金は触媒として機能しなかったことにならざるを得ない。つまり、無駄なのである。人間関係が形成されていないから、いくら要求しても少しも通らない。

このことに憤慨して日本企業は「賄賂のタダ取り」などと放言するが、憤慨するほうが実はまちがっている。中国を理解しないにもほどがある。

「賄賂は必ず有効でなければならない」なんていうルールがどこで決まったというのか。

このことこそ中国理解の要の一つだから、補助線をひいたうえでもう少し論じたい。

＊曾我兄弟　鎌倉前期の武士、曾我十郎祐成、五郎時致の兄弟を指す。幼くして父・伊東祐泰を工藤祐経に斬られ、早くより仇討ちを決意。工藤を富士裾野の狩り場にねらい仇を討つが、兄祐成は斬り死に、弟時致は捕らえられ刑死。源頼朝はその義挙に感じたという。幸若、能楽、歌舞伎などの題材となった。

●賄賂の経済学

まずは、厳遂の聶政に対するお金の贈りかたに注意していただきたい。

厳遂は、百鎰という驚くべき大金を聶政に提供した。しかも、聶政はこの大金を受け取らなかった。では、取引不成立か。

いや、「取引不成立」と考えるのは、資本主義（Der Moderne Kapitalismus, the modern capitalism）での話である。

資本主義における取引成立とは、売買契約が結ばれることをいう。売買契約が結ばれれば、そのとおりに実行されなければならず、商品（資本）は売手から買手にわたされ、代金（お金）は買手から売手にわたされる。これが、商品（資本）の購入（販売）である。

そこに、売手、買手の人間関係が入り込む余地は全くない。価格は市場法則（例：完全競争市場だと、需要関数と供給関数との交点）だけによって決まる。人間関係は介入しないのである。これが資本主義。

ところが、中国では、価格決定に情誼（チンイー）という人間関係が入り込む。売手の情誼（チンイー）が深いほど、安い価格で買手に売る。

また、これからさらに情誼（チンイー）を深めたい相手には、より安く売る。

このように、価格は、市場法則だけによって決まるのではない。情誼（チンイー）という人間関係もまた価格を左右する。

この点、資本主義とは大きく異なる。市場法則に人間関係が介入してくるというのでは、中国はいつまでたっても資本主義にはなり得ないであろう。

中国における賄賂（わいろ）も、このようなものだと思うとよい。

アメリカなどの資本主義国における賄賂（わいろ）は、不合法ではあるが、その実、役人の行為の購入を意味する。だから買収ともいう（例：buy a pop　警官を買収する。チップで交通違反などを見のがしてもらう）。役人の行為の売買について契約が成立しているのであるから、契約は守らなければならない。契約は絶対である。

これが、資本主義の精神（ガイスト・デス・カピタリスムス）（Der Geist des Kapitalismus）の最重要なものの一つである。

ゆえに、資本主義が定着すると深く人々の基本的行動様式（エトス）に根づく。

ゆえに、地獄の法（無法者の法）においてさえも、「契約は絶対的である」という規範にかぎっては、確乎として守られる。かかる下位文化が定着するのである。たとえば、殺し屋ですら殺人契約には忠実ではないか。そうでなければ殺し屋は務まらないのである。

資本主義の精神の、不合法な系（corollary　必然の結果）の一つなのである。

たとえば南北戦争後、アメリカ資本主義は、疾風怒濤の時代をむかえた。この時代は、最も清潔で最も汚れた時代とも言われている。

資本主義の精神は充実し、プロテスタントの倫理は横溢した。ユグノー倫理の受肉化（incarnation）のような人々が輩出した。それと同時に、賄賂公行し、腐敗堕落は全国に満ちみちた。

南北戦争の英雄グラント将軍＊は大統領に当選したが、任期中、多発する役人のスキャンダルに悩まされぬいた。連邦政府は、急成長する産業資本の要請によって、国内市場開拓のため鉄道建設を積極的に推し進めていき、補助金の下付、沿線土地の払い下げなどをさかんに行った。鉄道会社に払い下げられた公有地の総面積はイギリス全土よりも広いほどであった（斎藤真『アメリカ現代史』山川出版社）。

鉄道は巨大な資本を必要とし、独占化が早く進み、百万長者を続出させた。ヴァンダビルト、ハリマン、スタンフォード、ハンティントン＊などである（同右）。

一方において、政府は積極的な産業育成政策を推進し、他方において巨大な富豪が輩出する。

そうなるとどうなるか。結果は言わずと知れている。収賄などの腐敗が政界・官界に広くゆきわたったこと、この時代にすぎるはない、と言われている。

腐敗が蔓延したのは鉄道疑獄をめぐってだけではなかった。アメリカ資本主義の急速な発展にともなって、大量の移民が流入してきた。もとより、移民は故郷を棄てた人々であり極貧層、ナイナイづくしのような人々であった。

ここに目をつけた、とある議員は、就職、住居、病気の世話からもらい下げにいたるまで、ありとあらゆる移民の面倒をみてやることで厖大な移民の票を獲得し、市政を壟断、贈収賄から公益事業の私有化にいたるまで、ありとあらゆる悪徳で私腹を肥やした（同右）。

このように、一九世紀末から二〇世紀初めにかけて、アメリカ合衆国の政・官・財界は贈収賄はじめ、腐敗堕落に満ちあふれていた。

それでいて、この時代ほどアメリカ経済が大躍進をとげた時代もない。

賄賂公行し全国に蔓延し、しかもキチンと効力を発揮し、それでいてアメリカ経済が大躍進を遂げた理由は何か。腐敗堕落の害がアメリカ資本主義の大発展を阻止しなかった理由は何か。

中国において、腐敗堕落こそが経済発展を大きく阻害している（王輝・天津社会科学院長の言。『中国　官僚天国』の著者）ことと対比すると、右の理由の解明は、中国研究のために、すこぶる重要である。

その一つの理由は、アメリカにおける賄賂(わいろ)は、役人の行為の売買契約というかたちをとるからである。ということは、他の（商品、資本、労働力などの）諸市場のほかに、役人行為市場が成立することにほかならない。

役人行為市場がスムーズに機能していれば、その害が如何(いか)に大きくても、他の諸市場が恙(つつが)なく作動し、各経済主体（消費者と企業）が目的合理的に行動することを妨げない。それゆえに、腐敗堕落の横行と同時に、資本主義の大発展は十分にあり得るのである。

中国における価格形成、贈収賄の効果、機能などを、日本やアメリカとの対比において理解するために、聶政(しょうせい)ストーリーを続けたい。

＊グラント（Ulysses Simpson Grant　一八二二～八五年）　アメリカの政治家、軍人。陸軍士官として米墨(べいぼく)戦争、南北戦争で軍功を挙げ、北軍総司令官に就任。軍事的英雄として六八年大統領選に当選。第一八代大統領となる。

＊ヴァンダビルト（Cornelius Vanderbilt　一七九四～一八七七年）　アメリカの鉄道投資家、金融家。運送業に成功した後、六九歳にして鉄道投資を始め、一〇年足らずで東部の鉄道を支配下においた。晩年は文化事業に従事。

＊ハリマン（Edward Henry Harriman　一八四八～一九〇九年）　アメリカの鉄道家、金融資本家。投機で財をなし、八一年から鉄道投資を開始。シカゴから太平洋岸にかけた諸鉄道を支配下に収めた。後年には、南満州鉄道の買収ももくろむが失敗した。

＊スタンフォード（Amasa Leland Stanford　一八九四～一九六九年）　アメリカの政治家、実

業家。セントラル－パシフィック鉄道の社長を経て、上院議員を務める。八五年、子息の死を悼み、スタンフォード大を創立した。

＊ハンティントン(Collis Potter Huntington　一八二一～一九〇〇年)　アメリカの実業家。スタンフォードらと大陸横断鉄道の建設会社を興し財をなす。

●聶政の壮烈な最期

厳遂は、聶政にお金を提供した。このお金を聶政は受け取らなかった。

ここまで話をした。

資本主義ならば、取引不成立である。

しかし、中国ではちがう。人間関係をさらに深めることになった。「大金を贈る」という礼をさらに重ねたことになったのである。それであればこそ、厳遂はお金の受け取りを拒否されても、礼をつくして帰ったのである。厳遂と聶政のあいだには、深い人間関係が形成された。

あるいはこれも帮（帮会）か。二人帮か。厳遂は失敗したのではなく、ここまでは成功したとも言える。中国では人間関係こそ最大の資産である。厳遂はそれを獲得したのであった。

かなりたって、聶政の母が死んだ。葬式がすみ、服喪の期間も終わった。

そうすると、聶政はしみじみと言った。

「ああ、わたしは市井（巷）の庶人である。狗の肉を売っている下層民にすぎない。厳遂さまは大臣という最高の身分だ。それなのに、その人が千里を遠しとせずにわざわざ来てくださった。車を止めて対等につきあってくださった。このわたしは、身分が低く貧乏なだけでなく、これという手柄も何もないのに厳遂さまは百鎰という大金をささげて母の長寿を祝ってくださった」

こう言って聶政は重大な結論に達した。

「この聶政を本当に理解してくださったのは厳遂さまだけだ」と。そして、厳遂は礼をつくして国士として待遇したことも思い出したのであった。

国士として待遇してくれた相手に対しては国士として報いる。

この点、予譲と同じ。

范氏、中行氏は予譲を庶人として待遇した。ゆえに、范氏、中行氏に対しては予譲は庶人として仕えた。が、智伯は予譲を国士として待遇した。ゆえに予譲は智伯には国士としての義務を遂行して生命を棄てても仇を討つと考えたことは先に述べたとおり。

曰く「士は己を知る者の為に死す」（中国の古い諺）と。

聶政の行動様式も、予譲のそれと同じなのである。これが、中国人の行動様式である。それは、人間行動における相互性（reciprocity）を特徴とする。

中国におけるギブ・アンド・テイク（give and take）は、フロー（flow　その時どきの行動）だけではない。ストック（stock　永続的人間関係）においても、やはり行われるのである。国士として待遇されれば、そこに主君対国士という永続的人間関係が成立する。その後いつまでも、国士として主君に仕えなければならない。

聶政は、国士として厳遂に報いることを決意したのであった。「彼ほどの賢者が睚眦も裂けんばかりの憤激を秘め（それを晴らすため）、しがない匹夫を信頼してくださったというのにどうして黙って無視していられよう。先日、あれほどの願いを断ったというのも、母が存命で孝行しなければならないからであった。その老母も今や天寿を終えた。いまこそ、この聶政、己を知る者のために死のう」

こう決心をさだめて聶政は、西のかた濮陽へ行って厳遂に会って、仇討ち決行の承諾の意を述べた。そして、めざす仇は誰かと質問した。

厳遂は、ことの経緯を詳しく説明した。

「わたくしの仇は、韓の首相俠累です。が、彼を討ち取ることは困難をきわめ不可能にも思えるのです。彼は韓王（烈侯）の末の叔父で、一族は盛んで護衛も整っており隙はありません。いままでも人を送って刺殺させようとしましたが、成功した者はいませんでした。

幸いにもあなたは、わたしをお見捨てになりませんでした。車や馬やお手伝いする勇士もつけましょう」

これに対して聶政は、人数を多くすれば秘密が洩れるおそれがあるから危険である、といってただ一人で韓へでかけていった。

そして決行の日――。韓の俠累首相は、韓王とともに役所にいた。刀や戟をもった大勢の護衛が厳重に守っていた。とても近寄れそうもなかったが、聶政は一気に躍り込んで階段をかけのぼって俠累を刺殺した。

サア大騒動である。まさかこんなことが起きるなんて誰も思ってもみなかった。青天の霹靂どころではない。青天の大暴風雨ではないか。左右の臣下たちは大混乱に陥った。聶政は大声で叫びながら数十人を殺した。たいした武勇ではある。

でも、たった一人でいつまでも戦えるものではない。すでに目的は達した。

聶政の自殺のさまは、物凄いとも凄惨とも言いようもない。こういう死に方もあるものか。身許がわれたら依頼者や姉が迷惑するであろう――。聶政は、自分の面皮を剝ぎ、眼をえぐりぬいて面相がわからないようにした。そのうえで、腹を切って腸を引き出し、その果てに死んだのであった。日本でも、割腹はとくに苦しい自殺法として武士の誇りとされてきた。聶政は割腹の元祖か。日本は、これもまた、中国の元祖を見習ったのか。

韓では、首相刺殺の犯人が誰やらわからない。韓の政府は聶政の屍を市にさらして、「この者の姓名を知らせた者には千金を与える」と懸賞つきで調べたが、いっこうに判明しない。

聶政の姉栄は、話を伝え聞いて、これはわが弟聶政にちがいないと思った。さっそく韓へ行ってみると屍体はやはり聶政であった。彼女は、泣いて、「勇ましいことだ。気矜（意気操持）の高いことは古の勇士たる賁育や成荊＊以上である。それなのに、いま、死んで名誉は与えられていない」と言うと、「これはわたしの弟、軹の深井里の聶政です」と絶叫して屍のもとで自殺した。

当時の人々は、このストーリーを聞いて口を揃えて「聶政が立派な人物であるだけでなく彼の姉も烈女だ」と言いあった。

聶政が、代表的刺客として歴史に名を残したのは姉の功績であると劉向（前八二～八六年頃『戦国策』＊の編者）は言っている。また、司馬遷＊はコメントとして、「厳仲子（遂）も、人物を見抜いて本当の士を得たものだ」と、依頼者の厳遂のこともほめている。

＊賁育・成荊　賁育は、共に春秋秦の武王に仕えた孟賁と夏育を指し、成荊は春秋斉の景公に仕えた武将で、共に古代中国の勇士として名高い。

＊戦国策　主として戦国時代における説客たちの権謀術数を書きとどめた記録文学、歴史物語。国別にまとめられ、たくさんの挿話から構成されており、数多くの故事成語を生んだ。

＊司馬遷（前一三五年～？）　前漢の歴史家。太史令（史官の長）司馬談を父に持ち、古文学習を続け、史料収集のため全国を周遊。父の死後、太史令を継ぎ、暦法改正、修史事業にあたる。前九八年、匈奴に降った将軍李陵を弁護し武帝の逆鱗に触れ、宮刑（去勢の刑）に処せられ

るも、その屈辱のなか十数年を費やし、紀伝体の歴史叙述を確立した通史『史記』を著す。
太史公とは太史令司馬遷の自称。

●「殺し屋」の経済学

これが、代表的刺客たる聶政ストーリーである。

聶政ストーリーは、中国を本当に理解するための絶好のサンプルであるので、ちょっと詳しく述べておいた（話の出所は、『史記』および『戦国策』である）。

すでに強調したことではあるが、刮目すべきは、中国における刺客の社会的地位の高さである。アメリカの殺し屋とは同日の談ではない。

殺し屋は、日陰（in the shadow）にあり、どんなに優れた殺し屋でも、日の当たる場所（in the sun）には出ることのできない存在である。興味を持つくらいの人はいても、尊敬する人はいないであろう。社会的尊敬の対象ではなく、社会的地位は番外である。

が、アメリカの殺し屋は、中国の刺客を分析するうえで、こよなき補助線である。殺し屋との社会的比較（sociological comparison）を行うことによって、刺客を分析しておきたい。

アメリカの「殺し屋」というとき、日本の読者は「ゴルゴ13」*を思い出しておくとよい。これぞまことのアメリカ式「殺し屋」であるからである。

「殺し屋（キラー）」の社会学的・経済学的特徴は何か。それは、「殺し」がビジネスであることである。市場取引であることである。資本主義的売買であることである。

市場メカニズム（需要と供給）によって価格が決定されるのであって、人間関係は一切捨象されており、関係はないのである。ゴルゴ13（サーティーン）の「殺し」の価格が高いのは、彼の必殺の技能に対する需要が大きいのに対し、供給に限度があるからにほかならない。

資本主義における市場取引は、商品（資本、労働力も含む）の売買契約である。

資本主義において契約は絶対である。契約が結ばれてしまえばそれまで。**契約は必ず、文面（リテラリー）（literary）どおりに実行されなければならない。事情変更の原則は許されないというのが資本主義の大原則である。**

事情が変わったから（いったん結んだ）契約を変更してくださいという「事情変更の抗弁」を許していたのでは、経済主体（消費者と企業）は目的合理的（消費、生産）計画を立てることや、商品、資本のスムーズな流通ができなくなるからである。そのために市場機構が自由に機能しなくなること、いや市場がそもそも成立しないことをおそれて、資本主義は事情変更の原則を拒否したのであった。ちなみに、資本主義より前の法律においては、事情変更の原則が許されることもあった。

アメリカ式殺し屋（キラー）（以後とくに断らなければ、「殺し屋（キラー）」とは、アメリカ式殺し屋を意味することにする）は、「契約は絶対である」という資本主義の精神の所産なのである。

日本では、「殺し屋（キラー）」は存立し得ない。資本主義の精神が未熟で、「契約は絶対である」というエトスが未（ま）だ根づいていないからである。

試みに問うてもみよ。「人殺し」と「金をもらってトンズラする」のとどちらがわるいかと。たいがいの日本人は、必ずや、人殺しのほうがずっとわるいと答えるにちがいない。いや、人殺しをためらわずにやるほどの人間だったら、金をわたしても何をするかわからない。日本人ならこう考えるであろう。これでは、商売としての「殺し」が入り込む余地はない。契約がその人の人格や社会関係と密接に結びつけられている、つまり契約が人間や社会から抽象（アブストラクト）されていないのである。

人間や社会は絶えず変わるから、事情はつねに変更する。そこから抽象されていない契約は、事情変更の原則から自由ではあり得ない。こうなると、すでに論じたように、市場は成立し得ないのである。すなわち、「殺し屋（キラー）」市場は成立し得ない。つまり、「殺し」は商売として成り立ち得ないのである。

いかにも、殺し屋が金をもらって「殺し」を請け負ったあとで、「事情が変わってすごく困難になったので止めます」なんて言えるようでは「殺し屋（キラー）」商売なんか成り立ち得ないではないか。

＊ゴルゴ13（サーティーン）　人気コミック『ゴルゴ13（サーティーン）』（さいとう・たかを作）に登場する世界的スナイパー。請け負った暗殺はどんな仕事でも必ず成功させるという男として描かれている架空の人物。

●「事情変更の原則」も中国では有効に

このように、「殺し屋」は、「この殺しならいくらで引き受ける」という売買契約による。

刺客（しかく）は、売買契約によるのではない。

「契約によらない」一つの理由は、刺客（しかく）の場合には、代金の受取人がいないということである。お金をもらったところで、それは実は無意味である。

刺客（しかく）と殺し屋（キラー）とのちがいは何か。刺客（しかく）は成功しても失敗しても必ず殺される。必ず、「壮士（そうし）ひとたび去って復（ま）た還（かえ）らず」なのである。

これに対して、「殺し屋（キラー）」は原則として生還する。ゴルゴ13（サーティーン）ほどの大名人ともなると、何回、困難きわまりない殺しを実行しても、必ず生還しているではないか。

原則として「生還する」ということこそ、「殺し」をビジネス、市場における取引、売買契約として成立せしめる第一の条件である。

これに対し、刺客（しかく）の場合には、「殺し」という労働力を依頼者が購入するのではない。ゆえに、売買契約の有無、金の受け渡しの事実は、「殺し」の実行と、全く関係はないのである。

聶政は、厳遂（仲子）が提供した百鎰の金を受け取らなかった。しかし、このさい、お金を受け取っても受け取らなくても、「殺し」を実行するかしないかと無関係であることは、その後の事件の経緯が示すとおりである。

聶政は、お金を受け取らなくても、結局、韓の首相俠累を殺した。その理由は、事情が変わったからである。事情とは聶政の老母の存否である。

日本の商社が、辟易するのは、中国人の事情変更の原則の濫用によって、すでに存在する契約が否定されることである。資本主義とはちがって、中国では契約は絶対ではないから、このようなことがあり得るのである。

聶政ケースは、この逆だと思うとよい。存在しなかった契約が存在するようになることもあり得る。これもやはり、事情変更の原則の援用例の一つである。

厳遂が、千里の道も遠しとせずに聶政の家を訪問して酒宴をはじめ、百鎰の黄金をささげて老母の長寿を祝った時には、何の契約も成立していなかった。いわばゼロ契約である。

事情は「老母生存」であったからである。この事情の帰結として、いかに「己を知る者」のためにでも生命をささげることはできない。

しかし、かなりのち、事情は「老母死亡」と変わった。もはや、老母に孝養をささげる必要はなくなった。対等につきあってくれて国士として待遇してくれた「己を知る者」のために死んでも差し支えはないのである。

このように事情が変更したので、それまでなかった契約、刺客を引き受けるという契約が、突如として存在するようになったのである。

このように、事情変更の原則は太古から中国人の慣用するところであった。契約は絶対ではないから、事情変更の原則によって忽焉として契約の内容が変わってしまうこともある。契約が消えてなくなってしまうことさえある。突如として、今までなかった契約が出現してくることもある。

それにしても、今までぜんぜん存在しなかった契約が、何でまたいきなり出現（advent）してくるなんていうことがあり得るのか。この契約はいったいどこから来たのか。

一つは聶政ストーリーからもおわかりのとおり、人間の結合が深められてきていたときに事情が変更すると、いままで未熟であった契約が成熟して形成されるからだ。

聶政ストーリーをやや詳しく述べたのは、このことを理解してほしいからである。

資本主義社会とはちがって、中国では契約は絶対ではない。契約の背後にある人間結合の軽重により、契約は軽くもなるし重くもなる。契約が守られるかどうか、どこまでどう守られるかは、その背後の人間結合によってちがってくる。

このことを理解しないから、資本主義企業は中国で失敗し、撤退を余儀なくされるのである。

【第二章】

「帮(ほう)」を取り巻く多重世界

●普遍ルールより優先する「ギブ・アンド・テイク」

「中国人とのつきあい方を一言で言ってくれ」という質問をよく受ける。本書の読者ならば、これは最大の愚問であり、とてつもない難問だと気づくであろう。しかし相手は、愚問だ難問だ、そんなこと一言で言えるわけがないだろうと反駁しても引き退らない。どうしても教えてくれと執拗に迫ってくる。そんな人が実に多い。

仕方がないので一言で答えてやる。

アメリカ人だと思ってつきあいなさい、と。

中国人、とくに漢民族は人種的には日本人に近い。顔を見ると日本人に見えてしまう人だって、ずいぶんいる。とくに欧米諸国にいるときなど、中国人と日本人との区別がつけにくいことも多い。

中国人と日本人とは、人種的に近いのだから民族的にも近いのだろうと思い込みがちである。そのうえ「同字同文」だ。欧米の文化を輸入する何千年も前から、日本は中国文化を輸入してきた。文化的にも中国人は日本人に近いのだろうとつい思ってしまう。

が、本書の読者にはおわかりのとおり、こう思い込んだら百年め。ここに深い陥穽がある。

中国人の基本的行動様式と日本人の基本的行動様式は全くちがう。対蹠的（gegensätzlich）「正反対の関係」なのである。

その観点から、近年日中間に積み重なってきた貴重な体験談を素材として、方法化し理論化するという作業から分析を始めたい。

ある記者は、中国における長年の体験を要約して言う。

> 中国はギブ・アンド・テイクが徹底している国だ。
> ギブ・ギブ・ギブのギブだけ、テイク・テイク・テイクのテイクだけというのは絶対にない（橋本好和「中国人とつき合う鉄則」――『そこが知りたい中国人』別冊歴史読本特別増刊　新人物往来社）。

> ギブしたらテイクしてもらう、テイクされたらギブしてあげる。これが中国のつきあいの基本だ。鉄則といってもいいだろう。（同右）

まさにそのとおりである。が、ここで日本人がとくに注意しなければならないことは、「ギブ・アンド・テイク」という個人間のつきあい（結合）の鉄則が、一般社会のルールよりも優先するということである。

この個人結合の鉄則は、ときに職権を濫用（らんよう）してまで遵守（じゅんしゅ）されなければならない。顧客に対する約束を破ってまでも便宜（べんぎ）をはからなければならないのである。ここまでしないと中国人は「ギブ・アンド・テイク」の鉄則を守られたとは看做（みな）さない。すなわち、個人間の結合は維持できず崩壊してしまうのである。

このように中国では、個人間結合の鉄則は一般社会のルールよりも優先することがある。

このことを、社会学的用語（ターム）で再表現するとこうなる。

中国では、特定集団（a special group）内の規範が社会の普遍的規範（universal norm）よりも優先する（ことがある）。

近代のリベラル・デモクラシー、資本主義（モダン・キャピタリズム）（the modern capitalism）においては、このようなことはあり得ない。普遍的規範は他のすべての規範よりも優先する（普遍的規範内に、「ある事項に関しては特定規範が優先する」と特定されている場合は別であるが）。

たとえば、経済的取引においては、民法、商法、商慣習などの普遍的規範が、経済主体（消費者、企業）内の、また経済主体間（例：カルテル。個人の結合など）のルールよりも優先しているではないか。ところが、中国ではそうではない。

中国では、「ギブ・アンド・テイク」の鉄則が普遍的ルールよりも優先するのである。

このことをしっかりと念頭においたうえで、さらに大切なことがある。

●同じ「輪」にいないと鉄則も無意味

「ギブ・アンド・テイク」の鉄則にはメリットがある。しかし、そのメリットは誰でも享受できるものではない。「ギブ・アンド・テイク」の鉄則を守りさえすれば、誰もがメリットを受け得るものではないのである。

このメリットを享受するためには、必ずその「輪」の中に入っていなければならない。（同右）

では、「輪」の外の人は？——メリットを享受できないのである。「ギブ・アンド・テイク」の鉄則を守ったからとてメリットは受けられないのである。

中国人はその輪からはみ出している人にはとても冷たい。（同右）

この記者は、「死にかけている人を前に治療費を要求し、お金を持っていないとわかると治療を拒否した医者」の例をあげている。この例は、日本人やアメリカ人には驚きだが中国人にとってはそうではない。当たり前のことなのである。

この医者はべつに倫理水準が低かったわけでもない。この点、日本のエイズ問題をめぐっての大学教授や厚生省の委員とはワケがちがうのである。この医者が金儲け一辺倒の人間であるとも言えまい。しかもこのように振舞うのは、それが中国の規範であるからである。

この医者がかくほどまでに冷たかった理由は、患者はその「輪」からはみ出していたからである。もし（仮に）、医者と患者とが、同じ「輪」の中に入っていれば、医者は患者にたいへん親切にすぐさま十分な治療を施していたのであったろう。いまお金がないのなら、あるとき払いでいいですよと言っていたことであろう。

これは仮定の話ではない。現実にも、確実にこのとおりになる。

この記者は、その他にもいくつかの例を挙げて説明している。

たとえばお役所。「中国で冷たさが最も実感できる場所はお役所だろう」（同右）。一〇や二〇のハンコを要求され、町中たらい回しにされることも日常茶飯事なのだ。

お役人と同じ「輪」の中に入っていないと、こんなふうにあしらわれてしまう。が、同じ「輪」に入ると、どういうことになるのか。「知り合いとなると態度が豹変する」（同右）。

ここで「知り合いとなる」とは、正確に言うと「同じ『輪』に入る」という意味である。

お役所だけではない。中国では誰も、「同じ『輪』に入っている」ことにして行動する場合と、「同じ『輪』に入っていない」ことにして行動する場合とでは、行動がまるっきりちがってくる。これが中国人の基本的行動様式（エトス）である。そうなるとたいへん。「ギブ・アンド・テイク」が人間結合の鉄則なのに、この「鉄則」が、輪の中の人と輪の外の人とのあいだでは成立しないのである。これはリベラル・デモクラシー、資本主義ではあり得ない、いや、もっとずっと深刻な事態である。

●信賞必罰でない法は法ではない

右の「ギブ・アンド・テイク」という鉄則は、法の性質をもってはおらず、法ではない。

中国では、じつは、法は太古から高度に発達していた。

では、法とは何か。法家の代表商鞅（しょうおう）は言う。法の本質は「信賞必罰にあり」と（『史記』「商君列伝第八」。詳しくは、第四章参照）。

法を守った者は必ず賞し、法を破った者は必ず罰する。これを信賞必罰という。信賞必罰こそ法のエッセンスであり、これなくして法は機能しない。成立さえしない。このことを、商鞅はじめ法家の人々はとくに強調する。

決定的に重要なことは、信賞必罰に親疎遠近（しんそえんきん）の差別があってはならない、ということである。法家も兵家（孫子（そんし）、呉子（ごし）など）も、いくたびもこのことを説く。

信賞必罰の根本ルールは、「この人に適用されるけれどもある人には適用されない」そんなことがあっては絶対にならないのである。例外や差別こそ信賞必罰の絶対タブーなのだ。

このように論じてくると、「知り合いとなると態度が豹変する」ようなルールは、「法」には成り得ないのである。法としての性格をもち得ないのである。

このことは、とくに大切なことなのでもう少し敷衍［くわしく説明］しておきたい。

のちに詳論するように中国では法律解釈は、役人の胸三寸で決まる。デモクラシー諸国における法律の最終解釈権が裁判所にあるのとはちがって、**中国における法律の最終解釈権は役人（行政官僚）にある。**

役所における役人が、自分と「同じ輪に入っている人」とそうでない人とに関して、法律のちがう解釈をする（前者のためには有利に解釈し、後者のためには不利に解釈する）とすればどういうことになるのか。**中国は法治国家ではなく人治国家**になってしまう。

日本商社が中国で七転八倒する所以はここにある。

このような「法律」は、法律とは呼ばれてはいるものの、実は法律ではない。中国の法律が近代法ではない（デモクラシー諸国の法律でもないし、資本主義の法律でもない）ことは、何人かの人によって指摘されている。この意味で、「中国に法律はない」とよく言われる。

現在、中国の法律は、「輪の中の人」と「輪の外の人」とでは差別して適用される。役人はちがった解釈を与える。信賞必罰ではないのである。

すなわち、**法家や兵家の意味においてすら、現在の中国に法律はない。**

昔はたしかにあった法律が今ではなくなるとは。疲労してすたれ（obsolescent）てしまったのか。腐朽（rotten）したのか。これは、現在の中国を理解するうえで面白い話題である。後でゆっくり論じたい。

ここでは、右に挙げられた「輪」は、「二重規範（double norm）をもつ集団」であることに注意しておきたい。輪の中では、「ギブ・アンド・テイク」の鉄則によってメリットが得られるのに輪の外ではそうではない。メリットが得られない。この鉄則は通用しないのである。二重規範をもつ集団は、比較社会学的分析において決定的に重要な役割を演ずる。

●帮内は絶対、帮外は相対

輪の内と外では、ちがった規範が行われる。輪の内の規範がはるかに重要であり、外の規範はずっと軽い。いわば外は化外の地であるから、そんなところに住む人間は死のうが生きようが、所詮どうでもいいのである。

その関係を図示したものが次ページの図2である。

ここまで論じてくれば、必ず、質問がでてくることであろう。

輪の中と外と二重の人間関係が成立している

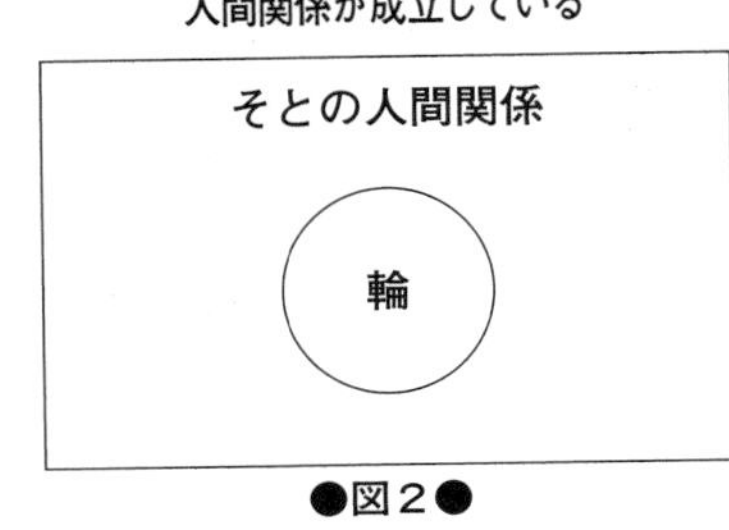

●図2●

この「輪」とこれまでよく出てきた術語（ターム）たる帮（ほう）（帮会（パンフエ））とは、どうちがうものか。あるいは、どんな関係があるのか。帮（ほう）もやはり、その内と外では全然ちがう人間関係が成立する集団ではなかったか（20ページ図1参照）。あの図とこの図とは、見かけは同じ図ではないのか。

イエース。グッド・クウェスチョン。よい質問です。

帮（ほう）は、「輪」の一種、特殊場合（a special case）だ。「輪」のうち、もっとも強固な「輪」が帮（ほう）である。もっとも、ここにいう「輪」とは術語（ターム）ではなくて説明の便宜（べんぎ）のために仮に使ってみた言葉にすぎないことを言っておくが、実は、帮（ほう）、情誼（チンイー）、関係（クアンシー）（139ページ図6参照）である。

帮（ほう）（帮会（パンフエ））は、本書におけるキー・ワードの一つである。

帮（ほう）については、すでに詳しく論じてきたが、とくべつに大切なことなのでこれまでの成果をまとめておくと左のようになる。

帮（ほう）は共同体（ゲマインデ）（Gemeinde）である。**共同体の第一の特色は、二重規範（ドッペルノルム）（Doppel-norm, double norm）にある。共同体の中の規範と外の規範とは全然ちがう。**

このことを理解するための例としては、ユダヤ法がある（イスラエルの民においては、戒律と規範と法律とは同一。それは神との契約――神の命令 Commandment ――である）。『ヴェニスの商人』のシャイロックの例でも知られるように、ユダヤ人のイメージは高利貸し。金融業は、ユダヤ人の最も得意とする分野の一つである。とは思いきや、イスラエルの法律（規範）では、金を貸して利子を取ることを禁止しているのである。

金融業を営むユダヤ人は、破戒（はかい）の人か。とんでもない。彼らの大多数は、敬虔（けいけん）なユダヤ教徒である。矛盾ではないのか。いや、矛盾ではない。これが二重規範（ダブルノルム）というものなのである。すなわち、イスラエル人共同体の中の規範と外の規範とではまったくちがう。

「金を貸しても利子を取るべからず」とは、トーラー（「モーセ五書」。『旧約聖書』のはじめの五章）の規定ではあるが、この規範はイスラエル人共同体の中だけの規範（法律）である。だから、ユダヤ人は他のユダヤ人から利子を取ることはできない。

だが、この規範は、イスラエル人共同体の外には存在しない（通用しない）。ユダヤ人は、ユダヤ人ではない人に金を貸して利子を取ることは自由である。『ヴェニスの商人』の例でいうのならば、バッサニオもアントニオも、ユダヤ人でないことに注意。シャイロックがユダヤ人ではない人に金を貸して利子を取る場合には、ユダヤ法ではなくて、ヴェニス法が適用される。ユダヤ人金融業者の例は、二重規範（ダブルノルム）ということを理解するために適当であろう。

イスラエル人は、共同体(ゲマインデ)を作っている。ゆえに二重規範(ダブルノルム)が適用される。右の例と同じことである。帮(ほう)は共同体(ゲマインデ)である。帮(ほう)内の規範と帮(ほう)外の規範とはまったく別なのである。

帮(ほう)内の規範は絶対的である。誰もが絶対に無条件で守らなければならない。いかなることにも斟酌(しんしゃく)の余地は全くない。断じてあり得ない。

これに比べ、帮(ほう)外の規範(倫理、道徳、法律)は、すべて相対的である。これを守るかどうかは、当人の人格・人柄、当該(とうがい)の条件・状況・事情による。つねに斟酌(しんしゃく)の余地がある。

ここが、中国の本格的理解の急所である。マルクスならば、「ここがロードス島だ、おどってみろ」と言うところだ。

●「契約」は守ったか守られなかったか、二つに一つ

この急所を腑(ふ)に落とし込むために、先に『三国志』の例を挙げた。

桃園で義盟を結ぶことによって、劉備(りゅうび)、関羽(かんう)、張飛(ちょうひ)の三人帮(ほう)が形成される。この規範は絶対である。とはいうものの、この規範は契約に基づくものではない。

啓典宗教における規範も絶対である。が、啓典宗教(ユダヤ教、キリスト教、イスラム教)における規範の根本は、神との契約(トーラー、バイブル、コーラン)にある。

では、契約の特徴は何か。その特徴は、成文化されていることにある。文章で書かれていることにある。トーラー、バイブル、コーラン、いずれも文書で書かれている。

ゆえに、契約を守るとは、それを文面どおりに守ることを意味する。すなわち、契約を守ったか破ったかが、一義的（アインドイトリッヒ）（eindeutlich, uniquely）に確定するのである。これが大原則。

しかし、理論上は右のごとく確然たるものでなければならないが、現実にはこれから離れることもあり得る。古代には文字をもたない人々もいた。古代以外にも、文字に依（よ）らない契約もないこともない。しかし、文字に依（よ）らない契約といえども、そこで約束されたことの命題が一義的でなければならない。意味が明確でなければならない。ああもとれる、こうもとれるというのであってはならない。いわんや曖昧模糊（あいまいもこ）としているなんて論外である。

また、契約は、それを守ったか破ったかが二分法的（ダイカタマス）に（dichotomously）判定し得るものでなければならない。契約は、「守った」か「守らなかった」か、それらのうちの片一方だけがあり得る。「守った」と同時に「守らなかった」ということはあり得ない。また、「守った」のでもなければ「守らなかったのでもない」ということもあり得ない。いわんや、「守った」のと「守らなかった」との中間もない。

また、「守った」か「守らなかった」かが、両当事者（the two paties）が判定し得るものでなければならない。

右が「契約」の特徴である。一言で言うと、契約は成文化されなければならない。成文化されていないときでも、成文化の論理は守らなければならない。

帮内の規範は絶対である。しかし、それは契約ではない。この点、啓典宗教において規範が絶対であるというのとは意味がちがう。

では、契約に基づかない規範が絶対である、とはどういう意味か。成文化されてもいないのに、これを守ったか守らなかったかをどのようにして判定するのか。絶対遵守を担保するものは何か。

啓典宗教（ユダヤ教、キリスト教、イスラム教）や、リベラル・デモクラシー諸国の規範を念頭におく人々にとっては、右の設問は難問であろう。

ここでも著者はこう答える。中国史の中に答えを見出しなさい。とくに『三国志』と「刺客列伝」のなかの解答は、疑問を残さないであろう。

『三国志』における劉備も関羽も張飛も、桃園の義盟によって成立した三人帮の絶対規範を絶対に守った。また、三顧の礼によって成立した劉備と孔明との「君臣水魚」の二人帮における規範を二人とも絶対に守ったことも疑問の余地はあり得ない。

帮内の規範が絶対であることは、これで明白であろう。

帮外の規範が相対的であることをすでにわれわれは、関羽と呂布との倫理行動を比較することによって知った（第一章参照）。

関羽は「義を知る」人である。ゆえに、帮外の人曹操に対しても、最高度に倫理的にふるまった。「ギブ・アンド・テイク」の鉄則は守られ、曹操はそのメリットを享受したのであった。

これに反し呂布は「義を知らぬ」人である。ゆえに、帮外の人、丁原や董卓に対して、最低の倫理でふるまい、いきなり殺してしまう。「ギブ・アンド・テイク」の鉄則は守られず、丁原も董卓もそのメリットを享受することはできなかったのであった。

刺客も同じことである。

予譲は智伯と二人帮を作った。帮内の規範は絶対である。ゆえに、予譲は、智伯のためになら、生命を棄て、身を傷つけあらゆる苦痛にも耐えて仇を報じようとする。たいへんな「ギブ・アンド・テイク」ではないか。凄惨な信賞必罰（performance and sanction）ではないか。

しかし他方、范氏と中行氏に対しては、仕えていた当時、それなりの仕事をしただけである。人的結合はフロー（flow）でありストック（stock）ではない。范氏、中行氏が滅んでしまえばそれまでよ。後には何も残らないのである。

聶政は厳遂と二人帮を作った。帮内の規範は絶対である。ゆえに聶政は、敢然としてただ一人、韓におもむいて、厳重な護衛陣をストレートに突破して、めざす仇の俠累首相を殺した。

そのうえ、背後関係をくらますために、われとわが面皮を剝ぎ、目玉をえぐりとったのである。厳仲子は、「ギブ・アンド・テイク」のメリットを最高に享受したのであった。

予譲も聶政も、帮内の規範を絶対に守った。誰しも疑を容れまい。契約に基づかない規範を絶対に守ったかどうかは、これを史上に看るのである。

日本人が中国で企業を起こすとき、大原則として中国人のパートナーを必要とする。「中国では何が起きるかわからない」からパートナーを必要とするというだけの理由ではない。中国人は、ビジネスをやるとき、そもそも、パートナーを必要とするのである。

パートナーと組む理由は何か。ヤオハンの和田一夫氏は特筆大書して言う。

> リスクを分散するという意味もありますが、仲間の反応を通して、その事業が成功するかどうかを見極めようとしているわけです。
>
> （『ヤオハン和田一夫の中国ビジネス報告』経済界刊）

そのうえさらに、もう一つの理由。

華僑の人たちには、「お互いに利益を分かち合う」という考え方が共有されています。で

すから、利益を一人で独占しようということもしないのです。（同右）

華僑の場合すら右のごとし。いわんや、日本人が中国で企業を起こす場合においてや。

●あなたの約束は守られるのか!?

日本人が中国に進出して、成功するも失敗するもパートナー次第である。

よく言われていることであるが、まさにそのとおり。ただし、例外も皆無とまでは言えない。

では、如何(いか)にしてよきパートナーを見出すか。ここが、中国ビジネスのポイントである。

もちろん、パートナーは、信頼のできる友人でなければならない。それは、きまっているのであるが、中国人と信頼的結合を結ぶことは、日本人にとっては至難のわざである。

日本人は、信頼を組織上で決める。あの会社のこの地位の人が約束したのだから信用できるだろう。いやあんな（小さな）会社の、こんな（地位の低い）人の約束ではあまり信用できない、とか。日本人の、ビジネスにおける信頼は、企業の信頼、企業内の地位の信頼である。

この日本式「信用」は、中国人相手のビジネスには絶対に通用しないと和田氏は確言している。

中国ビジネスにおける信頼とは、ズバリ、人間と人間とのあいだの信頼なのである。

こんな初歩的なことさえわからなくて、如何(いか)に多くの日本企業が失敗したことか。

しからば、中国人とのあいだの信頼関係を如何にして確立するか。

ところがどうして、これは容易ではない。このくらいで信頼関係はできたと思い込んでいたら、コロリと裏切られた、なんていう「事故」があまりにも頻発する。

こんな事件に直面すると日本人はすぐ、「中国人は生まれつきのウソツキだ。犯罪人だ。人間の皮をかぶったケダモノだ」なんて放言するが、実は「日本人にとっては信頼関係が確立されたように見えている」が、「中国人にとっては、そんなもの信頼関係でも何でもない」のである。

と言ってしまえば、誰しもあっと驚く。しかし、真相はまさにここにある。ただ、日本人のセンスだとどうしてもこのことが理解できないにすぎない。

すでに詳しく論じてきたように、**中国は二重規範の国である**。正確に言うと、二重規範を生むような集団を多く発生させているのである。その例として「輪」を指摘した。なかでも、内部規範が最高に強固なのが帮である。帮内の規範は絶対的である。

が、帮外の規範となると相対的である。

極論すると、これを守ろうと蹂躙しようと好き勝手。おかまいなしなのだ。火付け、強盗、人殺し、少しも差し支えなしということだってある。呂布模型を思い出してもみよ。

このように考えてくると、ウソツキなんかまだ序の口だとは思わないか。

　すなわち、あなたと当該中国人との信頼が不十分で、まだ集団の「輪」（帮など）の内に入れてもらえず、相対的にすぎない外部規範が適用されてしまった。これが真相なのである。外部規範が適用されている人々は、本質的に化外の民であり、ケダモノみたいなものであり、いきなり殺してもいいのである。まして、欺したり、冷たくするくらいは当たり前。呂布の例だってあるではないか。もちろん、関羽のような例もあるにはあるけれども、そんなことは、言わば偶然だから、あまりあてにはしないほうがよろしい。もし、「関羽」だと思っていたパートナーが、実は「呂布」であったならばどうしようもないではないか。あなたは、ほしいままにむさぼりつくされることだろう。

　では、「関羽」と「呂布」とをどうして見分けるのか。

　そんなことは普通できっこないから、より確実な方法をとることである。これだって、日本人にとっては至難なことではあるが、不可能とまでは言えまい。

　和田氏は、華僑について次のように言っている。が、この命題（文章）は、その他の中国人に対しても当てはまる。

　　ですから長年にわたって苦楽を共にし、信用できる相手にしか胸襟を開きません。
　その代わり「この人間は信用できる」ということになると、心から交わりを結びます。

（和田、前掲書）

日本人が中国人に「胸襟を開」かせることができるのかどうか。しかし仮にもし、中国人と「心から交わりを結」んだらどういうことになるのか。その信頼関係たるや、

「約束は生涯守る」という考え方が貫かれています。ですから、人が代わったことで簡単に約束が反故になるということに、大変な裏切りを感じるわけです。

（同右）

中国人は、「生まれつきのウソツキ」「裏切り常習犯」どころの話ではない。実は、日本人なんか想像も及ばない「約束遵守お化け」ではないのか。

日本人やアメリカ人の約束はフローである。約束をしたとき、合意された時点で当該の約束さえ守られればそれでよい。ゆえに、「この約束は守った」けれども、「あの約束は破った」ということもあり得る。そして、破った約束に関してだけ責任をとればよい（例：損害賠償）。「あの約束を破った」ゆえに、すでに守った約束までが「破った」ことにされることはあり得ない。

これに対し、中国人の約束はストックである。いったん、「約束は絶対に守る」までの信頼

関係が確立されれば、この信頼関係は永続する。だから、どの約束もこの約束も「絶対に守らなければならない」。

●先約はぶっ飛ばしてこっちへ来なさい

さて以上、中国人は、「大ウソツキ」であると同時に「絶対にウソをつかない」。また「約束を絶対に守る」とともに「約束は少しも守らない」ことの説明をしてきた。

この「矛盾撞着（むじゅんどうちゃく）」は、実は矛盾でも何でもなく、二重規範（ダブルノルム）のなせるわざなのである。

このように説明してくると、重ねて質問を受ける。

では、帮（ほう）に入れてもらうにはどうすればよいのか、と。

いや、実はこれはとてつもない難問なのである。中国人の帮（ほう）に入るなんて、日本人にとっては想像を絶して困難であって、あるいは不可能かもしれない。

「死すら厭（いと）わない」という刺客（しかく）のストーリーなどはその端的なレベルだが、この帮模型（ほうモデル）こそあくまで根本。現実には「帮（ほう）みたいなもの」「帮（ほう）らしきもの」「帮（ほう）に収束していく途中の」といった関係もある。本当の帮（ほう）に入るなんて、いつ命をあげてもいい人間関係なんて、そう簡単に出来るもんじゃない。だから、帮（ほう）の周りにあたかも年輪、バームクーヘンのように帮（ほう）らしきものが取り巻いているというのが実際のところ。先に説明した「輪」もその一種。もちろん、その中に入るのだって容易なことではない。

例を挙げてみよう。

この次に会うのは、何日の何時はどうですか、という話をする。その時に先約があった場合、日本人なら「すみませんが先約がはいっているので」と言うであろう。ところが中国人は、「じゃ、そっちはぶっ飛ばしてこっちへ来なさい」と言う。

欧米だったらその場合には先約優先が原則で、そのことは先方も了解する。もちろん緊急の場合や、重要度に甚だしい差があるときは別として、普通は、「先約があるんだったら仕方ありません」となる。ところが、中国人は、俺との人間関係が大事だろ、と。先約ぐらい断れ、と。そこらへんが日本人にはわからない。だから、中国人は無理なことを言う、わがままだ、とこうなってしまう。

いわゆる近代的考え方とは全く逆。近代的考え方というのは、無理は言わない。すべて目的合理性に合わせる。事前に、先約がないように、矛盾しないように契約する。

ただし、中国人側のほうでも、そういう言い方をしてこちらを測っている面もある。こいつは、帮の中に入れられる人間なのか、「帮らしきもの」までは入れてもいいのか、全然ダメかと。契約だけでなく、外交でもそう。いわゆるブラフというのではない。交渉事の中に生のまで人間関係が出てくるから、日本人は困ってしまう。

これぞ、昔も今も変わらぬ中国の本質なのである。

ヤオハンの和田一夫氏から、最初に中国進出をしたときの話を聞いたことがある。まだ誰も行っていないときですから、当然不安はおありだっただろう。もし政変でもあれば、財産を失ったりすることだってあるかもしれない。そうなったらどうするんですか、と華僑の方に聞かれて、和田氏はこう答えた。日本は大戦中、大陸にはいろいろご迷惑をかけた。だから、全財産をとられたら、それは中国に差し上げたお金だと思えばいい。私はお金の作り方を知っているから、またゼロから出発するだけのことです、と。

この一言で、華僑の方から、「この人は信頼できる人だ」と評価を受けたということである。相手の懐の中に入った、幇の仲間入りをした、ということだ。

儒学では、人間の根本的な倫理、人の守るべき五つの道として「五倫」（『孟子』「滕文公」）をたてている。すなわち、「父子に親あり、君臣に義あり、夫婦に別あり、長幼に序あり、朋友に信あり」。このなかで「朋友に信あり」というのは、日本人ならあえて挙げることもないほどに、当然のことのように思われているが、なまじっかのことではない「絶対の信」のことをいっている。だからこそ、君臣・父子・夫婦とともに、きわめて重要な人間関係の一つとして朋友との関係をあげているのだ。

ある記者は、「長年の体験から中国人について人の信頼を得ることは非常に難しい。前項でいろいろ説明してみたが、こうしてこうしてこうすれば、必ず信頼されるようになるという確実な方法はない」（橋本、前掲論文）とまで言い切っている。和田氏も、「長年にわたって苦楽を共にし、信用できる相手にしか胸襟を開きません」と言っているではないか。

しかし、こんなことでは、中国に進出したい日本企業にとって順序がさかさまではないか。これから事業をやるためにパートナーがほしい。そのパートナーは「信用できる相手」でなければならない。それなのに、ビジネス経営で「長年にわたって苦楽を共にし」て初めて「信頼のできる相手」になるというのでは、これはどうしようもないではないか。

しかし、体験談ではどうしようもなくなったところから科学的推論が始まるのである。

では、如何にするべきか。答えを出すに先だって、もう少し、中国の社会構造（social structure）について考察しておきたい。

●中国人は金儲け一辺倒ではない

中国には二重の人間関係があることについて論じてきた。つまり二重規範である。

その究極的なものが帮である。帮の内と外では、規範はまったく別である。截然［はっきり］としてちがった人間の結合関係が成立している。

このことを図示すると20ページの図1のようになる。

すべての人間関係を全集合とすれば、帮はその中の一つの部分集合である。帮外の人間関係はその余集合。集合論的表現を用いることによって、帮内の人間関係と帮外の人間関係とは、このように截然と二分法的に分けて図示することができる。

この表し方と、その集合論的意味とに留意されたい。

中国社会において実は、このような表現法は、帮とその余集合だけではないのである。その他にもある。たとえば、情誼という人間結合である。

第六章でも検証するが、中国の市場で価格が一定していないのは、掛け引きだけの理由ではなく、価格決定の背後にこの人間の結合（関係）、「情誼」という人間結合があるからである。

売り手は、情誼の浅い人には高く売る。情誼の深い人には安く売る。また、これから情誼を深めたい人には安く売る。中国人は「お金がすべてである」と言われているが、そうとも限らない。ビジネスは金儲けのためでもある。が、それと同時に情誼のためでもある。中国人は、日本人が想像もおよばないほど「金儲け」主義に徹底している。

たとえば和田一夫氏は、香港の華僑について言う。このことは、中国ビジネスマン一般にも当てはまる。

その一つは、「利益第一主義」という商売に対する彼らの徹底したリアリズムです。「企業

は売上げよりも利益だ」という考え方に徹底してこだわります。（和田、前掲書）

すなわち、利益（利潤）を最大化するために行動するというのである。この点に関するかぎり、中国ビジネスマンは理論経済学のヒックス＊模型（モデル）どおりに行動するのである（所与（ギブン）の条件下における利潤最大化行動。『価値と資本』Value and Capital）。

つまり、シェア第一主義の日本企業の行動模型（モデル）とはちがうと、和田一夫氏も断言する。

なぜ日本は「シェア第一主義」か。日本ビジネスマンの目的は、企業のランク（日本経済における地位）を上げることにあるからである。

そのためにこそ、日本ビジネスマンは必死になって働く。利益がゼロでも、シェアが増えてランクが上がればそれに喜びを見出す。日本人にとってはこれが当然のことだとして身にしみつきっている。だからリストラの声が上がるたびに、「企業は利益を考えなければならない」ということが、こと新しく唱えられており、新鮮に聞こえさえするではないか。だが、中国においては、アメリカにおけるがごとく、「利益第一主義」は当たり前のことなのだ。

「ですから、儲からない商売は絶対にやらない」（同右）。これは、資本主義に（志向している限り）は当然のことである。

日本では、資本主義が（この点に関する限り）未熟だから、これを見ると「中国人はお金がすべて」だと見えてしまう。しかし、それがすべて（ザッツオール）、ではない。徹底した「金儲け主義」の背後には人間結合がある。

正確に言うと、中国ビジネスマンは、「金儲け」と同時に、「情誼（チンイー）」という人間結合のために商売をしているのである。ここにも、中国特有の二重の人間関係が見られる。「金儲け」の一面だけを見て他面を見ないと、とんでもない誤解をすることになる。

> 商売は、金と物とのやり取りをすることだけではない。人間と人間との付き合いなのだと、彼らは固く信じている。
>
> （孔健『中国人―中華商人の心を読む』総合法令刊）

「金と物とのやり取り」との側面では、中国ビジネスマンは、典型的に資本主義的な利潤最大行動を行う。まさに経済学教科書のごとし、アメリカ人のごとし。日本ビジネスマンのように、シェアを拡大して企業のランクを上げたいなどとはつゆほども思わない。企業なんていう組織は金儲けのための手段にすぎず、それ自体目的ではあり得ない。この点もアメリカ人のごとし。

しかし、資本主義的でなくて、アメリカ人とまったくちがう点は人間結合、すなわち、市場の背後に「人間と人間のつきあい」がある点である。

もちろん、資本主義においても、現象としては、市場の背後に何らかの「人間と人間のつきあい」があることもある。まだ、インターネット・システムで、すべての取引が処理しうるほどまでには資本主義も進歩していなかろう。

資本主義では、市場法則は、「人間と人間のつきあい」から抽象（abstract）されている。**市場法則（例：価格決定）が、「人間と人間のつきあい」の特性によって左右されることはない。**

典型的な資本主義取引の模型は自動販売機である。この場合、商品の定価はコイン投入者と自動販売機設置者との「つきあい」とは関係ない。みごとに抽象されているではないか。スーパー・マーケットも同様である。しかし、中国ビジネスマンはそうではない。

> 彼らは金だけを追求する商売を軽視する。
> 商売を通じて、豊かな人間関係が成立しないと、満足しないのである。
> （同右）

こう断言して孔健氏は、「彼らのこの心情に応えられないと、中華商人との取引は絶対にうまく運ばない」（同右）と強く助言している。すなわち、**市場法則は人間結合（人間関係）によっても左右される**のである。つまり、市場法則は人間結合から抽象されてはいない。人間結合の法則もまた、もろに侵入してくるのである。

***ヒックス**（John Richard Hicks　一九〇四〜八九年）　イギリスの経済学者。一般均衡理論の

拡充や賃金論に独自の業績を残し、ハロッドの経済成長論の上に独自の景気循環論をたてた。七二年、ノーベル経済学賞受賞。

●情誼の有無で生じる二重価格

「まったく同じ品物でも、中国では買い手によって、値段がちがう」（同右）

では、どうちがうのか。価格は、市場における需給関係のほかに、如何なる変数によって決定されるのか。それは情誼である。情誼の深さで価格が決まるのである。情誼が深ければ深いほど、安い値段で売る（同右）。

このように、需給関係の他に、価格を決定する変数は情誼である。

このさい、市場価格決定のための変数としての情誼はフロー変数（flow variable　ある一時点だけにおける変数）であるが、情誼はまた、模型によってはストック変数（stock variable 永続する変数）になることもある。

「商人は、情誼を深めたい相手には安く売る。また、安く売ることによって情誼をもつ相手のネットワークを広げてゆく」（同右）

情誼（チンイー）のネットワークこそ、中国ビジネスマンの最大の資産（アセット）なのである。

ここが中国ビジネスのポイント。


「中華商人は、買い手によって価格が異なることを、不道徳だとも不当だとも思っていない。むしろ当然の商法だと考えている」（同右）

日本人旅行者にとって、気にさわって仕方がないものが日本人価格である。

まったく同じ品物でも、日本人に売るときには中国人に売るときの何倍もの価格がつく。

日本人は怒るけれども、右のような中国市場における価格決定法則からすると当然の帰結なのである。日本人だけではない。他の外国人もまた、中国人より高い価格、日本人価格とまったく同じ価格で売りつけられる。外国人だけではない。現地人価格と他省人価格もちがう。人種差別や何やらの差別ではなくて、情誼（チンイー）のちがいである（フローで考えれば）。またそれは、情誼（チンイー）のネットワークをひろげる可能性のちがいでもある（ストックで考えれば）。他省人や外国人との情誼（チンイー）は薄いし、また安く売ったからとて情誼（チンイー）が深まるものでもない。だから、現地人よりも高い価格で売られるのである。

中国の二重価格は、人種差別によるものでもなく、寡占（かせん）によるものでもない。情誼（チンイー）の有無による。それが何より証拠には、同じ日本商社でも、友好商社に対しては、一般の商社よりもずっと安い価格で品物を売ってくれる。

さて以上、情誼(チンイー)の有無による二重価格について説明してきた。

情誼(チンイー)の「有無」ではなく、その「深さの程度」を変数にとれば、同様にして、三重価格、四重価格……が説明され得る。

中国人にとっては、情誼(チンイー)の深さこそが関心の的である。

が、しばらくは、中国における「二重結合」「二重人間関係」のための模型(モデル)を説明するための便宜(べんぎ)として、情誼(チンイー)は、「有」るか「無」いか、二分法的(ダイカタマス)に決まると仮定しておく。

ここに情誼(チンイー)という変数をもってきた理由は何か。

中国で最も強固な共同体(ゲマインデ)は帮(ほう)であるが、日本人が中国人の帮(ほう)に入ることは、すでに論じたように、困難をきわめる。パートナーやキー・パーソンと帮(ほう)が作れたら申し分ないとは誰しも思うことではあろう。が、それが至難のことであるので「どうすれば帮(ほう)に入れるか」についての研究は後まわしにして、情誼(チンイー)集団に入るためにはどうするか、ということから始めたい。

情誼(チンイー)は、中国社会において如何(いか)なる配置(コンフィギュレーション)(configuration)にあるのか。

これを集合論的に表すと、その配置は見やすい。

すべての人間結合を全集合として、「情誼(チンイー)のある」結合を部分集合とする。そうすれば「情(チン)

誼のない」結合は、その余集合となる。

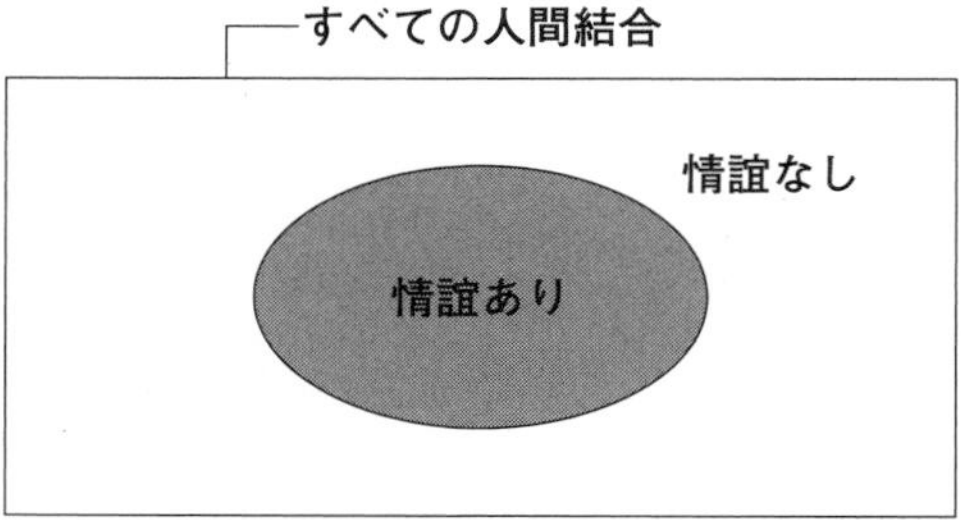

すべての人間結合

情誼なし

情誼あり

●図3●

この図を見ると、読者は「あれっ」と思うことであろう。20ページの帮の図や102ページの「輪」の図と同じではないのか、と。

集合論の図示だけを見れば同じである。

では、帮の内外と「情誼のあるなし」は無関係か。

そうではない。帮内には情誼はある。**帮をともにする人々の結合には必ず情誼がある。**

が、逆は必ずしも真ならず。情誼があるからといって、必ずしも帮を作るとも限らない。

すでに論じてきたことからも明らかなように、**帮は最高に強固な人間結合である。ゆえに情誼がある。しかし、情誼があるからといって、帮になるなんてとんでもない。情誼は、はるかにゆるい人間結合をも含む**のである。

帮と情誼との関係を集合論的に図示すると125ページの図4になる。すべての人間結合を全集合にとる。「情誼あり」（の結合）はその部分集合である。帮は、そのまた部分集合である。

さて以上、情誼という変数について、「有」る、「無」いと二分法的に考えた。

「情誼（チンイー）の深さ」を変数にとれば、「有」る、「無」いだけでない、多くの値が考えられる。「ある」場合についても、段階もしくは連続的に考えられ得る（図5）。

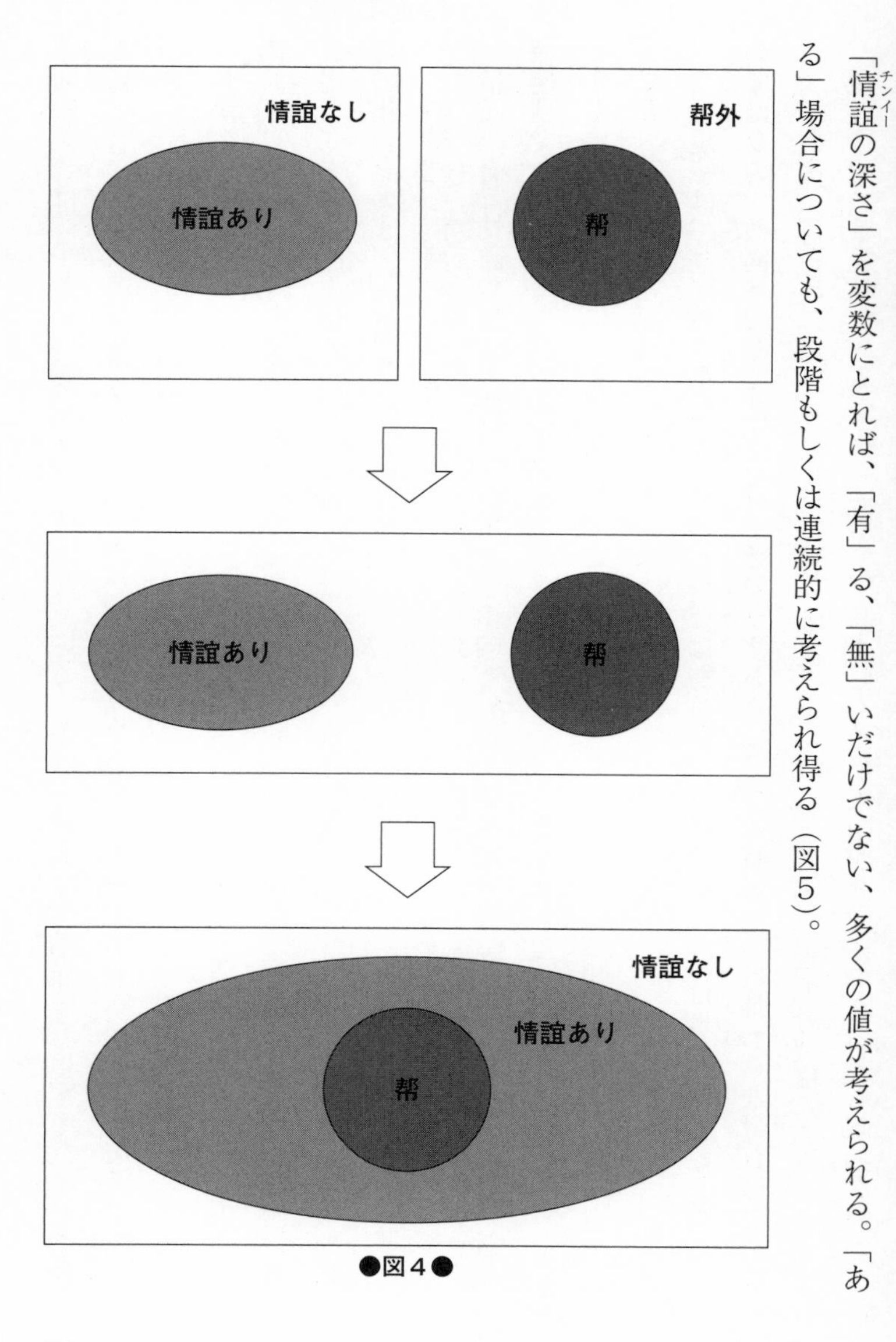

●図4●

帮（ほう）の集合は確乎（かっこ）として動かない。確定している。これに対して、情誼（チンイー）集合は、それぞれの深さに応じて、あるいはより大きく、あるいはより小さい（点線で表している）。いくつかの場合（ケース）（cases）が考えられる。

しかし、それらのいずれの場合においても原型（original）は図3のかたちのものである。まずは、原型（オリジナル）（点線の複数のものがなくて、実線で囲われた「情誼（チンイー）」の部分集合が一つだけある場合）から議論を始めたい。これは先に論じた二分法的場合である。「情誼（チンイー）のある」人間結合の集合をいま、「情誼（チンイー）集合」と呼ぶ。

この単純な模型から議論を始める。

情誼（チンイー）集合（情誼（チンイー）のある人間結合の集合）の内と外とでは規範を異にする。この模型は二重規範（ダブルノルム）模型である。

すでに述べたように、共同体（ゲマインデ）では内と外とで規範を異にする。二重規範（ダブルノルム）である。

でも、逆は必ずしも真ならず。

二重規範（ダブルノルム）は、共同体（ゲマインデ）の重要な特徴の一つではあるが、この特徴一つだけで共同体（ゲマインデ）たり得るものではない。共同体（ゲマインデ）であるためには、そのうえさらに二つの特徴がつけ加わらなければならない。(1)敬虔（けいけん）（Pietät（ピエテート）, piety（パイアテイ））が支配的感情であること。(2)社会財の二重配分機構。

ゆえに、二重規範（ダブルノルム）であるからといって、必ずしもその集団が共同体（ゲマインデ）であるとも限らない。

情誼（チンイー）集合は、二重規範（ダブルノルム）であるが、共同体（ゲマインデ）であるとも限らない。共同体（ゲマインデ）である場合もあるし、そうでない場合もある。帮（ほう）は共同体（ゲマインデ）である。が、価格を決める情誼（チンイー）ネットワーク（価格決定機構としての情誼（チンイー）集合）は共同体（ゲマインデ）ではないが二重規範（ダブルノルム）をもつ。

この価格は定価ではない。

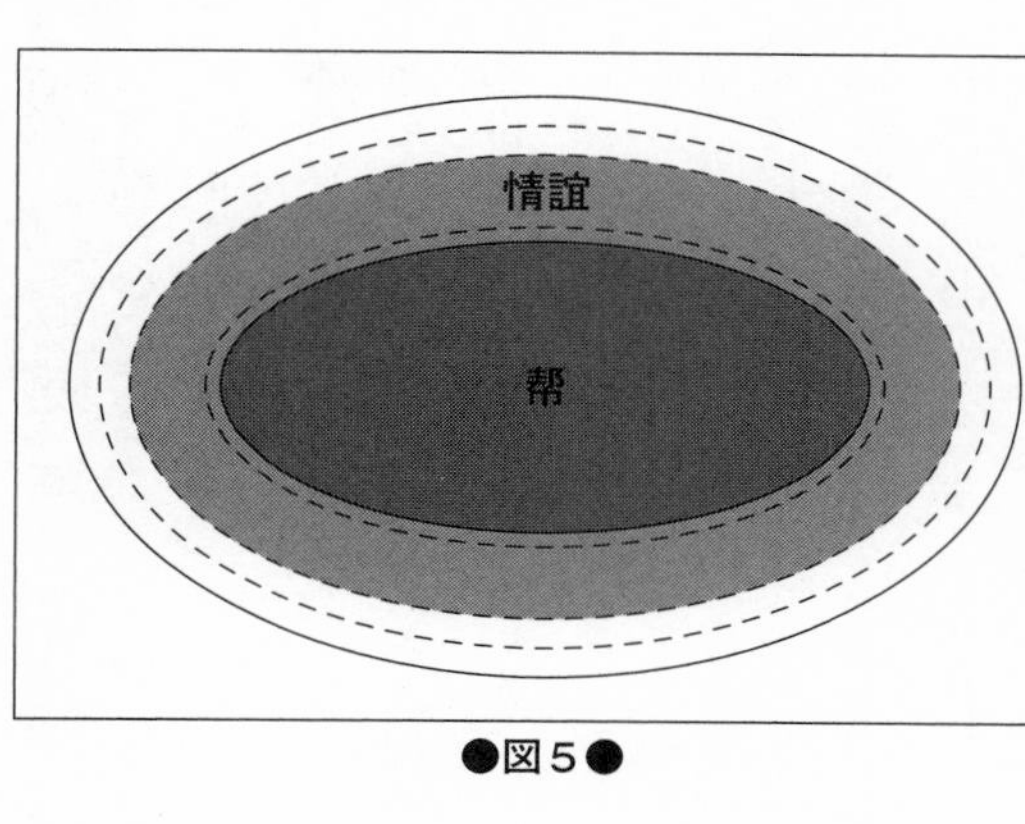

●図5●

ここで、自由市場の価格決定について、コメントを一つ。「自由市場」とは、経済学の術語（ターム）ではない。とくに断らなければ、本書では完全競争（perfect competition）市場のことを自由市場と呼ぶことにしたい。

ちなみに、市場における競争は、次の条件を満たすとき、これを完全競争とよぶ。

⑴取引される財は同質である。⑵需要者も供給者も多数である。⑶情報は完全である。⑷参入と退出は自由である。

情誼（チンイー）が決める価格（情誼（チンイー）が薄い者には高く売り、厚い者には安く売る価格）は、自由市場（完全競争市場）の諸条件（とくに⑴）を満たしていない。それとは異質的な価格決定機構なのである。取引される財は同質ではない。供給者は、情誼（チンイー）のある者とない者とを差別してちがったルール（規範）によって供給する。つまり二重規範（ダブルノルム）なのである。

情誼（チンイー）の深い結合を自己人（ツーチーレン）という。内輪の人という意味であるが、結合もここまでくると、日本でいう「義兄弟」なんかとは桁（けた）ちがいの信頼がある。日本での「友人」なんかを連想すると、とんでもない間違いである。初対面の中国人の巧言令色（こうげんれいしょく）にいい気になっているうちに、気がつけば身ぐるみ剝（は）がれていたというのと正反対の大誤解である。

深い情誼（チンイー）の結合の人のあいだでは、いくら借金しても証文なんかいらない。証人も契約書もいらない。そもそも契約という概念がないのである。もちろん、契約書の必要なんかない。すべて口約束であるが、それで十分。

「約束は死んでも守る」。いや、死んだ後でも守る。孔明（こうめい）と劉禅（りゅうぜん）（劉備（りゅうび）の子、後主（こうしゅ））との関係を思い出してもみよ。「是（これ）に由（よ）って感激し、遂（つい）に先帝に許すに駆馳（くち）をもってし」た後は、後主（こうしゅ）劉禅（りゅうぜん）に対しても全身全霊をあげて鞠躬尽力（きつきゅうじんりょく）したではないか。このことと、秀吉没後の「太閤（たいこう）恩顧」の諸大名の行為とを比べてもみよ。豊臣氏滅亡に際して大坂城に駆けつけた大名は一人もいなかったではなかったか。

劉備（りゅうび）と孔明（こうめい）の結合の固さ。それは、日本にはあり得ない人間結合である。

このことを本当にわかることなしに中国を知ることはできない。

●管鮑の交わり

すでに論じたように、劉備と孔明との結合、依頼者と刺客との結合は帮である。いままで解説してきた情誼も、深まれば帮へ収束してゆく。極限が帮である。しかし、帮に無限に近づくが、ズバリ、帮とは言えない「深い情誼」の結合も、やはり存在する。古来、帮の理想的サンプルは、「管鮑の交わり」であるとされてきた。

（管仲＊は）鮑叔とは幼な友だちで、ふたりはなにをやるにも、いっしょだった。そのころから、鮑叔は管仲の人並みすぐれた才能を見抜いていた。管仲の家は貧しく、そのためにかれはよく鮑叔をだました。が、鮑叔は苦情ひとつ言おうとせず、最後まで友情を捨てなかった。

やがて、鮑叔は斉の公子小白の後見役となり、管仲のほうは公子糾の後見役となった。そして、小白が即位して桓公＊となった結果、君位を争った公子糾は殺され、管仲は囚われの身となった。そこで鮑叔は管仲を登用するように桓公に進言した。管仲を宰相に迎えたことにより、桓公は覇者となることができた。諸侯を糾合し天下をひとつにまとめることができたのは、すべて管仲が腕をふるったからである。

のちに管仲はこう述懐している。

「わたしは貧乏だったころ、鮑叔と組んで商売をしたことがあった。もうけを分ける段になって、自分のほうが余分にとったが、かれは欲張り呼ばわりしなかった。わたしが貧乏なのを知っていたからだ。また、かれに名をなさしめようとして計画したことが、かえってかれを窮地に陥れる結果になったが、かれは愚か者呼ばわりをしなかった。ものごとはうまくいく場合とそうでない場合があるのを心得ていたからだ。
またわたしは幾度か仕官して、そのたびにお払い箱になったが、かれは無能呼ばわりしなかった。わたしが時節にめぐまれていないのを察していたからだ。またわたしは戦に出るたびに逃げ帰ってきたが、かれは臆病者呼ばわりしなかった。わたしには年老いた母がいるのを知っていたからだ。公子糾が後継者争いに敗れたとき、同輩の召忽は殉死したのに、わたしはおめおめと生きながらえて縄目の恥を受けたが、かれは破廉恥呼ばわりしなかった。わたしが目先の名誉にこだわらず、天下に功名をあらわさないことこそ恥辱だと考えていることを知っていたからだ。わたしを生んでくれたのは父母だが、わたしを理解してくれたのは鮑叔だ」

鮑叔は管仲を推挙したあと、自分は管仲より下の地位について桓公に仕えた。その子孫は代々斉に仕え、名門の大夫として、十余代にわたって厚く遇された。

（司馬遷『史記』村山孚・竹内良雄訳　徳間書店）

管仲は、「我を生んだのは父母。我を知るは鮑叔」とまで断言した（中国において「人を知る」ということが如何に重大か。「士は己を知る者のために死す」と言うではないか）。中国においては親子関係こそ根本規範（Grund Norm）の第一である。その父母より我を知る、というのであるから、これこそ、じつにたいへんな結合である。それであればこそ管仲は鮑叔の無限の献身をケロリとして受け入れられたのであった。

二人帮の理想はかくのごとし。

「管鮑の交わり」について杜甫*は次のようにうたっている。

貧交行
翻手作雲覆手雨
紛紛軽薄何須数
君不見管鮑貧時交
此道今人棄如土

貧交行
手を翻せば雲と作り　手を覆せば雨となる
紛紛たる軽薄　何ぞ数ふるを須ゐん
君見ずや　管鮑貧時の交はりを
此の道　今人棄つること土のごとし

（唐詩選・七古）

管鮑の交わりこそ理想であるが、かかる模型がつねにあり得るのか。中国においてすら滅多にあるものではない。孔明、文天祥、方孝孺＊もまた、滅多にあるものではない。

このことは、浅見絅斎＊の『靖献遺言』を見ただけでも明白であろう。絅斎は、右三人を含む八人の義士について、彼らの主君に対する結合の強さ（忠烈）が理想的であることを強調してはいる。が他方、この理想からはなれる人々、いや、正反対の行動をする人々のほうが人数から言えばはるかに多いこともまた記している。

理想的な帮は、中国においてすら珍しく、帮模型は、滅多に存在しない。が、情誼模型は、その情誼がきわめて深いものまでも含めて、いつの時代にも存在する。

情誼は、深まるにつれて帮へと収束している。が、この「収束」（convergence）、収束しきれるとも限らないのである。極限たる帮へと行きつくとも限らないのである。発散してしまうかもしれない。また、無限に帮に近いけれども帮ではないかもしれない。

＊管仲（?～前六四五年）　春秋斉の政治家。かつては政敵として即位前の桓公の暗殺を企てるが、放った矢が桓公の帯の留め金にあたり失敗。桓公に仕えた後は、富国強兵につくし、桓公を春秋五覇中第一の王とした功臣。彼が著したといわれる『管子』は、七六篇二四巻が残っている。

＊桓公（?～前六四三年）　春秋斉の君主。春秋五覇の一。異母兄・糾と公位を争った末即位。管仲の策を入れ富国強兵に努め、国力を増し、前六五一年、諸侯を集め覇者となる。後に天

子の礼である封禅を行おうとして諸侯に離反され、さらに管仲の死後、後任を誤ったため国は乱れ、桓公亡き直後は相続争いが激化。その遺体にウジがわくという事態を呼んだ。

＊**杜甫**（七一二〜七〇年）　唐の詩人。字は子美、号は少陵。科挙落第、四〇歳すぎての仕官、安禄山の乱、捕虜生活、左遷、棄官と、苦難の生涯を送る中、多数の詩を残し、後世には詩仙との称を受け、李白と並ぶ中国最大の詩人とされた。

＊**文天祥**（一二三六〜八二年）　南宋の政治家。二〇歳で進士に首席合格。硬骨のため出世に縁なく、在野生活も長かったが、七五年、元軍侵攻に際し義勇軍を組織し抗戦。七九年、厓山の戦いで南宋が滅んでも元への出仕を拒絶。幽閉三年の後、死刑となった。

＊**方孝孺**（一三五七〜一四〇二年）　明の学者。九二年、洪武帝に招かれ漢中教授、九八年、建文帝に招かれ翰林院侍講となり国政に参与。燕王棣（後の永楽帝）の挙兵に際しては抵抗を試みるが敗れて捕らえられ、即位の詔の制作を要求されるも拒否、磔刑に処された。

＊**浅見絅斎**（一六五二〜一七一一年）　江戸中期の儒学者。山崎闇斎に師事、崎門三傑にも数えられた。のち破門となるが闇斎死後は悔い改めて闇斎学を究めた。『靖献遺言』で尊王思想を主張、幕末勤王志士たちに影響を与えたほか、不換紙幣の弊害など経済評論も多くなした。

●情誼と帮のちがいは利害の有無

では、情誼と帮とのちがいは何か。

利害（関係）である。

われわれは、「価格決定機構としての情誼」から情誼の説明を始めた。**中国では、市場機構**

だけではなく、情誼もまた価格を決定する。この例からも明らかなように、**情誼は、利害を基礎におく。利害（関係）の背後には情誼がある。**

中国人の商売、商品（資本、労働力を含む）の売買は情誼によって規定される。また、情誼を深めるために行われる。このことを知らないと、中国での商売はできない。スローガン的に言えば、商売の背後に人間関係あり。商売だけではない。賄賂もまた同じ。贈収賄の背後にも情誼がある。同じことを頼んでも情誼の深い人は、より少ない賄賂でやってくれる。情誼の浅い人は、大きな賄賂でないとやってくれない。情誼のない人は、どんなに大金を積んでもやってはくれない。つまり、賄賂のタダ取られである。

これらの諸例からも明白なように、情誼の基礎には利害、利害関係が介在するのである。ところで、情誼の基礎にあった利害が零に収束したらどうか。利害関係がなくなったらどうか。この極限が帮である。

刺客の場合を思い出してもみよ。

刺客は、目的を達しても達しなくても必ず殺される。この点、殺し屋とはちがう。いかなる報酬もまったくナンセンスである。絶対に受け取りようがない。救済（salvation）を歴史に求めて、現世的利害からは完全に超越している。

これが、帮の模型（理念型 Ideal Typus）。

孔明、文天祥、方孝孺もこれと同じ。

たとえば、文天祥が元（蒙古）に捕らえられたとき、張弘範*は天祥に、「すでに中国（宋）はきれいに滅んでしまった。あなたの忠節はつきた。宋に仕えたように元に仕えれば丞相（首相）にしてもらえる」と言った。いかにも、元世祖忽必烈カーン*は、文天祥の忠節に感じ入り人物を見込んで降伏すれば首相にするつもりでいた。

また、大多数の宋の元忠臣は元に降伏して重く用いられていたのであるから、文天祥もまた降伏したとて、非難する者は誰もいない。**いかなる制裁**（sanction）**も受けないのである。**

しかし、文天祥は、忠節という宋国に対する規範を守り通したのである。

まったく利害（状況）からはなれており、自由である。ここがポイント。これに対し、情誼の場合にはどうか。帮に収束していない情誼においては、どんなに深い情誼であっても利害から自由ではない。

情誼の規範を破ればどうか。直ちにこの情報は他のメンバーに伝えられ、集中非難を受ける。最終的制裁が待っている。情誼からの追放である。情誼は、大きな利益と特権の集約であるから「追放」は、きわめて大きな制裁である。

この意味だけでも、情誼は利害から自由ではない。これが、帮と情誼とのちがいである。

このちがいは、分析的に、また理論上、きわめて重大である。中国を徹底的に理解するためには、ここまで掘り下げて考えぬく必要があると思う。

＊張弘範（?～?）　元の武将。世祖（フビライ）のとき都元帥となり、襄陽、樊城で宋軍を撃破、文天祥を捕らえ、張世傑、陸秀夫を厓山に破り、南宋を滅亡に追い込んだ。

＊世祖忽必烈カーン（一二一五～九四）　元の初代皇帝、モンゴル第五代大汗。チンギス・ハンの孫に生まれ、五一年兄憲宗の下で中国総督となり、六〇年開平府に即位。七〇年、大都（現在の北京）に遷都し、翌年、国号を元とし、中国風国家を建設。七九年南宋を滅ぼし、近隣諸国への遠征を図る。税制、政治制度の整備で中国化を図る一方、モンゴル人至上主義を堅持。

●ノウハウ本は「べからず」を読め

が、さしあたって中国でビジネスをするためには帮と情誼のちがいを念頭におく必要はない。中国人と情誼の結合を結べればそれで十分である。

（深い）情誼は、「鉄石の交わり」と言われる。ビジネスパートナーとして、これほど適切な人はいない。あなたに最良の情報を伝え、情誼外の中国人からあなたを完全に守ってくれる。中国には、いたる所にキー・パースンがいる。まずは要路のお役人。中国ではお役人と結合しておかないと何もできないことはよく知られている。

もし、キー・パースンと情誼結合ができれば、あなたの企業は順風満帆。また、どんなトラブルが起きても指導し解決してくれる。

では中国人と情誼（チンイー）結合に入るにはどうすればよいか。

結論を一言にまとめると、中国の歴史を研究せよ、というにある。

日本人に最も親しまれてきた『三国志』を耽読（たんどく）しただけでも、中国人の本質に迫ることができる。その他『史記』の項羽（こうう）と劉邦（りゅうほう）ストーリーなど。とくに「刺客（しかく）列伝」、これが中国人そのものを的確に知らせてくれることは、いくたびもコメントした。

いまや、中国に関する出版物は、汗牛充棟（かんぎゅうじゅうとう）もただならぬほどである。「ソコが知りたい中国人」だとか「中国人とのつきあい方」だとか「中国人に信頼される法」だとか“the truth of Chinese„だとか何だとか。この種の本は、多すぎて困るほどなのである。

これらの本などから、「中国人とのつきあい方」や「中国的交際術」についての情報を得るのはよい。それなりに参考になるであろう。とくに大切なことは、**中国人とつきあう場合のタブーを知る**ことである。

しかし、決定打がないのである。「こうすれば必ず中国人の信頼が得られる」という確実な方法がない、法則が発見されていないのである。体験をいくら積み上げても、この「確実な方法」を発見することは不可能である。体験はどんなに貴重なものであっても、特殊例にすぎない。それらを方法論に整理して理論化しなければ法則は発見し得ないであろう。

この法則が知られないことには、中国で仕事をするときに困る。

中国近代経営における情誼（結合）に該当する記述は、中国史を通じても、そう見当たるものではない。日本人が好む古代史においてはとくに見当たらない。『史記』には、「貨殖列伝第六九」があり、陶朱、猗頓*などの伝記は、わりと詳しく記載されているが、「情誼」に該当する記述はない。少なくとも本格的に論じられてはいない。『漢書』『三国志』も同様。「二五史一史稿」において、「情誼」はテーマではない。

では、中国史において、「情誼」をテーマとし、帮について詳論しているのは何か。

とくに「刺客列伝」である。

「情誼」「帮」という術語は用いていないが、「刺客列伝」における主テーマが、情誼と帮であることは一目瞭然である。

そのうえ、情誼集団、とくに帮に入るための入りかたも詳述されている。「刺客列伝」を精読し分析することによって、「情誼集団への入りかた」の本質を知り得よう。

そのうえ、『史記』『三国志』などにおける人間行動のサンプル（管鮑の交わり。孔明、関羽、呂布など）などもよく読んでおくとさらによい。『靖献遺言』も参考になる。中国の代表的八人の義士をヒーローとしている一種の伝記であるが、数において圧倒的多数であるところの非義人についても詳述してある。義人と非義人のちがいはどこから生ずるか。帮の規範を完全に守ったか、それともどこかで逸脱したか。このちがいである。このちがいを比較することにより帮の規範とはどういうものか、理解され得よう。

さて以上、帮と情誼について詳論した。

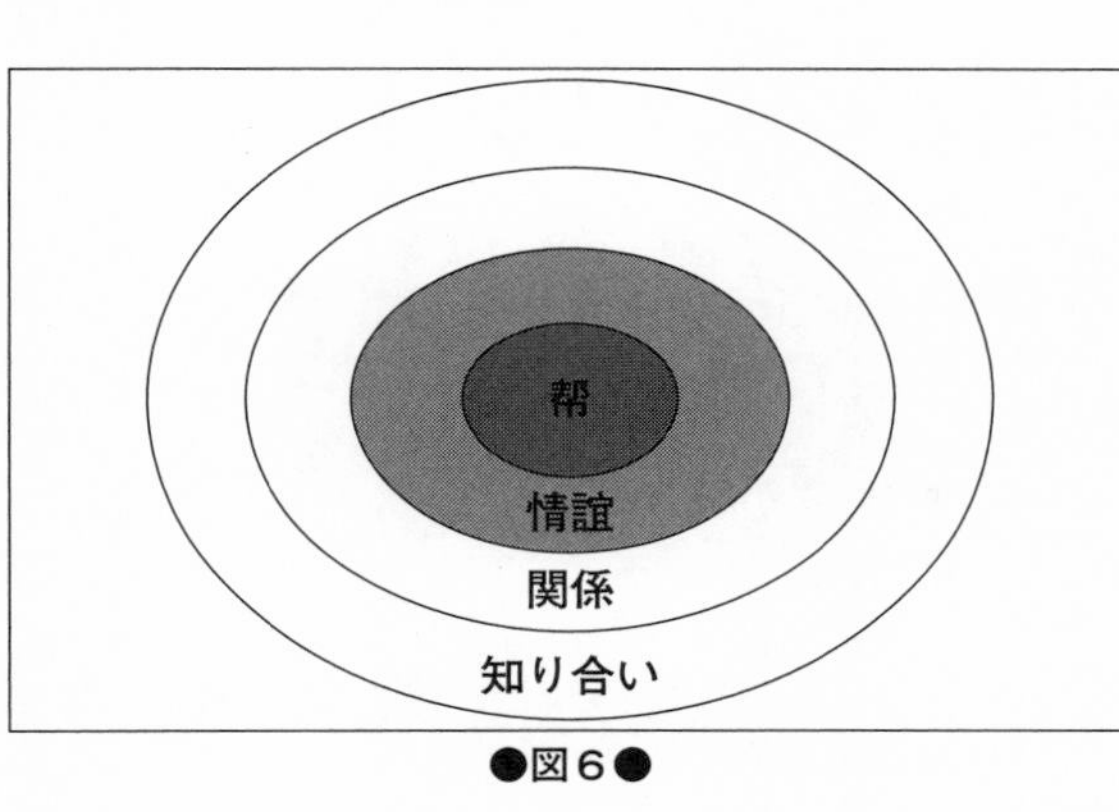

●図6●

中国理解の鍵は、二重の人間関係にある。結合集団の内と外とで人間関係が全くちがってしまうのである。

人間の結合集団として特に重要なものとして、帮と情誼について徹底的に論じた。

この帮・情誼の理解を、中国研究の幸福なスタートにしたい。

帮と情誼とが根本であるが、人間結合の集団として、情誼の外に関係がある。情誼より結合がゆるい結合集団（人間結合の集団）である。「知り合い（友人）」は、さらにゆるい結合集団である。

ある記者は、知り合いであるかどうかで、中国人の態度、行動がガラリと変わることを体験した。「知り合い」という結合集団にすら二重規範が見出される。内と外とでは、規範もそれによって生ずる人間関係もちがってくるのである。二重人間関係がすでに発生しているのである。

関係(クアンシー)についても同様。くわしくは357ページを参照いただきたい。

以上、歴史に徴して「照らして」、それを理論化して、日本人を悩ます「中国の矛盾」「中国人の自家撞着(じかどうちゃく)」について説明した。

が、この方法にも制約はある。「中国史」は、中国人にはわかりきったことは省略して書いているからである。

この制約をどうする。こんなときこそ、洪水のようなノウハウ書を参照して頂きたい。

右の方法でしっかりと中国の本質を理解した後であれば、ノウハウ書も結構役に立つ。

中国で仕事をしたい人の困難は、体験に発する情報が少ないことにあるのではない。あまりにも多すぎることにある。これらの厖大(ぼうだい)な情報を如何(いか)に整理するべきか。

そのための方法と理論とがあれば、情報の本流にあふれる矛盾は、あなたを当惑させず絶好のサンプルとなるであろう。とくに大切なことは、中国人とつきあう場合のタブーを「ノウハウ書」から集めて、しっかりと身につけておくことなのである。

*陶朱(とうしゅ)(?〜?) 春秋の富豪・陶朱公(とうしゅこう)を指す。一説によると、春秋越(えつ)の功臣・范蠡(はんれい)が、呉王夫差(ごふさ)を破ったあとの越王勾践(えつおうこうせん)の性(しょう)に不安を感じ、名を変え越(えつ)を出奔して事業に成功した姿とも言

う。

＊猗頓（いとん）（?～?） 戦国時代の豪商。製塩、製鉄で巨富をつかむ。一説によると、もとは窮民であったが、陶朱公（とうしゅこう）の指導で蓄財に成功したとも言う。

【第三章】

中国共同体のタテ糸「宗族（そうぞく）」

●タテの共同体「宗族（そうぞく）」とは何か

中国には二つのタイプの共同体（ゲマインデ）があり、中国および中国人を真に理解するためにはそのことを知らなければどうしようもない、ということはこれまでに何度も述べてきた。

そしてここまで、その二つのタイプのうちの一つ、ヨコの共同体たる「帮（ほう）（帮会（パンフェ））」と、その周辺について説明をした。

では、タテの共同体とは何か。

それが、「宗族（そうぞく）」である。

宗族（そうぞく）は、父と子という関係を基にした父系集団（パトリ・リーニアル・グループ）(patri-lineal group) である。父から子、という形で集団を作り、姓を同じくする。劉なら劉、李なら李と、必ず同一姓を名乗る。父系集団にも姓を有する父系集団（中国、韓国など）と有しない父系集団（古代イスラエルなど）とがあるが、宗族（そうぞく）は姓を有する父系集団である。

もう一つの特長は、同一宗族（そうぞく）の中では絶対に結婚できないこと。これを部外婚制（イクソガミー）(exogamy) という。

こうした宗族（そうぞく）というのは、日本にもアメリカにもない。この血縁共同体のあるなしこそが、中国と日本との根本的なちがいの一つなのである。

日本に血縁はない。したがって、血縁（による）共同体はない。有り得ないのである。――

と断言すると怪訝（けげん）そうな顔をする人が多い。

日本こそ血縁社会ではないのか。日本が血縁社会ではないなんて非常識である、と。でもここでは常識の話をしているのではない。より正確に学問の話をしているのである。中国を本当に理解するためには、単に知識のレベルに止まるのではなしに、徹底的に掘り下げて分析をしておく必要がある。

ここに言う「血縁社会」とは、「父系社会」、または「母系社会」のことを言う。

父系社会においては、父系集団が作られる。父系集団とは、「父→子」という父子関係を条件として作られる集団（数学的にいうと人間の集合（セット））である。

父系集団は集合（set, Menge, ensemble）であるから、人は或（あ）る父系集団に属するか属しないか、明確に決定されるのである。判然とするのである。一義的で二分法的（ダイカタマス）なのである。

この点、「親戚（しんせき）」「親類」などとはちがうから注意を要する。親戚（親類）は、どこまでそうであるか判然としない。また、「何親等以内」などと規定したとしても、誰を中心にして親戚のネットワークを考えるかによって親戚（親類）の範囲はちがってくる。集合（セット）として確定できるものではない。

これに対して、父系集団は一つの集合（セット）である。

中国は父系社会（父系集団を作る社会）であるが、父系社会は中国に限らない。インドも中近東諸国も父系社会である。

父系社会には、部外婚制のある社会とない社会とがある。部外婚制があれば、同一父系集団内で結婚することはできない。性行為も禁止されている。

中国には部外婚制がある。インドにもある。中近東諸国にはない。古代イスラエルは父系社会ではあるが部外婚制がなかったことは、『旧約聖書』からも容易に読み取ることができる。

中国における父系集団を宗族という。

同一宗族（のメンバー）は、同一姓を有するが、逆に同一姓を有しているからといって、必ずしも同一宗族（のメンバー）とは限らない。

同一姓であっても、同一宗族（のメンバー）でなければ結婚してもよい。中国の部外婚制は、同一宗族内の結婚を禁止しているのであって、同一姓をもつ人々のあいだの結婚を禁止しているわけではない。

しかし、同じ姓の者同士の結婚は、宗族を異にすれば許されてはいるのだけれども、あまり好まれていないようである。「同姓めとらず」とはこのことを言うのか。日本人の林さんと中国人の林さんとの結婚すらためらわれるとか。

中国理解のための最大の鍵の一つである「宗族」は、

……血統の表示として共同の姓を有するばかりでなく、共同の始祖と祭祀とを有し、その内部に一つの族的統制が保たれていた。（仁井田陞『中国法制史増訂版』岩波書店）

このような広い血族集団は、中国では宗族（ときには氏族）と呼ばれ、その構成員は族人（宗人）と言われてきた。そしてその族人の内から族長とか宗長が選ばれていた。宗族の特徴について、仁井田博士は結論する（但し、カッコ内の訳文は小室による）。

従って中国の宗族は Agnatischer Verband（父系集団）であったと同時に Patriarchalischer Verband（族長集団）であり Herschaftlicher Verband（統治集団）であった。（同右）

同一宗族の結合はきわめて固い。すなわち、百代経っても「同一世代つまり同一輩行（排行）の族人は兄弟である。」（顏氏家訓）（同右）

宗族内においては、百代たっても、同一ジェネレーションの人は兄弟だと看做される。そのため、「同じ輩行の男子は、その名に同一又は同一種の字を用い、何代あとでもその名が自然に輩行（諸兄弟）を表し、従って族内の尊卑が自ら明らかになるように、いわゆる『輩字』が工夫されたこともあった」。

すなわち現実の家族共同生活から分離した後でも、なお兄弟意識・同族意識が失われないところに、宗族結合の観念的基礎があったのである。

（同右）

●地縁を越える血縁共同体

宗族は共同体であるから、内と外とでは全く異なる。とくに重要なのは二重規範（double norm）である。宗族内の規範は絶対である（無条件で遵守しなければならない）のに比し、宗族外の規範は相対的である（遵守するかどうかは、状況、条件、当事者同士の人間関係、当事者の人格などによって左右される）。

富、名誉、権力などは、まず宗族に配分され、そのうえで宗族内の各構成員に配分される（社会財の二重配分機構）ことが多い。

宗族は、その共同祖先を祭る祠堂、または宗祠をもっていた。その祭りの費用を出すために祭田、同族の互助のために義田をもっていることもあった。祭田義田などを総称して族田という。

（仁井田、前掲書）

宗族は父系としての血縁集団であるから、それとしての社会学的諸法則が見られる。

では、地縁との関係はどうか。

宗族は地縁集団ではない。ゆえに、地縁との結びつきとしては多くの場合があり得る。確定の法則はないが、いくつかの傾向が見られる。地縁との結びつきについて論ずれば、韓国の本貫より薄いというべきである。「本貫」は、元来、父系集団ではあるが、特定の地縁と結びついていることが多い。ある用語法によると、特定の地縁と結びついた父系集団を「本貫」と呼ぶこともある。

中国の宗族はこれとはちがう。

> 宗族はまた必ずしも同一地方に集い住み同族部落を形成していたわけではない。（同右）

ここがポイント。宗族は中国中に散らばっていることもある。いまでは、全世界に散らばっていることも珍しくない。それでも、宗族はやはり宗族。すなわち、「現実の家族共同生活から分離した後でも、なお兄弟意識、同祖意識が失われないところに、宗族結合の観念的基礎があった」（同右）のである。

これは今も同様。

サンフランシスコなどで二人の中国人がばったりと会う。見ず知らずの二人である。今まで、この人が存在することすら互いに露知らなかった。しかし、話をしているうちにこの二人が同じ宗族の人であることがわかる。途端にこの二人、兄弟のように親しくなる。同じ輩行の族人であることが判明したからである。となると、親等がどんなに遠くても兄弟同様。血縁共同体たる宗族内の人として苦楽をともにする。借金に証文なんか要らない。要りっこない。

いや、ニューヨークだってどこだって、世界中同じことだ。

「ニューヨークには、二種類の中国人が居る」（NHK中国プロジェクト『中国――12億人の改革開放Ⅳ』日本放送出版協会）そうな。

すなわち、「一つは、チャイナタウンに出稼ぎに来る福建人の密航者である。もう一つは、エリート中国人である。エリート中国人は、確かな身分と利権をバックにニューヨークに来て事業をおこす人たちである」。（同右）

エリート中国人と密航者とは天と地ほどもちがう。何もかにもだ。

エリート中国人は、英語を話しビジネスを切りまわし、上層に属する。密航者は、英語を話せず、どんな仕事でもあればよいほうで最下層でチャイナタウンに閉じこもったきりである。

両者のあいだに交流はない（同じ中国人とはいうものの外国人よりも遠い）。

ところが或る日、偶然か天意か、福建からの密航者と上海から来て今は億万長者になっている成功者とが、同じ宗族の同じ輩行（ジエネレーション）であることがわかったら。——あな不思議、中国人以外の人にはわが目が信じられないであろう。二人は発止と抱きあって、それから後は兄弟としてのつきあいをはじめるのである。財産、身分、経歴、出身地のちがいなんか何のその。つきあいはまったく平等で対等。すこしのへだたりもない。

これが宗族。

宗族に該当する父系集団は、日本にも欧米諸国にもないので、あるいは理解困難かもしれない。

しかし、宗族こそ中国理解の要諦であるので、さらに説明を追加しておく。

すでに指摘したように、宗族は血縁共同体であるから、内（ウチ）と外（ソト）では何から何までちがってくる。

宗族は、数学的にいうと集合をつくる。内外は一義（アインドイトリッヒ）的に区別され二分法（ダイカタマス）的である（人は、当該の宗族に属するか属しないか、いずれか一方だけである）。

(1)中国人は、いずれかの宗族に属する。どの宗族にも属さない中国人はいない。

(2)また、二つ以上の宗族に属する中国人もいない。二重宗族はあり得ない。

(1)と(2)とを集合論的に表すと、「すべての中国人は、宗族によって直和（direct sum）分解される」。このことは、銘記されるべきである。

この点、帮とはちがう。

宗族と帮とが経緯（タテ糸とヨコ糸）になって中国の社会構造をおりなしていると言った。

中国人は、二つ以上の宗族に属することはあり得ないが、二つ以上の帮に属することはできる。『三国志』の劉備は、関羽、張飛との三人帮に属すとともに、三顧の礼によって孔明と「君臣水魚」の二人帮に属している。

ある宗族

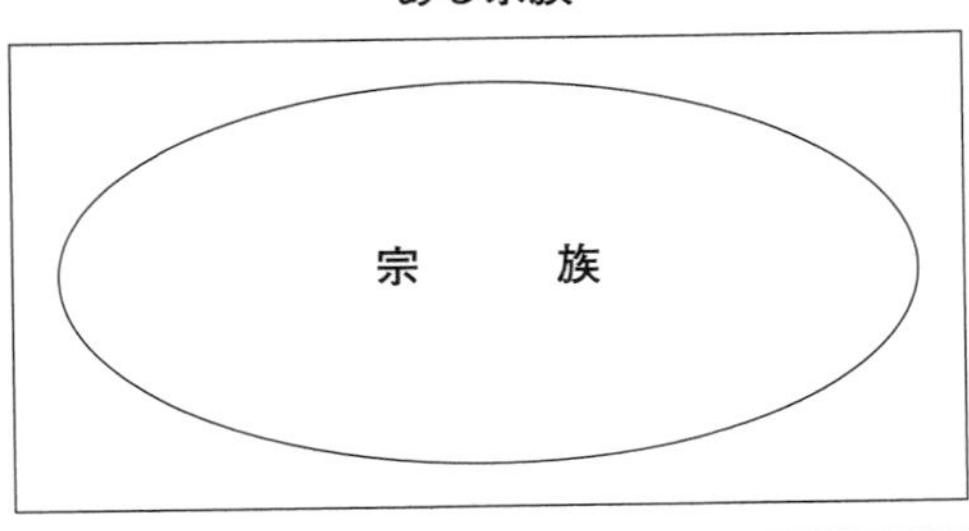

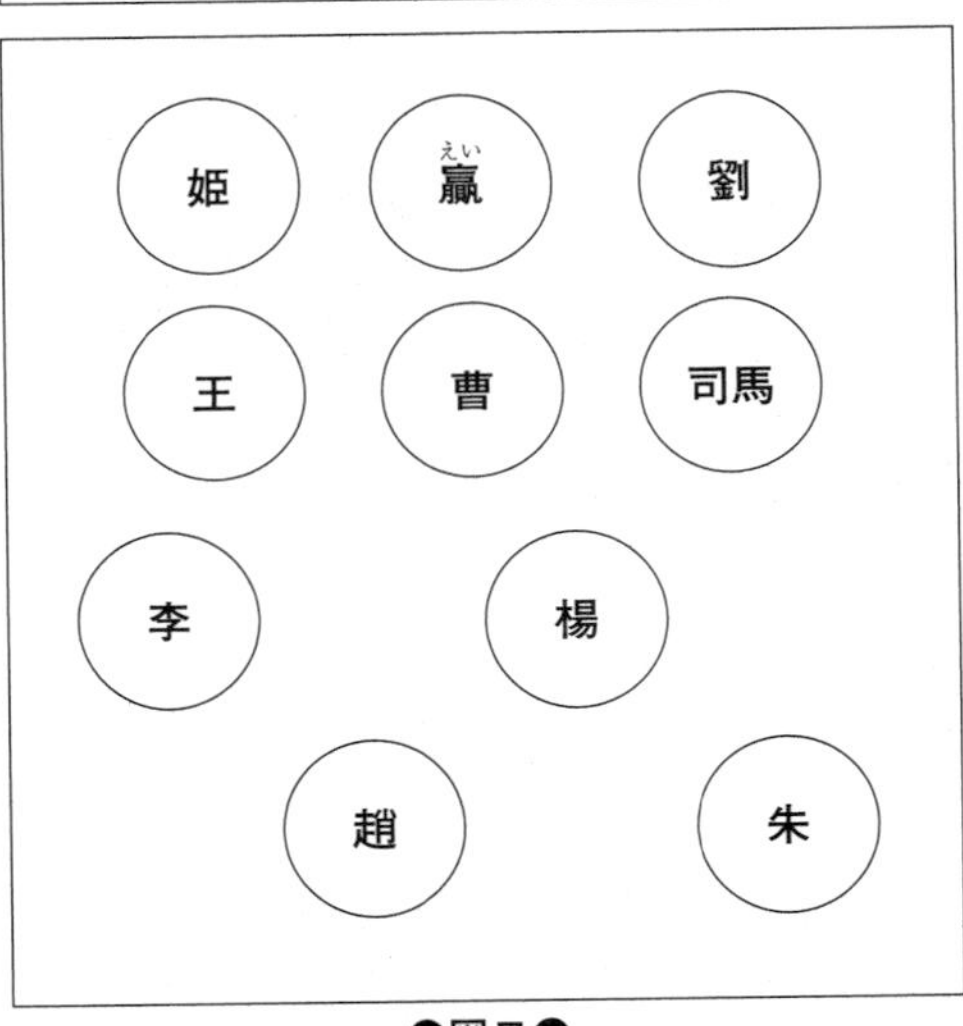

●図７●

　このように、二つ以上の帮に属することは可能である。しかし、劉備ほどの人物ならばともかく、二つ以上の帮に属することは、一般には困難である。それほど、共同体たる帮の結合は強固である（高田保馬。結合定量の法則）。

●中国人の「姓」と日本人の「苗字」は大ちがい

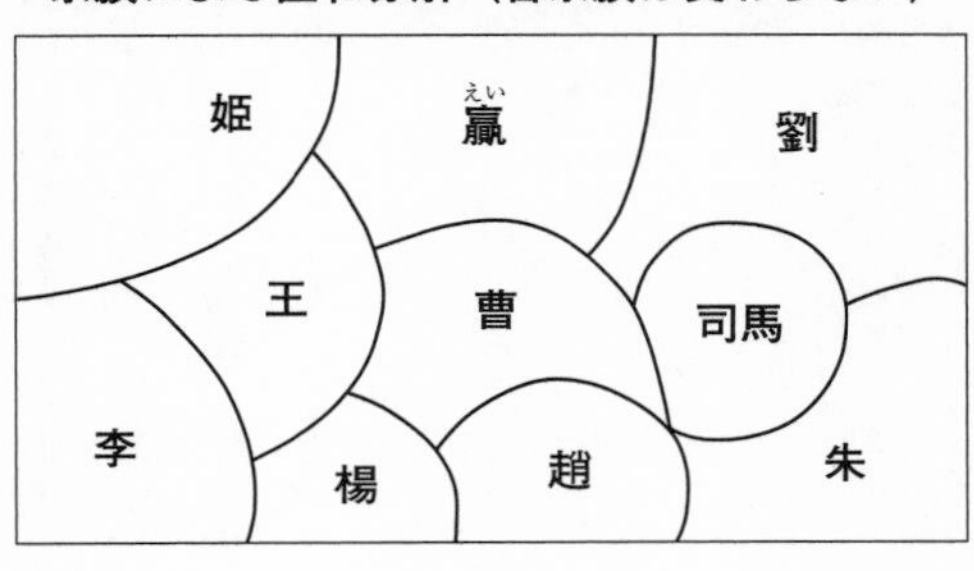

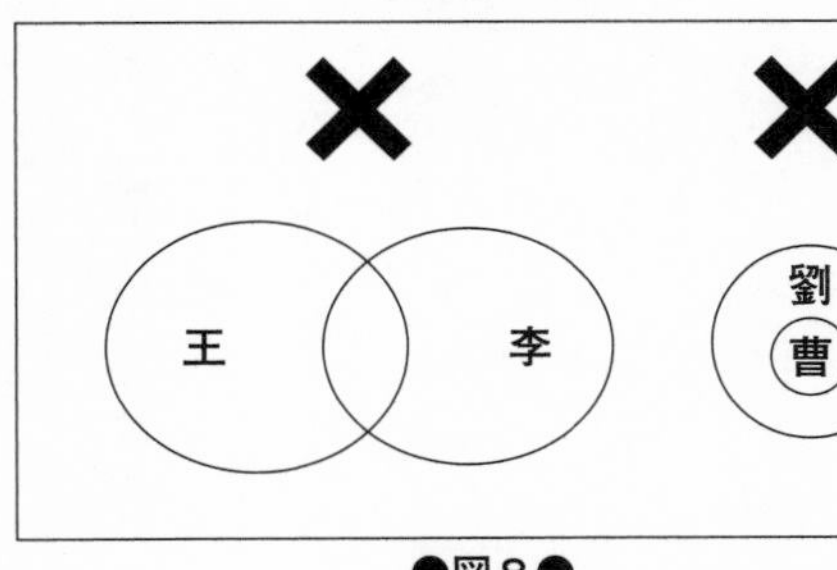

●図8●

　宗族は同一姓を有する。宗族は父系集団であるから、姓は一生変わることがない（父→子の関係は、生涯変わらないではないか）。

　日本の苗字（名字）は中国の姓とはちがう。

　中国に姓のない人はいない――どの時代でも――が、日本には苗字のない人も存在し得る。

　昔も今も、皇室には苗字はない。

　明治より前の時代には、庶民にも

なかった（ないこともあり得た）。

また、中国人とはちがって、日本人は明治より前の時代には複数の苗字もあり得た。例えば家康は、源、徳川、松平の三つの苗字をもっていたではないか。苗字を変えることもできた（例：木下藤吉郎→羽柴秀吉→豊臣秀吉。桂小五郎→木戸孝允など）。

中国人は姓を変えることはできない。たとえば漢高祖 劉邦＊。若い無頼者のときも沛の泗水の亭長のときも、将軍のときも漢王のときも、そして大漢皇帝のときも劉邦は、やはり劉邦。秀吉などとは全くちがって、出世するにしたがって姓を変えることをしない。

このことは、社会学的にいうとどういうことになるのか。

中根千枝教授の用語を用いるとこうなる。

姓が属性（ascription）であるのに対し、苗字は場（field）である。

「姓」は、人間そのものに付いて離れないもの、すなわち、この人の属性である。

これに対し、「苗字」は、その場、その場の状況によって変わり得るものである。

「場」の最たるものが社会的地位。

小大名と大大名と天下人とでは社会的地位はたいへんちがう。ゆえに、出世するにつれて苗字を変えるべきである。もとの苗字を棄てなければ当然、苗字は複数となる。

小者、足軽、普通の武士、小大名、大大名、天下人となると、社会的地位はもっとちがう。はじめ無苗字(みようじ)であったのに苗字(みようじ)をつけ出世するにつれて、それを頻繁(ひんぱん)に変えたからとて、少しもおかしくはない。

このように、日本の苗字(みようじ)は場(ば)である。

例を、もう一つ追加しておこうか。

いわゆる五摂家(ごせつけ)。摂政(せっしょう)・関白(かんぱく)に補せられ得る家としては、近衛(このえ)、九条(くじょう)、二条(にじょう)、一条(いちじょう)、鷹司(たかつかさ)の五家があった。これら五家は、明治以後、右の名称をもって苗字とした（例：近衛文麿）。が、周知のとおり、これら五家はいずれも藤原氏である。だから、正式の場合（例：神へ額(がく)を奉納する場合）などには、苗字(みようじ)ではなく「氏」を用いて、藤原文麿と記した。

これらの諸例からも明らかなように、日本の苗字（名字）は、本来、場(ば)（field）であるから、原則として自由に変更できるのである。

これに対し、中国人の姓は、属性(アスクリプション)であるから変更することはできない。姓を変えるなんてとんでもない。

身分が極端に低い場合には、名前がよく知られていないことはある。例えば、先に例を出した劉邦(りゅうほう)。

高祖は沛の豊邑の中陽里の人である。姓は劉氏。字は季。父は太公と曰い、母は劉媼と曰う。（『史記』「高祖本紀」）

「太公」とは「おじいさん」という意味である。「劉媼」とは「劉家のおばあさん」という意味。ひとの名前ではない。ということは、高祖の親の名前は知られていなかった。「字は季」というが、「季」とは、四男または末っ子を表す。兄弟の順序は、「伯、仲、叔、季」で表されるが季とは兄弟の末という意味である。

漢高祖の両親も本人も、本名は伝えられていない。中国において「無名」の人は、まさに無名であった。そこで、後世の人が名前を考える。漢高祖の名「邦」は、正史たる『史記』にも『漢書』にも記されてはいない。当時の歴史家には知られていなかったのである。仕方がないので、ずっと後世の人が考え、「劉邦」の名が初めて現れるのは『後漢書』である。

これに対し、「劉」という姓は、『史記』にも『漢書』にも銘記されている。周知であり疑問の余地がなかったのである。すなわち、どんな下層民においても、当時の中国において姓は定着していた。ということは、その背後にある宗族もしくは宗族の原初形態がすでに存在していたか芽生えていたことを示唆している。

＊劉邦（前二五七～一九五年）　前漢初代の皇帝、高祖。中流農民だったが、労働を嫌い遊侠

の徒と親交を結び、一集団を率いる。秦末の陳勝の乱に乗じて挙兵、楚の項羽らと合流し、前二〇六年、秦を滅ぼす。後に項羽を破り、前二〇二年、漢を建国、帝位に就く。郡県制と封建制を併用した郡国制を採用し、国の基礎を固めた。

●かつて中国社会は母系社会であったか

宗族は中国の社会構造（social structure）の一部であるから容易に変化しないと思われる。社会構造が容易に変化しないことは、人類学、社会学によって明らかにされた（ラドクリフ・ブラウン以降の社会人類学。また、マックス・ウェーバーは、社会構造が変化したのは、プロテスタンティズムの倫理によって資本主義の精神が発生した場合に限ると言っている）。たとえば、社会現象が激変（例：かつての未開人が文明の利器を活用し得るようになる）しても、「父系社会」（であること）、「母系社会」（であること）などは変化しないことが知られている。

宗族の存在が明確に看取できるのは宋代以降である。宗族は、大きなものとなると、数千人、数万人の成員をもつ父系集団であり、しかも、部外婚制をもつ。

宗族研究の最高権威、中根千枝教授に質問したことがある。大きな宗族の中には、見ず知らずの男女だっているのだろう。ばったり会って恋愛することだってあるかもしれない。でも、部外婚によってこの二人は結婚することはできない。これ、悲劇ではありませんか、と。

中根教授曰く。同一宗族内の男女には恋愛感情は芽生えないのです、と。

ほう、そんなものかと感じたが、ここで社会学的に重要なことは、宋代になると宗族の内部規範（inner norm）の遵守はここまで徹底した、ということである。

では、どこまでその存在は遡り得るのか。

宗族は社会構造（の一部）だから太古にも存在したであろうとも推定できる。

今や中国は父系制（agnate system）であるが、もっとずっと最も古い時代の中国は、母系制（cagnate system）であったらしい。

文献からも、母系制であったと推定される。それは、「神農の世、民その母を知りてその父を知らず」（『荘子』盗跖）。

「神農」は超古代の帝で炎帝ともいう。三皇五帝のうちの三皇の一人。

司馬遷の『史記』は、「五帝本紀第一」の黄帝から始めている。「三皇」は単なる伝説であると看做して省略したのであろう。神農については言及するにとどめ、とくに本紀を立ててはいない。

伝説（例：唐の司馬貞が補筆した『三皇本紀』）によると、神農氏は姜水のほとりで成長したので姜を姓とした。身体は人間であったが頭は牛であった（人身牛首）。人民に初めて耕作を教えたので神農という。医薬を発見し音楽を教えたうえ、八卦を重ねて六四卦を作った。

ここで大切なコメントを一つ。中国の「聖人」とは、右のように（文化）制度を作った人のことを言う（「道の制作者」丸山眞男『日本政治思想史研究』東京大学出版会）。その前の伏羲氏は結婚の制度を定め、民に漁業を教えた。孔子が周公*を代表的聖人とする所以は、周公が周王朝の政治制度（礼楽）を作ったからである。これに対し、キリスト教の「聖人」とは、その国に初めてキリスト教を布教した人（例：イングランドのセント・ジョージ*など。日本では、セント・ザビエル*）、あるいは奇蹟をおこしそれを認定された人を指す。仏教だと、この世の惑いを完全に断ち切って聖者の流れに入った人のことを言う。

仏教、キリスト教には、「制度を作る」という発想がない。これに対し、古代中国にはすでに、「制度を作る」という発想があった。この発想法は、儒教には強く伝わらず、法家の思想に強く表れることになる。管仲、商鞅、呉起*はじめ、法家の思想（法教）に連なる人々は、制度製作者として知られる。

もう一つの大切なコメント。統治者が人身牛首であるような想像を絶する超古代においてすら姓があったということである。そのうえ、母の名は記してあっても父の姓名は記していない。中国も超古代においては、あるいは母系制ではなかったかと推定される所以である。

そのうえ、「姓」という文字は「女」偏に「生」と書く。これをもって超古代の中国は母系姓であったと推定する学者もいる（例：宇野哲人博士）。

中国では超古代においても、神のような超人にも姓があった。これに対し、日本の神々には、○○尊とか、名前はあっても姓はない。

このことから、中国には母系制にせよ父系制にせよ、超古代から血縁集団があったであろうこと。これに比し、超古代から日本には血縁集団はなかったであろうことが推定される。姓の存在は血縁集団の存在を示唆するが、存在証明にまではならない。現代欧米諸国は、父系社会でもなければ母系社会でもないのに姓がある。

逆に、姓がないからといって血縁集団がないとも断定できない。たとえば、古代イスラエルは、父系集団を有し父系社会であった。このことは、トーラー（「モーセ五書」、『旧約聖書』のはじめの五書）に一瞥を投じただけでも明白であろう。しかも、古代イスラエルの民は姓を有しなかった。これも明白。

父系集団が姓を有しない場合には、父の名を言うのである。必要とあらば、そのまた父の名を言う。たとえば「ヤコブ」と名のるときに、「イサクの子ヤコブ」あるいは「アブラハムの子のイサクの子のヤコブ」と言うのである。

このようなトーラーの記事だけからしても、古代イスラエルが父系社会であったことは明白である。しかも姓はない。

＊**周公**（？～？）　周初期の政治家。姓は姫、名は公旦。文王の子で武王の弟。武王を輔けて殷を滅ぼし、武王の死後は七年間にわたり、弟・召公と幼い成王を輔佐した。

＊**セント・ジョージ**(Saint George　？～三〇三年頃)　イングランドの守護聖人。一四救難

聖人の一人。毒気で人を殺す悪竜の餌食になりかかった女王を救い、王とその住民をキリスト信仰に導いたという逸話で有名。一二二二年、オックスフォード教会会議がイングランドの守護聖人に彼を選んだ。ラファエロ、デューラーらのルネサンス美術にもよく登場する。

＊セント・ザビエル（Francisco de Xavier　一五〇六～五二年）　日本に初めてキリスト教を伝えたイエズス会神父、フランシスコ・ザビエル。スペインに生まれ、聖職者を志し、インドで布教した後、四九年、鹿児島に渡来。大内義隆、大友義鎮らの庇護を受け、布教にあたった。

＊呉起（前四四〇頃～三八一年）　戦国衛の兵法家、政治家。魯、魏に仕えた後、楚の悼王のもとで宰相として力をふるい、陳、蔡を併合、趙、韓、魏、秦を撃退し、内政では中央集権化に努めた。その政策は既得権者である王族らの恨みを買い、悼王の死後、王族らのテロ活動により射殺された。その際、呉起は悼王の遺体に覆い被さったところを弓で射られたため、混乱鎮圧後、暗殺者たちは王に矢を放った廉で誅殺された。

●中・日・欧「養子」のちがい

このように、姓と血縁社会とのあいだに必然的関係はない。が、何らかの関係があることは示唆され得る。

超古代、日本の神々に姓がなかった（「姓」に言及されていない）というだけでは、超古代日本は血縁関係ではなかったと断言はできないが、推定はできる。姓がなかっただけではない。イスラエル流に、「父」「父の父」などを付けて名のることもしない。その後、苗字（名字）ごときものは、職業、仕事などの場をもってして（例：物部、犬養など）、血縁などの属性をもってするものではない。

おそらく、父系社会でも母系社会でもなかったと推定される。

その後、確実なデータが入手できる時代に入ると、日本は父系社会でもなく、また、母系社会でもないことが判明した。いちばんわかり易い例が、大名の相続である。

日本の大名は、どこからでも養子が取れる。そして、養子に相続させる。このようなことは中国では考えられないことである。中国では、養子を取るとすれば、同じ宗族の中からしか取れない。換言すれば、他の宗族から養子を取ることはできない。「異姓、養わず」である。このことは、宗族が共通の先祖を祭る祭祀集団であることから、中国人にとっては当然のことである。孔子*も曰っているではないか。「其の鬼（先祖）に非ずして之れを祭るは、諂い也（自分の先祖でもないのにその祭りをするのは、ご利益めあての卑屈なことである）」（「為政第二」）と。すなわち、そのお祭りができるのは子孫に限定されるのである。宗族は（先祖を共有する）父系集団であると同時に（その共通の先祖を祭る）祭祀集団であるから、他の宗族から「養子」を取ることはナンセンスである。かかる「養子」は祭祀ができないから養子として機能しないのである。

では、同一宗族の中で養子が見つからなかったらどうする。そのときは家を断絶させてしまうのである。この点、日本とは根本的にちがうから注意を要する。

日本では、「家」という枠組（フレイム・ワーク）が初めにあって、その中に人が入るという考え方をする。極論すれば、家の中に入る人は誰でもいいのである。「一族郎党（ろうとう）」という熟語があるが、「一族」と「郎党（ろうとう）」とはちがうだろう。一族は血で結ばれているのに、郎党は家来であって血で結ばれてはいない。中国では当然、別扱いである。が、日本では同じ「家」という枠組の中にいる限り同じ扱いである。だから、「一族郎党をひき連れて、ことごとく死出の旅に出た」なんていうことが、よく言われるようになる。

日本では、初めに「家」ありき、である。ゆえに、「家」という枠組を存続させるためなら、血縁があってもなくても養子をもらってきて相続させる。

このちがいは、社会構造（social structure）のちがいに由来する。この「養子」ということのちがいを理解することこそ中国理解の鍵であり、また、日中企業の根本的相違もまたここに由来する。

理解を徹底させるための補助線として、さらに欧米諸国の「養子」と比較しておこうか。

欧米諸国にも「養子」制度はあるが中国とも日本とも全くちがう。

欧米は、父系社会に近いけれども父系社会ではない。父系集団はないので、中国とはちがって、どこから養子をもらってもいいのである。この点は日本と同じで中国とはちがう。

しかし、日本とも中国ともちがう点がある。

養子には相続権がないのである。

いちばんはっきりわかるのは、養子には爵位の相続権がないこと。

昭和二二年（一九四七年）までの日本には、公侯伯子男の爵位があったが、養子も爵位の相続ができた。中国には、爵位のある王朝（例：周の五爵、漢の二〇爵など）とない王朝とがあったが、もし爵位があれば養子も相続できた。

しかし、欧米の養子は爵位の相続はできない。

ではつぎに、財産相続は。

答え。財産相続もできない。

と答えると、必ず反論される。いや、養子が財産相続をした例がある、と。

再反論。それは「相続」ではなくて「贈与」である。

欧米諸国では、遺言によって財産は自由に誰でも贈与できるようにだんだんとなってきた。いや「所有権の絶対性」からすると、これこそが本来の姿か。所有権は絶対であるから、所有者は所有物をどのように処分してもよろしい。誰にどう与えようとも自由である。この大原則を法律に定めて、遺言によって財産を誰にでも贈与してもよいという国が増えてきた。

ここにいう、「誰」とは人間だけではなく、ペットも含んでいる。犬、猫に財産を遺贈するなんていう例も増えてきた。もちろん、養子に遺贈してもよろしい。

これらの例からもおわかりのとおり、欧米諸国における養子はペット扱いなのである。可愛いから養子にする。しかし、何の権利もない。

＊孔子（前五五一～四七九年）春秋の思想家。名は丘、字は仲尼。魯（現在の山東省）に生まれる。五四歳にして魯の大司寇となり、政治改革を志すが失敗。中原諸国を巡り周公の代を範とした理想政治の実現を目指すがかなわず、晩年は魯に帰国し子弟の教育に専念。死後、その家族道徳を基盤とする徳治主義の教えは、弟子たちにより『論語』としてまとめられた。

●これだけちがう日中「同族会社」事情

さて以上、いくつかの補助線を引くことによって、中国社会の根本にある宗族について論じてきた。

宗族が存在することによって、中国社会とくに中国企業は、独特な特性をもつことになる。

まずは、中国企業を日本企業との対比において論じようか。

中国の企業が共同体になることはない。どんなに激烈な急性アノミー（acute anomie、その発生源としては、人民革命、文化革命など）が発生しても、共同体たる宗族が吸収してしまうからである。この点、宗族のような血縁共同体が存在しない日本とはちがう。

機能集団（functional group）たる集団は、依然として機能集団だけであって、同時に、共同体になることはない。

この点、アメリカなどの資本主義と同じであって、日本とはちがう。

しかし、中国企業が資本主義（モダン・キャピタリズム）企業とちがう点もある。

中国企業は、日本企業とはちがって、企業全体が共同体（ゲマインデ）となることはない。また、アメリカなどの資本主義ともちがって、すべての従業員が均一であって、機能的な役割（ロール）、分業と協同（division of labor and coordination）のシステムだけで連帯しているのでもない。

トップと同一宗族（そうぞく）の人々もまた、この企業に入ってきている。宗族（そうぞく）は血縁共同体であるから、その結合（連帯）は、その他の従業員における機能的結合（連帯）とは、強さも性質も全くちがう。トップと同一宗族（そうぞく）の人は、企業において枢要（すうよう）のポストを占め、一般従業員とはちがった特権を享受（きょうじゅ）している。

中国企業の構成（construction）はこのようなものであるから、日本企業と比べたとき、強味も弱味もある。

トップと同一宗族（そうぞく）の人々は、企業固有の幹部としてトップと一心同体、トップの手足となって縦横に動く。上意下達、トップの意は企業全体に浸透してゆく。意志決定はすべてトップダウンで行われる。

このような固有幹部をもたない日本企業では、とてもこうはいかない。とくに大企業においては、トップダウンは困難である。

日本の企業、とくに大企業の意志決定は、ボトムアップの稟議システムである。稟議システムは時間がかかりすぎることもあるが、致命的欠点はそこにあるのではない。稟議が、ボトムから発してきてアップまで上ってくる途中で、どこか一カ所で滞ればそれでおしまい。ついに意志決定ができなくなってしまう。せっかくのいいアイディアに接してもどうしようもない。日本企業が、ややもすれば出おくれる傾向があるのは、ここに由来する。

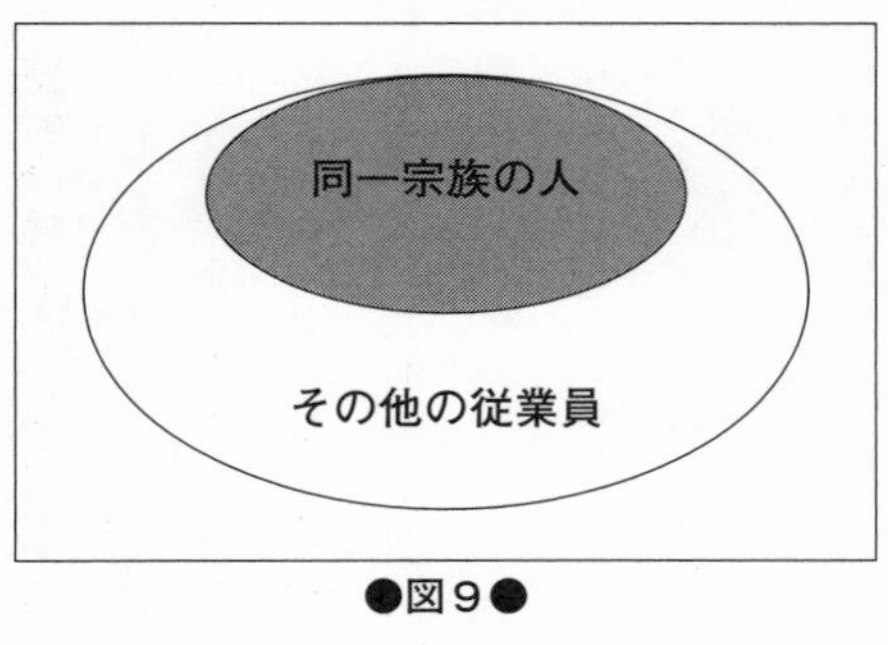

●図9●

	同一宗族の人	その他の従業員
集団の性質	共同体	機能集団
結合(連帯)	血縁的	分業と協同
特権の有無	有	無

●血縁共同体がないからこそ出来た「婿養子」システム

中国の会社（企業）は同族会社である。が、その本質は日本の同族会社とはずいぶんちがう。そのちがいは、宗族の有無に由来する。

三井、三菱、住友をはじめ、日本の同族会社の人的構成は、何代かたつと同族的でなくなってしまう。会社の枢要な地位は、同族とは関係のない人々で占められるようになる。

中国企業ではこのようなことはない。何代たっても同族会社は同族会社――もっとも、その期間、その会社が存在すればの話ではあるが――。

このちがいは、一体全体どこからくるとお思いか。

婿養子の有無である。

日本の同族会社の社長、ぐっと全社員を見わたす。いや、いつも見わたしていると言ったほうがいい。後継者を探すためである。

実力があって商売熱心で人柄もよくて、会社を継がせるのにドンピシャリの人物はいないかなあ。長年さがしにさがした甲斐があって、天の与えか、ドンピシャリの人物が見つかった。

このとき社長はどうする。自分の娘と結婚させて、相手を婿養子にするのである。彼は次期社長になる。

この婿養子システムをバネにすることによって日本の同族会社は、漸次、同族的でなくなってゆく。そして、制度疲労を治して、旧社なれども日々に新たに、また日々に新たにと活性をとりもどしてゆく。

が、さらに重大なことは、すべての社員にヤル気を起こさせることである。

可能性としては、すべての社員が婿養子候補である。

オレだってやったるぞ！

この可能性がかもしだす空気だけでも会社の空気（pneuma）が変わってくる。空気こそ日本教のドグマである。全社員一丸となって邁進。この空気こそが、日本企業最大の強味であることはよく知られている。

婿養子システムがすっかり気に入った企業もできた。社長の息子はだいたいドラ。ドラでなくても、選びぬいて社長のめがねにかなった人物よりも劣るにきまっている。

そこで、婿養子システムを会社のルールにする会社も現れてきた。

山崎豊子氏の小説『女系家族』は、何代にもわたって婿養子システムをルールにしている会社を扱っている。

それはそうとして、ここで学問的コメントを一つ。

婿養子システムを何代にもわたってルールにしている家族は母系家族かというと、社会学的に言えば、実はそうではない。

この場合を社会学用語では、（「母系（マトリ・リーニアル）」〈matri-lineal〉家族ではなく）「マトリ・ローカル」（matri-local）家族という。「マトリ・ローカル」とは「母が居る所に家族が住む」という意味である。母が住む場所（location）が問題であって、社長を相続する者に血縁はないでしょうが。

母系社会は、母系集団（マトリ・リーニアル・グループ）（matri-lineal group）を作る。

母系集団は、母→子の血縁関係で作る集団である。

とはいうものの、族長ないしは祭祀の主催者の相続におけるルールは父系集団とはちがう。

父系集団における相続は、父→男子のルールによってなされる。長子相続、末子相続、その他いろいろな場合もあるが、これが基本形であって、いずれの変種（ヴァリエーション）においても相続は父系集団内の男から男へと伝えられる。

母系集団における相続は、女から女になされるとも限らない。その場合もないわけでもないが、それはよほど原始的な母系集団の場合である。母系集団でも原始的ではなくなってくると、相続も母から娘へというような原始的なものではなくなる。母系集団とはいうものの、相続は男から男へと伝えられる。

では、そのルールは如何（いか）なるものか。

母の兄弟（mother's brother）から姉妹の息子（sister's son）へと伝えられるのである。

この判定条件にてらしてみると、山崎氏の『女系家族』は、実は「母系（マトリ・リーニアル）」家族ではない。学問的（人類学的、社会学的）に分析してみると、日本は今も昔も母系社会ではない。また、すでに論じたように、日本は父系社会でもない。父系社会または母系社会を血縁社会と呼ぶならば、日本は血縁社会ではない。

これに対し、中国は父系社会である。日本人の社会観が通じないこと、この事だけでも察せられるではないか。

●中国に「会社共同体」が現れない理由

中国の会社（企業）と日本の会社とがまったくちがう点がもう一つある。

現代日本の会社の多くは共同体（ゲマインデ）になっているのに対し、中国の会社は共同体ではない。

共同体（ゲマインデ）についてはすでに論じた。

先を急ぐためにその特徴を整理しておくと、(1)内外二重規範（ダブルノルム）を有する（内の規範と外の規範とはちがう）、(2)社会財の二重配分（社会財は、まず当該共同体に配分され、そのうえで共同体内の各メンバーに再配分される、(3)共同体内の主な情緒は敬虔（けいけん）さ（Pietät（ピエテート）, piety（パイアティー））である。

これら三つの特徴をもった社会システム（social system）を共同体（ゲマインデ）という（マックス・ウェーバー）。

資本主義は、諸共同体が解消し、普遍規範（ユニヴァーサル・ノルム）（universal norm）が成立することによって完成する。いや逆に、資本主義が完成すれば普遍規範以外の規範（二重規範（ダブルノルム））などは消滅し、諸共同体は解消される。

日本は未（ま）だ資本主義として不完全であるから、諸共同体が残存している。

最も顕著な共同体（ゲマインデ）が、機能集団としての会社である。

戦前、戦中における共同体（ゲマインデ）は、頂点における天皇システムと底辺における村落共同体であり、日本の人々はここに安住していた。

しかし、敗戦によって、頂点における天皇システムは解消した。このことが日本人にとって致命的となったことは三島由紀夫の絶叫（「なぞすめろきは人と成りたまいし！」）によっても知られよう。激烈な急性アノミーが発生した。

それとともに日本人の心の行き場所であった村落共同体も、漸次（ぜんじ）、崩壊していき、高度成長の進行とともに、ほとんど姿を消した。日本経済の高度成長というと、昭和三五年（一九六〇年）、池田内閣によってスタートを切ったのだと思っている人が多い。しかし、実際には、昭和二〇年代の末期に始まっていたのであった。

朝鮮戦争（韓国動乱　一九五五〜五八年）の巨大な特需によって、戦災で灰塵（かいじん）に帰していた日本経済は死灰の中からよみがえり、日本は経済大国への道を歩みはじめたのであった。

安保（日米安全保障条約）を協議すべく渡米した田中角栄自民党副幹事長（当時）に、アメリカの指導者は言ったそうである。「いまここで安保条約を結んでおけば、アメリカは日本の高度成長を助けてやる。必要な技術はみんな教えてやる」と（著者が田中角栄元首相から直接に聞いた）。日本経済がアメリカ経済に追いつき追い越す可能性については、六〇年代初めのアメリカは、露ほども考えてみなかったのであった。

それほどまでに日米経済力の格差は大きかった。アメリカは巨人、日本は小人であった。とは言うものの、日本経済の高度成長は、すでに刮目（かつもく）するべきものがあった。

昭和三五年当時、日本のＧＮＰ（国民総生産）は、アメリカのそれの、およそ一〇分の一であった。アメリカにとっては、まだまだ取るに足りない数字であったかもしれないが、日本にとっては、目を見張るべき成果である。

戦前日本の経済力は、およそアメリカの二五分の一か二〇分の一くらいであったろうと推定されている。戦前の日本にＧＮＰ計算法はなかったのでまともに比較はできないが、だいたいこのくらいであったろうとする説が有力である。

アメリカの経済力も、第二次世界大戦を通じて飛躍的に増大した。そのアメリカの一〇分の一だというのだから、これはたいしたもの。

すでに、日本経済の高度成長は、始まっていた。

ということはどういうことか。農村から都市へ、大規模な労働力移動が始まっていたということでもある。村落共同体が崩壊を始めていたということでもある。

昭和三五年から同四五年（一九六〇～七〇年）の一〇年余で、日本社会は全くちがった様相を呈（てい）するようになった。戦争も革命も及ばないほどの社会変動が起きたのだ。日本人の生活様式は、以前の一〇〇〇年も及ばないほど変化した。

いろり、だんろ、下駄……など、一〇〇〇年以上にもわたって日本人の生活の周辺にあった品々は姿を消した。替わって、テレビ、クーラー、自動洗濯機……などSFの中にしか存在しなかった品々が日本人の生活必需品となった。

さらに重大な社会変動は、村落共同体の崩壊である。大量の労働人口の流出と農村過保護政策によって、高度成長の一〇年間に日本の村落共同体は壊滅（かいめつ）した。

中国とも欧米諸国ともちがって、日本には血縁共同体はない。地縁共同体もない。宗教共同体（例：イスラム教共同体と比べてもみよ）もない。日本の共同体（ゲマインデ）は、すべて、協働共同体（いっしょに仕事をすることによってできる共同体）である。

日本の村落共同体は、高度の自給システムであった。大切なことは、みんなが協同し共働することによってやってしまう（例：家まで建ててしまう）のであった。日本の村落は古代から高度の分業が発達していたインドなどの村落とはちがう。

経済の高度成長によって大量の労働力が都市へ流出し農村過保護政策によって村落における協働システムは解体した。さらに流通経済が村落にまで流入したことがこの傾向に拍車をかけた。村落共同体こそ、多数の日本人にとっては心の依り所、故郷であった。都市へ出ても外国へ行っても、「志をとげて、何時の日にか帰る」場所であった。

その村落共同体が、消えて無くなった。サアたいへん。一大事！　日本人の心の一大事。これぞ急性アノミーだ。日本人は心の支えを失って茫然自失。すでに、天皇システムが解体することによって激烈な急性アノミーが発生している。そこへもってきて、村落共同体が消滅したことによる急性アノミー。日本人は、宇宙の中に自分の居場所を見失って、心理的には全く正常でありながら如何なる狂者よりも狂的になる。

急性アノミーの噴出より恐ろしいことはない。このままだと、日本社会自身が解体せざるを得なくなる。日本社会を維持するための機能的要請として、何としてでも急性アノミーを収拾しなければならない。

そこで、機能集団たる会社（企業）などが共同体に成ることによって、巨大な急性アノミーを引き受けることにした。この理由によって、日本の会社（企業）は共同体となった。時期は、だいたい昭和三〇年代の中頃からである。

正確を期するためには次が大切である。「日本の会社は共同体になった」と言っても、すべての会社が共同体になったわけではない。おおむね、大企業と大きな中企業くらいである。小さな中企業や小企業、零細企業のなかには、共同体に成り切っていない企業も多い。

すでに指摘したように、**資本主義は共同体を解体するところに生成され発達する。日本の会社（企業）の多くが共同体になったということは、日本資本主義の後進性を如実に表している。**

中国ではどうか。中国資本主義もたいへんに後進的であることについては、しばしば論じてきた。では、中国の会社（企業）は共同体になるのか。

答えは、ならない。中国の会社（企業）が共同体になることはない。その傾向さえない。指向さえない。その理由は何か。

中国には血縁共同体・宗族が存在するからである。ゆえに、急性アノミーが起きかかったとしても（人民革命や文化大革命に際しての大量徹底的大虐殺、洗脳、毛思想の否定などは、急性アノミー発生の可能性を示唆している）、あるいは発生しても、血縁共同体が吸収して、中国解体まではいたらない。

血縁共同体のあるなし。

これこそが、中国と日本との根本的ちがいの一つである（もう一つの根本的ちがいは、帮のあるなしである）。

【第四章】中国人意識の源流に韓非子あり

●中国人にとって、「法律」とは

中国に関して日本人がまったく気づいていないけれども大変重要な鍵、これを知らないと中国ビジネスで大ヤケドしかねない中国の思想、それはいったい何か。日本の企業もアメリカの企業も失敗した理由の最大のものはこれなのである。

これこそが法家の思想。

中国で商売をしたことのある人々は異口同音にこう言う。「中国人ほど法律を振り回す人はいない」と。「日本であれば、意気投合すれば阿吽の呼吸で、まあ、いいやいいやとなるところが、それが中国人には通用しない」と言うのである。中国人は、契約はこうしたじゃないか、法律はこうなっているじゃないかと、やたら法律を振り回す。だから、「中国人ほど法律好きな国民はいない」となる。

そうかと思うと、まったく逆の意見も多い。「中国には法律がない。中国はまだ法治国家ではなく人治国家だ」。有名なところでは、中国ビジネスで成功しているヤオハンの和田一夫氏や日本人の中国弁護士第一号・高橋正毅弁護士、こういった人たちはこの後者の意見。

体験談を聞く限り、「中国では法律が強すぎて、ややこしくて困る」と言う人と、「中国には法律がない」と嘆く人の両極端に分かれている。これはいったいどういうことか。

法律、契約を抜きにしては、怖くてとても商売などできやしない。ところが、中国でビジネスをしている人の間で、いちばん多く出る抗議というかトラブルは、中国人がやたらと約束を変更してくるということ。「中国人と商売上の約束をした。そうしたら、状況が変わったからといって、ちょくちょく約束を変えてくる。あれには泣かされた」というわけである。

近代資本主義社会においては、「事情変更の原則は認めない」というのが大原則である。ひとたび契約した以上、契約は絶対である。事情が変わったからといって契約を変更してくれ、とは言えない。そんなことを認めていたら、第一、合理的生産計画も合理的流通計画もできない。資本主義社会が動かなくなってしまう。だから事情変更の原則は認めない、というのが資本主義の大根幹なのである。

ところが、中国人はこの事情変更をやたらと行う。

個人も行うけれども、もっとも頻繁（ひんぱん）にこの手を使うのは中国政府。正式に許認可を受けた法律どおりに手続きを済ましているのに、「今度政策が変わりましたから」といって、約束・契約を反故（ほご）にしてくるのだからたまらない。

これにいちばん怒っているのはアメリカ。たとえば、ハンバーガーのマクドナルド。許認可を得て中国の法律どおりに商売を始めたのに、いつの間にかいろいろと事情変更が重なり撤退せざるを得なくなったのは周知のとおり［マクドナルドは一九九〇年に深圳に初出店。その後の変遷を経て二〇一八年には二七〇〇店を数える］。

こういうケースがあまりにも多いのである。だからアメリカ人のみならず日本人も、「中国人はウソつきだ」「人を騙し約束を破っても何とも思わない」などといって怒るのである。はたしてそのとおりだろうか。

私は次のように答える。

「法律」というものに対する考え方が、日本人と中国人では根本的にちがう。中国人と欧米人とはもっとちがう。ここに問題の根本がある、と。つまり法律についての考え方がちがえば、中国人は法律に従ってやっているつもりでも、外国人から見れば大ウソをついているように見えてしまう。このことを徹底的に理解することが大事なのである。

まず、日本のケースから見ておこう。法社会学の泰斗・川島武宜博士や山本七平氏も夙に指摘しているように、日本には「法」という考え方がなかった。明治になるまで日本では、法といえば大宝律令に始まる律令しかなかった。幕府が出す「式目」「お触れ」など、法律でも何でもない。法律がないということは外国人から見たら大変なことだが、日本人はそれで一向に平気。というのも、前述したとおり日本人には「法」という考え方がなかったからなのである。

日本は明治二二年（一八八九年）から、近代法を次から次へと作り始める。しかしその目的は、これも川島博士が強調しているように、またボワソナード*等ヨーロッパの法律家たちが吃驚仰天したように、国民の生活のためではなかった。では何のためだったかというと、条約改正のためであった。だから日本人は、法律というものは世の中の役に立たないものだと思っているのである。

そもそも日本人には法概念がなかった。別の見方をすれば、かえってそれがよかったとも言えよう。日本に法律がなかったおかげで、欧米流の法律をそのまま鵜呑みにできたからである。見かけの上であれ何であれ、明治以降は欧米流の法律でやってくることができたのである。

では、中国の場合はどうかと言うと、何千年も前から立派な法律があった。これから詳しく触れる「法家の思想」である。

＊ボワソナード(Gustave Emile Boissonade　一八二五～一九一〇年)　フランスの法学者。一八七三年に日本政府に招かれ、司法省法律学校などで法律を教えながら、旧刑法、治罪法(刑事訴訟法)などを起草、日本の近代法体系の基礎を築いた。

●法教の源流・管仲

中国は儒教の国だと言われている。儒教は中国の国教であると言われる。これに大社会学者マックス・ウェーバーが反論を加えた。「儒教が正統であるけれども、異端として道教をもっている」と。確かにそういう側面もある。しかし、もっと大事なポイントがあるのだ。それを押さえておかなければならない。それは――。

中国における統治機構は、じつは二重構造だったという事実である。すなわち、表向きは儒教で国を治めてきたのだけれども、実際は法家の思想で統治してきた。これを「**陽儒陰法**」と言う。表は儒教だけれども、裏は法家の思想……。「法家の思想」は、儒教とならぶ中国の正統宗教とも言える。これを「法教」とも呼ぶことにしよう。

この法家の思想（法教）は、その大本まで遡れば、管仲にまで行き着く。

中国の代表的政治家といったら、日本では諸葛孔明であろうが、中国ではやはり管仲。だいたい諸葛孔明自身が「理想の政治家」としたのが、管仲だった。この管仲については、司馬遷の『史記』「管晏列伝」にいろいろと書いてあるが、一番有名なのは鮑叔牙との交友関係、いわゆる「管鮑の交わり」で、これは第二章で紹介した。

簡単に彼の伝記をみておくとしよう。

管仲、名は夷吾。潁水の人。斉の国にあって、鮑叔牙は公子小白に仕え、管仲は公子糾（糺とも書く）に仕えた。その小白と糾の間に相続争いが起こって、ついに糾は殺され、小白が位について桓公となった。糾に仕えていた管仲は囚われの身である。即位した桓公が鮑叔牙に「宰相（総理大臣）になってくれ」と言ったら、鮑叔牙は、「天下取りの志がおありだったら私では力不足です。管仲を宰相にしてください」と答えた。

そこで、中国でも日本でも大論争が起きる。主君・糾が敗れた時、ともに仕えた召忽は自害したのに、管仲は殉死をしないどころか、あろうことか敵・小白（桓公）の宰相になった。それで猛烈な批判が巻き起こったのである。日本でも、武士道全盛の徳川時代においては、管仲のことを悪く言う人が多かったのだ。そんななか、孔子は何と言ったか。ここが中国理解のポイントとなる。

●儒教の目的はよい政治をすることのみ

孔子は『論語』「憲問第一四」でこう言っている。

「桓公、諸侯を九合し、兵車を以てせざるは、管仲の力なり。その仁に如かんや」

戦争という手段に訴えず、九回も諸侯を集めて天下をまとめあげた功績に比べれば、つまらない人間に対する義理立てなどどうでもいいと言う。さらに有名な言葉も残している。

「管仲、桓公を相けて諸侯に覇たらしめ、天下を一匡す。管仲微りせば、吾それ髪を被り衽を左にせん」（同右）

「髪を被り」、「衽を左にせん」というのは野蛮人の風習。もしも管仲が桓公を助けて天下をまとめなければ、いまごろ中国は野蛮人に滅ぼされていただろうと言うのである。

いわば、徹底的に政治的。究極的には、よい政治をするということが大事だというわけだ。

したがって、儒教の救済とはよい政治を行うことにある。すなわち、集団救済。個人救済ではない。だから伯夷、叔斉*という当時の最高の人間が餓死するといっても天は何もしない。放っておく。天が奇蹟を起こして助けるということは絶対にない。孔子の最高弟子の顔回*も餓死したではないか。天は直接に個人を救済することはしないのである。

仏教の救済は、悟りを開いて涅槃に入ることである。救済はあくまで個人であって、集団は関係なし。だから、日本人がよく言う「親の因果が子に報い」ってことはあり得ない。親が悟りを開いたって子供が悟らなかったらダメ。仏教はあくまでも個人救済の宗教である。

キリスト教における救済とは、神が人に恩恵（grace）を与えて神の国に入れること。これも各個人についてやるのであって、親が神の国に入ったから子供も入れるなんてことは絶対にない。イスラム教も同様。だから、仏教、イスラム教、キリスト教は、個人救済の宗教である。

ところが、儒教は個人救済なんて一切関係ない、集団救済の宗教である。

中国の本質の一つは、ここに見てとることができる。

欧米近代社会のルールでは、個人でも集団でも、いったん契約を交わしたら相手が国家であれ何であれ、一方的な都合でその契約を破ることは許されない。ところが、「よい政治を行うことが大事」だとする中国においては、政策が変われば個人と結んだ契約などどうでもいい。個々人がどんな迷惑を被ったところで「よい政治」のためならばそんなこと知ったことではない、と考えるのである。

これを要約すれば、中国人が信用できるか否かの問題ではなく、道徳の根本の前提がちがうのだということなのである。

それは、いま見てきたように、管仲（かんちゅう）、孔子（こうし）の思想と行動にもすでに表れているではないか。これがポイント。ここを捉（とら）えそこなったら中国というものは絶対に理解できはしない。

＊伯夷（はくい）・叔斉（しゅくせい）（?～?）　共に殷（いん）末の孤竹国（こちくこく）の公子。兄弟でお互い後継を譲り合い国を出奔。いつしか年老いた二人は、周（しゅう）の西伯昌（せいはくしょう）（文王（ぶんおう））を頼ろうとするがすでに周は子の武王が立ち、殷（いん）討伐の兵を挙げていた。二人は武王を諫（いさ）めるが入れられず、周の天下平定後もその粟（ぞく）をはむことを恥じ、首陽山（しゅようざん）で餓死したという。『史記』列伝の第一に挙げられている。

＊顔回（がんかい）（前五一四～四八三年）　春秋魯（ろ）の学者。字は子淵（しえん）。貧家の出身ながら、学才、徳行高く、孔門十哲の筆頭にあげられるが、若くして没した。孔子（こうし）をして「おまえの執事になってもよい」と言わしめたほど愛された。

●中国思想とヨーロッパ経済思想

よい政治をすればすべてうまくいく。経済もよくなり社会もよくなる。人々も幸せになるし、自然現象までよくなる。ここで思いつくのはヨーロッパの経済思想とのアナロジーである。

まず、ヨーロッパには「レッセ・フェール」（自由放任主義）、つまり何もしないのがいちばんいいという経済思想がある。古典派の経済思想である。これに相当するのが「無為（むい）自然」という老荘の思想ではないだろうか。

それに対して、二〇世紀になると、何もしないでいたら失業者が出る、だから政府は適当な財政政策・金融政策をとって失業をなくすように努めなければならないという考え方が現れた。その代表がケインズである。いわば、これが「よい政治」を云々する儒教に当たるであろう。いや、それだけではダメだ。統制経済を敷かなければならない、という社会主義的思想もある。それに当たるのが、今回のテーマである法家の思想である。

この関係は、

・レッセ・フェール…老荘の思想
・ケインズ主義………儒教
・社会主義…………法家の思想

右のように整理することができるであろう。

さて、その法家の思想の代表は韓非子*である。

韓非子は中国・戦国時代末期の思想家である。彼は、管仲や商鞅、申不害*らの学説を統合して「法家の思想」を集大成した。つまり、儒教では社会の根本規範とした「礼」に代えて「法」を重視するよう主張したのである。法とは、君主が臣下を支配する根本原則であり、すべての人民が従うべき規準である。これに加えて韓非子は、その「法」の運用のしかたであるである。

「術」を説き、この「法」と「術」の両面を君主が併用して世の中を治めることを力説したの

秦の始皇帝＊は韓非子の書いた論文を読んで感激して、「ああ、これを書いた者と会えたら死んでも心残りはない」と言ったと伝えられている（『史記』「老子韓非列伝第三」）。それで秦帝国は韓非子の思想、すなわち法家の思想をもって天下を統一したのである。

商鞅は秦の孝公＊に仕えて秦を非常に強大にしたが、天下統一まではやっていない。秦の天下統一をなしたのは、まさに韓非子のイデオロギーである。それは、マルキシズムとソ連の関係のようなものと思えばよい。

二千数百年前の法律といっても、これは非常に発達したものだった。どれほど発達していたかというと、すでに「立法」（法律をつくる）という考え方があったほどである。ヨーロッパにおいては中世に至るまで、法律を作るという考え方はなかった。中世においては、法律は作るものではなく、そこにあるものを発見するという考え方であった。

ところが中国では、商鞅、韓非子から王安石＊に至るまで、大改革を行うときは必ず法律を作っている。だから、「立法」という思想に関して中国は極めて進歩していたと言える。また、唐律や明律などの体系性は、一九世紀初めのヨーロッパの刑法に比べても、ほとんど遜色がなかったのである。

韓非子は、よい政治を行うためにはまずきちんと法律を作りなさいと言う。

「明君の治める国ならば、書物は無用である。法そのものが教えなのだ」（『韓非子』「五蠹」）

「法は文書にして役所におき、人民に掲示するものである。法は表にあらわすべきものである」（同右「説難」）

そして、その法律を実行するためには、役人の使い方を研究せよと言う。

「術とは、君主が胸中におさめ、あれこれ見くらべて、秘密のうちに、臣下を制御するものである。術は人に見せるものではない」（同右「説難」）

政治の要諦は法術による、というのである。「法」とは、いま見たように法律を作ること。「術」とは、法を施行するための役人の操縦法。これが「法家の思想」である。

それはどういうことかと言うと、極論すれば、国を治めるためには究極的には道徳は役に立たないということになってしまう。人間というものは道徳どおりには動かない、という人間観を根本においている。

このように韓非子の思想は、科学的政治学のテキストとしては非常に進歩している。『韓非子』を一読すればわかるように、法律の作り方、役人の使い方、統治のし方、政治のやり方等々、実に細かいところまで研究は及んでいる。

その点に関しては、マキャヴェリ*の『君主論』よりはるかに優れていると言えよう。マキャヴェリの『君主論』は出版当初「悪魔の書」などと評され、大層悪く言われたのだが、政治現象を科学的に研究するという面ではヨーロッパで最初の書物となった。その意味で、後には大変高く評価されるようになり、政治学の基本テキストになったわけであるが、韓非子はこのマキャヴェリよりもはるかに進んでいたのである。なぜ、そんなに進んでいたのか。

その秘密は春秋戦国という時代にある。春秋戦国時代というのは、言うまでもなく中国文化の究極点なのである。孔子、孟子*の儒学、それから老子、荘子*はじめ諸子百家にしても、また管仲、商鞅、申不害、韓非子といった法家の思想にしても、独創的な思想はみな春秋戦国時代にできている。それ以後の思想は全部それらの訓詁・解釈にすぎない。

ではどうして、春秋戦国時代に偉大な思想が輩出したのかというと、古代ローマやギリシアのように、考え方がきわめて自由な時代だったからである。あのマキャヴェリにしても、キリスト教の論理・道徳にはずいぶん遠慮しているが、韓非子は論理、道徳にいささかも遠慮などしていない。その冷徹な人間観が科学的政治学の大変な業績を生んだと言えよう。

＊**韓非子**（?～前二三三年）　戦国韓の思想家。韓の公子に生まれ、後に秦の宰相となる李斯とともに荀子に師事。礼に代わり、臣下を支配する法、臣下を統御する術を重視する法家思想を説き、著をなした。始皇帝がその才を認め重用しようとするも、李斯の妬みをかい毒殺された。

＊**申不害**（?～前三三七年）　戦国鄭の思想家。黄老に基づき刑名の学を修め、韓の宰相としても治績を挙げた。『申子』をまとめたといわれる。

＊**始皇帝**（前二五九～二一〇年）　秦の第三一代王にして、中国最初の統一国家の初代皇帝。名は政。一三歳で即位した後、呂不韋らを追放し親政。諸国を次々と攻め滅ぼし、前二二一年、全国を統一。封建制度を廃し、中央集権的な官僚支配体制を確立。法家の思想を重んじ焚書坑儒を行い、度量衡、文字の統一、万里の長城の構築など、中華帝国二〇〇〇年の基礎を作った。

＊**孝公**（前三八一～三三八年）　戦国秦の王。商鞅を登用し改革に努め、未開地として軽視されていた秦の国力を増強。郡県制、人頭税などを導入し、後の始皇帝による天下統一の基礎固めとなった。

＊**王安石**（一〇二一～八六年）　北宋の政治家。字は介甫。二一歳で進士となり、神宗の信頼を受ける。六九年、政治改革に着手、均輸法、青苗法、市易法、保甲法、募役法などの新法を導入し、宋の財政、治安を良化したが、既成権益の代表となった旧法党の激しい抵抗を受け後に失脚。神宗の死後、新法は廃止された。

＊**マキャヴェリ**（Niccolò Bernardo Machiavelli　一四六九～一五二七年）　イタリア、ルネサンス期の政治家、思想家。下級貴族に生まれ、共和国政府官僚、外交使節を歴任。メディチ家の復活に伴い追放に遭う。一三年、『君主論』を著し、政治をキリスト教的モラルから解放、近代政治学の先駆をなした。

＊**孟子**（前三七二～二八九年）　戦国鄒の思想家。名は軻。孔子の孫・子思の門人に学ぶ。諸国

に遊説するも受け入れられず、門人の教育に専念。人間の本性は善、とする性善説を唱え、徳治主義による王道論を展開、民意の尊重を説き易姓革命説も主張した。『孟子』はその言説を記録したもの。

＊老子（前五七九頃〜四九九年頃）　春秋楚の思想家。姓名は李耳、字は聃。実在については多くの疑問が持たれているが、その著書とされる『老子』には、人間のすべての生活と行為の規範が自然の内に求められており、自然をそうあらしめている根本のものとして「道」が考えられている。儒教に対する反論として無為自然を主張、太古の黄帝時代を理想とすることから「黄老の道」、道徳を説くので「道家」とも呼ぶ。

＊荘子（前三六九〜二八六年）　戦国宋の思想家。名は周。著書として『荘子』三三篇が伝えられているが、内篇七篇が自著で、他の外篇、雑篇は後人の著述ともいわれる。「万物斉同」「不知の知」を説き、欲望を捨て、自然の変化に因応して生きる無為自然な態度を主張した。

●重要項目の優先順位がちがう儒教と法教

それなら、「よい政治」を云々する儒教と「法術」を云々する法家の思想では、どこがどう違うのか。これを考えるには『論語』がヒントになる。

ある時、子貢＊が孔子に「政治のエッセンスは何か」と訊いた。孔子答えて曰く、「食を足らしめ、兵を足らしめ、民をして信あらしめよ」と。それは、経済、軍備、道徳だというわけである。そこで子貢が、「この三つのうち、どれか一つを省くとしたら」と訊くと、孔子は

「軍備」と答えた。さらに子貢が「残りの二つのうち、どちらかを省くとしたら」と訊くと、「経済」と答えた。「古より皆死あり、民信なくんば立たず」――どうせ人間は死ぬものだが、信義だけはどうしても放棄してはならない、というわけである（「顔淵第十二」）。

道徳第一、次が経済、そして軍備、というのが儒教の優先順位。これに対して法家の思想はどうかというと、管仲、韓非子の提唱したのが「富国強兵」策だったことからもわかるように、経済第一、次が軍備、そして倫理・道徳という順になっている。

ここで間違ってはいけないのは、儒者が経済、軍事をないがしろにしているのではない、法家が道徳を無視しているわけではない、ということ。孟子などは経済政策を極めて重く考えているし、韓非子も道徳の重要さを説いている。どれも大事だけど、あえて順序を決めたらばこうである、と言っているのである。

法と儒の考え方のちがいを表すエピソードには、こういうものもある。

楚の重臣・葉公が孔子に、「我が国には大変公正な人物がいる。彼は父親が羊を盗んだときに息子でありながらこれを告発した」と自慢をした。そして孔子の言った言葉に、「父は子のために隠し、子は父のために隠す。直きことその中にあり」（「子路第一三」）という有名な言葉がある。

ところが、これを韓非子が非難した。孝行息子なんていうのは、国から見たら逆臣だ、と。

ここでも孔子は羊を盗んでいいと言っているわけではないし、韓非子も親子関係なんて大事じゃないと言っているわけではないことに注意していただきたい。優先の順序がちがうのである。

こんなエピソードもある。斉と魯が戦争して魯が敗れ、その和議を行う会盟の席上、魯の将軍曹沫が斉の桓公に匕首を突きつけて失った領土の返還を迫った。桓公、その場では応じたものの、帰ってからどうにも腹の虫が収まらない。脅迫による約束だから反故にしてやろうと決心する。そこで管仲がこう言う。そんなこと言いなさんなと。今、斉がべらぼうに強くて魯は弱いじゃないですか。約束を破ればそれっきりだけど、それでも破らないからこそ人々はあんたのことを信用するんですぞ、と。「信義」も政治の方法として使うのである。

また、呉起にこんなエピソードがある。

当時、貴族は土地も人民も私有していた。だから、国は直接税金を課することができなかった。そこで呉起は法律を改正して、開拓を奨励した。貴族の土地にどんどん人を送り込んで開墾をやらせた。そして、そこから上がる利益は「国に納めろ」といって、それに反対する貴族は片っ端から殺していった。法の厳守である。法に違反する者は、貴族であろうが平民であろうが例外なく罰したのである。

呉起の作った法で画期的なことは、**貴族にも平民にも同じ法律を適用したこと**。今では当たり前のこのことも、当時においては画期的。「刑は士大夫にのぼらず」といって、同じことをやっても、身分の高い人は許されるのが普通だったのだから。

＊子貢（前五二〇～四五六年）　春秋衛の学者。姓名は端木賜。孔子の高弟で、家が裕福であったため、孔子の経済的援助者となった。政治力に優れ、魯、衛の宰相を歴任した。

法家の思想の根本は、信賞必罰。

そうすることによって、生産力は飛躍的に向上し、国は富むようになった。また、信賞必罰であるから、法に違反した者はどんなに身分の高い人でもこれを罰し、どんなに身分の低い者であっても、手柄を立てた者には褒美を与えた。そうすれば、いざ戦となった時も一生懸命に戦うに決まっているではないか。すなわちこれ、富国強兵。

それを最初に行ったのが、管仲なのである。管仲に有名な言葉がある。「倉廩（倉庫）実ちて礼節を知り、衣食足って栄辱を知る」（『管子』「牧民」）と。経済政策を第一にして、国を富ませれば倫理・道徳もよくなるというわけ。つまり、儒教と法家の思想とでは、政策の優先順位がちがうこと、ここでもおわかりか。

儒教と法家の思想には、もう一つ、大きなちがいがある。『論語』「述而第七」に、「述べて作らず、信じて古を好む」とある。儒教の倫理規範は堯、舜、禹＊の三帝が作ったもので、孔子といえどもこれを改正することはできない。それを祖述するだけで、改正したり、新しく創作することはできない、と言っている。

ここに法家の思想家たちは批判を集中させた。堯、舜、禹の時代とその後の時代とでは何から何まで変わってしまったのだから、かつてうまくいったことがいまもうまくいくとは限らないと言ったわけだ。韓非子もこんな譬え話を記している。

「宋の国である男が畑を耕していた。そこへウサギが飛び出し、切り株にぶつかり首を折って死んだ。それからというもの、男は畑仕事をやめて、毎日切り株を見張っていた。もう一度ウサギを手に入れようと思ったのだ。だが、ウサギは現れない。男は国中の笑い者になった」
(『韓非子』「五蠹」)

昔の聖人のやり方を踏襲して現在の政治ができると思っている者はこの切り株を見張った男の同類である、という意味である。堯、舜、禹といった聖人の時代は人口もより少なければ社会も単純だったから道徳だけで済んだ。ところが、いまは……。人口は幾何級数的に増えるのに食べ物は算術級数的にしか増えない。だから道徳だけでは立ちいかない。後のマルサス*と同じ考え方である。

また、社会もいまでいえば高度成長している。昔は王といえども生活水準は普通の人々とそう変わりはなかった。だから王も潔くその位を譲った。ところがいまは、王といわずとも、ちょっとした役人でも生活水準は普通の人よりずっと上だ。したがって、少々のことではその地位を他人に譲ろうとしない。こういう世の中を治めるためにはどうしても法律が必要である。道徳だけでは到底立ちいかない、と言って韓非子は儒教を批判したのである。

儒教の規範だけでは帝国規模の国家運営が出来ないということを、別の側面から分析するとこうも言える。

儒教の根本規範に「五倫」というのがある。「父子親あり、君臣義あり、夫婦別あり、長幼序あり、朋友信あり」。狭い共同体規模の国なら、この倫理規範の範囲で十分やっていけよう。ところが国家規模が大きくなって、そのいずれでもないような人間関係が出てきた。たとえば、商売の相手とは何であるか。朋友ではないのだから、先ほどの五倫では測れない。だから、法で律する必要が生じたという次第である。

＊堯・舜・禹（?～?）　共に古代の聖王とされる。堯は黄帝の玄孫に生まれ、暦を制定するなど治世に努めた。血縁関係がなく、治水に功績を残した舜に帝位を禅譲した。舜は全国を一二分割し、それぞれ長官をたて天下を統治した。この二人の治世は儒家の理想とされ、五帝のうちにも数えられる。舜は、その長官の一人で治水政策に優れ、人望の厚かった禹に帝位を禅譲。禹は在位一〇年で崩御、天下はその徳により子の啓を帝位に就け、ここに禅譲制が崩れ世襲制王朝（夏）が始まった。

＊マルサス（Thomas Robert Malthus　一七六六～一八三四年）　イギリスの経済学者。九八年に発表した『人口の原理』で、「食糧は算術級数的にしか増加しないのに、人口は幾何級数的に増加するから、過剰人口による社会的貧困と悪徳は必然的に発生する」と主張し、社会主義

思想を批判。近代経済学の立場からは、過少消費説、有効需要説の最初の提唱者として評価された。

●法教は儒教の鬼子

こうした法家の思想がよく表れているのが中国の軍律、言ってみれば戦争哲学である。司馬遷『史記』「孫子呉起列伝」の孫子の項にこんな話がある。

孫子は兵法に優れているというので、呉王の闔廬*に招かれた。そこで王が言うには、「兵士の調練のやりかたをみせてはくれまいか。ついては、女どもで試してみることができるだろうか」。孫子は「よろしゅうございます」と応じ、宮廷の美人一八〇人を二つの隊に分け、王のとりわけ寵愛していた美女をそれぞれの隊長にして、「右向け右」とやった。と、女たちはどっと笑うだけで言うことをきかない。孫子は命令を五回言い渡し、「右向け右」と言ったが、やはり誰も右を向かない。命令が徹底しないのは大将である私の責任だとして、また五回言い渡した。それでも右を向こうとしない。今度は命令が徹底しないのは隊長の責任だと言って、二人の隊長の首を斬ろうとした。隊長は王の最愛の美女だったから、王は「待ってくれ」と言ったけれども、孫子は「いったん王の命令によって軍隊を編制した以上、軍律は守らねばならない。王の命令といえども聞くことはできない」と言って、二人の首を斬ってしまった。

ヨーロッパでは、軍律を正すという観念は近代文明、クロムウェル*以降に確立された思想。日本などはもっとひどい。日本はどうか。五・一五事件*のあと、あれだけのことを犯しながら「その気持ちはわかる」だなんて言って、死刑にしなかった。そしたら、二・二六事件*が起きてしまった。

それはさておいても、軍律を正すという概念がなかったのは、軍隊が集団であるという概念が徹底しなかったせいである。戦争は個人の戦闘の集まり、ぐらいにしか考えていなかった。たとえば、アメリカ軍なんて、昔はものすごく弱かった。独立戦争*でも負けてばかりだったし、英米戦争*でもこてんぱんにやられ、ホワイトハウスまで占領された。第一次世界大戦の参戦直後なんて、あまりの弱さに相手のドイツ軍がびっくりしたぐらいであった。

ところが、個人個人のアメリカ兵はものすごく勇敢なのである。勇敢で、人数も多く、優秀な武器も持っているのに何で弱いのか。それは、戦争が任務の積み上げであるということがどうしても理解できず、個人の戦闘の積み上げだという概念が強かったからである。そんな軍隊なんて弱いに決まっている。勇敢な兵士はわーっと突撃して、いっぺんで大量に殺された。部署部署の役割とか、状況に応じての対応など、組織的、総合的対応がないとこういうことになる。そういう対応をきっちりするには、軍律の徹底しかない。それを中国では、二五〇〇年以上も前から知っていた。世界史の驚異である。

これが中国の戦争哲学であり、また法家の思想にも通じる哲学でもある。この一事を見ても、法家の思想と儒教の思想がずいぶんと違うことが改めてわかろうというものではないか。

しかし、学術の系統で見ると、あくまで学者的な話に限定すると、法家の思想というのは、儒教から出てきているのである。呉起は曾子*に学んでいるし、韓非子、そして始皇帝の宰相を務めた李斯は二人とも荀子*に学んでいる。法教は根本的なものは儒教とは異質なのだけれども、儒教的な考えをいろいろ取り入れているところもある。ただ、先にも書いたとおり、その優先順位が逆転しているというのが一番の違いである。学問的に言えば、法家は儒教の鬼子である、という言い方もできるのである。

＊闔廬（?～前四九六年）　春秋呉の王。孫武、伍子胥を登用し、国力を増強。大国・楚を滅亡寸前まで追い込むほどの勢力伸長を見せたが、越に侵攻した際に受けた矢傷のため死去。闔廬の子・夫差は、臥薪の辛苦をなめ越への復讐を誓った。

＊クロムウェル（Oliver Cromwell　一五九九～一六五八年）　イギリス清教徒革命の指導者。四二年の内乱勃発と共に議会軍軍人として鉄騎隊、新型軍を組織。王軍、反革命軍を次々に撃破し、四九年、チャールズ一世を処刑。共和制を敷き、五三年護国卿となり、清教主義に基づく厳格な軍事独裁を行った。

＊五・一五事件　一九三二（昭和七）年五月一五日に起きた海軍青年将校らのクーデター事件。国家主義運動の活発化を受け、民間右翼らと結んだ海軍青年将校グループは、首相官邸を襲い

犬養毅首相を殺害。さらに警視庁、日本銀行、政友会本部などを襲撃し混乱の内に軍事政権を樹立しようとするも失敗。首謀者らは自首し、軽罪で許された。

＊二・二六事件　一九三六（昭和一一）年二月二六日に起きた皇道派青年将校のクーデター事件。統制派、皇道派が対立していた陸軍では、抗争激化の末、皇道派拠点部隊の満州移転決定を機に皇道派青年将校らが一四〇〇名を率い武装蜂起。内相斎藤実、蔵相高橋是清らを射殺、さらに首相官邸一帯を占拠し国家改造の実行を要求。要求の一部実行を受け入れた陸軍に対し、天皇、海軍が反対、反乱軍と規定し、将校、民間首謀者らは死刑に処された。

＊独立戦争　一七七五年、北アメリカ一三植民地が、本国・イギリスからの独立を求め起こした戦争。一七七六年に独立宣言を発表した植民地軍は、イギリス軍に対し苦戦。後にフランスの支援などで形勢を有利にし、八一年、ヨークタウンの戦いで大勢を決した。

＊英米戦争　ナポレオン戦争の最中、中立国であるアメリカがイギリス海軍に通商を妨害されたとして、一八一二年に宣戦布告。戦況はアメリカに不利であったが、ニューオーリンズの戦いで勝利を収めた。この戦争によりアメリカの経済的自立が促進され、ナショナリズムの風潮も強まった。

＊曾子（前五〇五～四三五年）　春秋の学者。名は参、字は子輿。孔子の晩年の弟子といわれ、孔子の孫・子思の師でもあった。親孝行で有名で、儒教の根本たる仁への道は孝悌にあるとし、『孝経』を著したとも伝えられる。

＊荀子（？～前二三五年頃）　戦国趙の思想家。名は況。五〇歳にして斉を訪れ、稷下の学士の長老として尊敬を受ける。さらに秦、趙、楚と学究の道に就いた。人為の加わらない天与の性は悪と見なす性悪説を展開、天子も奴隷も同一の欲求対象を持つという「聖凡一如」の考えを打ち出し、努力により聖人にもなれると説き、後天的努力を評価した。

●法教皇帝・朱元璋

さて、前述したように、中国は表向き「儒教」で国を治めてきたと見られているが、実はこのような「法家の思想」で国は治められてきたのである。それはいまも変わりはしない。

これが謎の大陸・中国を理解する要諦(ようたい)。

中国の歴史を見れば、そのことは一目瞭然。秦(しん)以外のどの王朝でもそのとおりなのである。

秦(しん)は皇帝の命令で儒教を追い払った。その次の漢(かん)、これは武帝(ぶてい)のとき、儒教を正式に国教としたが、実際には、法家の思想で国を治めていた。

有名なエピソードがある。漢(かん)の宣帝(せんてい)*の時、息子の皇太子（後の元帝(げんてい)*）があまりにも儒教を重視するので「漢の統治法は、表向きは儒教だけれども、本当は法家の思想によって治めていたのだ」と、宣帝(せんてい)は戒(いさ)めた。「おまえみたいに何でもかんでも儒教、儒教と言っていると、えらいことになるぞ」と。はたして、元帝(げんてい)から三代後には、王莽(おうもう)*によって前漢(ぜんかん)の帝位は簒奪(さんだつ)されてしまったのである。

明(みん)の太祖(たいそ)朱元璋(しゅげんしょう)*（洪武帝(こうぶてい)）は明律(みんりつ)を作ったほどだから法律の権化(ごんげ)のような人間である。

この明律(みんりつ)というのは、微に入り、細に入った体系的な大法典で、当時の世界最高レベルに達しており、中国の影響を受けた諸外国の手本にもなったほどである。

人間など一切信用しない。法に則って厳罰主義で役人を操縦し、国を治めており、大量の重臣を粛清したことでも有名である。何しろ一度に三万人、五万人も粛清した。

もっとも、粛清の人数がこんな多量になったというのは、中国特有の理由もある。ことのついでに説明しておくと、中国の場合は宗族制度だから、処刑するときも九族（宗族）皆殺しということをやる。そうすると、本人一人だけ殺せばいいものを連座する人が一万人くらいにすぐなってしまう。なぜ九族皆殺しにするかという理由もやはりある。中国では人間が死んだあとどうなるのかと言うと、魂と魄に分かれると言い、魂は天に昇り、魄は地に潜る、と言う。そして、子孫がお祭りすると、天からは魂、地からは魄が帰ってきて、また合体して生命を取り戻すことができる。だから、子孫を残して祭りをしてもらうということが中国人にとっては最も大事。ところが子孫（宗族）が死に絶えてしまうと祭りは行われない。すなわち、もう生き返れない。本当に死んでしまう。化けても出られなくなる。だから粛清は宗族（子孫）皆殺しにする。

中国でキリスト教がなかなか普及しなかったのも、先祖の祭りが出来なくなってしまうというのが最大の理由であった。だから、先祖の祭りだけはやってよろしいという条件で、クリスチャンになった人もいるほどである。

ともあれ、そんな大粛清を行ったのは世界史上スターリンと朱元璋ぐらいなもの。それでいて、秦の始皇帝のように法家の思想を表に出したかというと、決してそんなことはない。表向きは儒教一辺倒だったのである（例：彼の聖諭六言は儒教思想そのものである）。

中国固有の王朝としては、明の時が最も隆盛だった。文化といい、国力といい、それは素晴らしいものである。紫禁城（今の故宮博物院）など、現在残っている大がかりな建築物の多数は、明の作品である。万里の長城を完成させたのも明。鄭和*の大航海という壮挙もあった。よほどの国力がないとそんなこと出来やしない。この国力を作ったのは、朱元璋が採用した儒学をイデオロギーの名目とした法家思想での統治なのである。別の言い方をすれば、儒教というのは名目的には儒教だが、実質的には鬼子である法教に変身していったとも言えるのである。

清の時代の儒学が考証学に移っていったのも、もはや儒教により倫理云々を論じる意味がなくなったせいとも言えよう。

＊宣帝（前九一～四九年）　前漢第一〇代の皇帝。前七四年に即位したが、前六八年、実力者である摂政霍光の病死により親政を開始。行政機構整備や勧農政策に努め、匈奴を破り、西域都護を派遣。内外に功績を挙げ、その治世は中興の治と称された。

＊元帝（前七五～三三年）　前漢第一一代の皇帝。宣帝の子で儒学を好み、宣帝の法治主義統治を批判、徳政を主張したが外戚の専横を招き政治は混乱した。

＊王莽（前四五～後二三年）　新の皇帝。前漢末に外戚王氏の一族として生まれながらも、不遇な幼少時代を送り、後、頭角を現す。後五年、平帝を毒殺し幼帝を擁立、自ら摂政となり実

権を握り、後八年、漢朝を簒奪し、新を建国、帝位に就く。周礼にならう復古政治を目指したが社会実情に合わず、後二三年、後漢の始祖・光武帝劉秀に滅ぼされた。

＊朱元璋（一三二八〜九八年）　明の初代皇帝、洪武帝。字は国瑞、廟号は太祖。農奴に生まれ、幼くして両親を亡くし出家。後、紅巾軍に参加し頭角を現す。五五年、前首魁の死去により実権を掌握、五六年南京制圧、六八年南京を首都に国号を明とし独立。八七年に全国統一を果たし、元朝、紅巾族の残存勢力を掃討した。大明律令、里甲制などを制定し、支配体制を確立。宰相を廃し、皇帝独裁制を完成した。

＊鄭和（一三七一〜一四三四年）　明の武将、宦官、冒険家。雲南のイスラム教徒に生まれ、即位前の永楽帝の雲南征服の折り、宦官として仕える。靖難の変に際し武功をたて鄭姓を賜り宦官の長となる。また、永楽帝の命を受け、〇五〜三三年の約三〇年間に七回、大艦隊を率い東南アジア、インド南岸、西南アジア等を航行、一部はアフリカ東岸まで達した。

●中国人が政治の名人になったわけ

このように、中国の王朝というのはみな、うわべは儒教だけれども実際は法家の思想で国を治めていた。

現実的にはこのように法教で治めるしかないのだが、この法教ほど中国の思想にとって異端的なものはなかった。どういうわけで異端かというと、春秋戦国時代の諸子百家いずれをとっても、家族道徳を根本においていることには変わりはない。その延長の仕方が儒教と違うだけである。ところが法家の思想だけはこれと無関係なのである。

先に法家の始祖の一人として名を挙げた呉起（ごき）に有名なエピソードがある。

呉起（ごき）が曾子（そうし）に弟子入りして学問を修めているとき、母親が亡くなった。中国人の倫理観なら、真っ先に家に帰るのが普通。ところが呉起（ごき）は、「死んじまったものはしようがないな」というので、そのまま学問を続けた。そのため曾子（そうし）に破門された。

その後、能力を認められて魯（ろ）の国に就職が決まりかけたのだが、奥さんが斉（せい）の国の人だったので外国に通じているのでは、と見られて採用をためらわれた。すると、その奥さんをグサッと殺してしまった。この人が法家の思想の始祖の一人である。

法家が皆そうだというわけではないし、そういうことを奨励するわけでももちろんない。しかし少なくとも言えることは、**法家は家族を道徳の根本におかない。そういう点で中国思想として非常に特異**なのだということ。

もう一つ大事なことを忘れてはならない。儒教は、辛亥（しんがい）革命*の時は生き延びたけれども、人民革命では否定された。では、法家の思想はどうか。前述したように、そもそも表面には出てはいないから、人民革命でも否定されるようなことはなかったのである。

日本はどうだったか。日本に儒教が入ってきたのは応神（おうじん）天皇*の時代、王仁（わに）が伝えたと言われている。それからずっと、平安時代でも徳川時代でも、表も裏も儒教一辺倒。平安時代は訓（くん）

詁学＊、徳川時代は朱子学＊と、儒教の研究方法はいろいろ変わったものの、儒教一辺倒ということは変わりがない。その結果、日本人は政治音痴になりはてた。

中国人はうわべは儒教だが、実際は権謀術数、冷徹な人間学に長けた法家の思想で国を治め、政治を行ってきた。だから、中国人は政治の名人になった。これに対して日本は、道徳一辺倒という儒教しか採用しなかったから、本当の意味で冷徹な政治学を知りはしない。かくしていまの世界で、日本ほどの政治音痴の国はないという、大変な弊害を齎すことになってしまったのである。

＊辛亥革命　一九一一年辛亥の年、武昌の挙兵から始まった民主主義革命。一二年一月、清朝打倒を果たし、孫文が臨時大統領に就任、共和制を宣言して中華民国を建国した。

＊応神天皇（?～?）　第一五代天皇で統治期間は五世紀頃とされる。百済からの渡来人を多く迎え、弓月君、阿直岐などを優遇。阿直岐の推薦により百済から王仁を迎え太子の師とした。

＊訓詁学　漢代、および唐代に栄え、清代にも発展した儒教経典の意義解釈を行う学問。漢代の鄭玄、許慎などが有名。

＊朱子学　南宋の朱熹が北宋以来の理気世界観に基づいて大成した儒学の新体系。万物の構成要素を、物質的存在の「気」と法則、根拠の「理」の二元論的に唱えたもので、人間においては前者が気質の性、後者が本然の性となり、本然の性に理が備わるとして「性即理」を唱えた。理としての規範、名分を重視するところから、封建的身分制秩序を重んずる体制教学として、明、清、李氏朝鮮、江戸幕府などに影響を与えた。

●中国の法概念が近代法概念と決定的にちがう点とは

二〇〇〇年以上も生き残ってきた法家の思想、それは立法、すなわち「法を作る」という思想では非常に進歩していた。しかし実を言えば、これにも現在、問題がないわけではない。なぜなら欧米の近代法と考え方があまりにも違いすぎるからである。

根本的に言うと中国には主権という概念がない。

ボダン＊の主権論を要約すると、主権者というのは自由勝手に法律を作ってよい。自由勝手に法律を蹂躙（じゅうりん）してよい。主権者は自分の領域内なら神が宇宙において自由であるごとく、自由に何をやってもかまわない。財産を没収しようと、人を殺そうと自由。主権者を拘束する原理、規範というのは原則として存在していない。自然法を破ってはならんという制約はあるが、自然法といったってあまり明白ではない。人民は主権者に対する抵抗権がない。

実力的背景から見ると、近代的主権国家においては武力というのは主権者が独占する。民間人には軍事力があってはならない。であるから主権者は絶対的に強力。

だから、近代的主権概念が出来たら最後、人民はどうしようもない。いつ殺されても、いつ財産を奪われても、何も文句が言えない。

さらに重要なことは、伝統主義から完全に切れていること。主権者は伝統的諸権利を蹂躙（じゅうりん）してもいいし、伝統による束縛（そくばく）も一切受けない。また、ローマ法王庁、神聖ローマ帝国の権威（オーソリティー）にも服しないでよい。権威は主権者にしかないのだから、当然である。

かくも恐ろしきものが主権者。

このような主権者が生まれたら、それは恐ろしいことになる。この怪獣（リヴァイアサン）から何とか自分の権利を守ること、これが、近代のリベラル・デモクラシーの出発点である。

近代リベラル・デモクラシーの発祥地は英国。一六八八年の名誉革命、そして翌年の権利宣言では、高らかに謳（うた）いあげる。王は最高である。王はすべてである。しかし**王は法の下にあり**、と。この法律とは人民を主権者から守るもの、というのが近代法の根本的な考え方なのだ。

近代法がイギリス、アメリカといった国々で進歩してきたのは、いくつかの革命を通してである。そして欧米諸国に定着した。ではそのテーマは何かというと、一言で言えば、法律というのは政治権力から国民の権利を守るものである、ということ。近代法はそういう立場に立っている。清教徒革命（一六四二〜一六六〇年）、名誉革命（一六八八年）、それからアメリカ独立宣言（一七七六年）、フランス革命（一七八九年）、これらに一貫して流れている精神は、法律とは権力に対する人民の抵抗であるという思想なのだ。人民が主権者から自分たちを守る楯、それが法律であると。

ところが、このような精神がまったく欠落しているのが法家の思想（法教）、中国の法概念なのである。立法だとか、法の行使だとか、そういう点についてはとても進んでいるが、**「法**

律とは政治権力から国民の権利を守るものである」という考え方がまるでない。

考えてみれば、それも当然のことであろう。法家の思想において法律とは、統治のための方法なのだから。法律はつまり為政者、権力者のものなのである。

韓非子（かんぴし）もはっきり言っている。法律を解釈するときは役人を先生としなさいと。この場合の「役人」というのは、いまでいう行政官僚のこと。

一方、近代の欧米社会において、法律の最終的解釈を行うのは裁判所だ。裁判所の前では、行政官僚といっても普通の人とまったく同じである。とにかく、近代社会における司法権力の最大の役割は、行政権力から人民の権利を守ることなのだから。

こうした考え方が法家の思想には全然ない。いま指摘したように、法律の解釈はすべて役人がにぎっている。ということは、端的に言えば、役人（行政官僚）は法律を勝手に解釈していいということなのでもある。

現在、中国との商売で欧米や日本の企業が苦しんでいる理由は、ここに淵源（えんげん）する。法律をよく読んで、どうしてもこうとしか受け取れないといったところで、中国の役人に、「それは違う」と言われたら、それでおしまいなのだから。

また逆に、正式に許認可も受け、中国の法律どおりにやっているのに、突然難癖をつけられることがある。あるいは、法律が変わったのだとも言われる。そこで、どこが悪いのだと訊（き）くと、中国は法律の国でもあるのだから、役所はちゃんと法律解釈のディテール・アイテム（細則・内規）を持っていて、「おまえはこの内規に反するじゃないか」と言われる。「そんな内規など知らない」と言えば、「知らないからいかんのだ」と、こうなってしまう。

さらに、中国相手に商売するとき、いちばん困るのは約束をコロコロ変えられるということ。が、前述したように、中国では法律というものが権利を守るための楯にならない。法律が役人（行政官僚）の腹一つでどうにでも解釈できるし、役人は勝手に法律を解釈してよろしい、という法家の思想の伝統があるからだ。そのうえ、中国では法は統治のための手段なのだから、統治のために都合が悪くなったら、そんな法律は廃止してしまってもいいということになるというわけである。

アメリカでは、法律の中で政府が最も腐心（ふしん）するのは独占禁止法（反トラスト法）である。資本主義ほど独占を嫌うものはない。あくまでも自由競争が原則であるから。ところが、ほったらかしておくといつの間にか独占企業が出てくる。これが、資本主義の宿命、というかガンなのである。そこで、独禁法で独占企業をつぶすというのが、資本主義の大テーマにあげられる。

ところが、企業側もしたたかだから、悪徳弁護士をごまんと雇って政府に対抗する。法務当局の最大の仕事が、この独占企業が召し抱えている悪徳弁護士と、大論争し、論破し、裁判で独占企業に打ち勝つこととなる。

これがどういうことかと言えば、政府がどんなに気に入らなくとも、役人の解釈で「独占企業は解散しろ」なんてことは絶対言えないということである。企業側と対等な手段で、法廷で争わねばならないわけである。

ところが法家の思想では、法術であるから、役人（行政官僚）が勝手に法律の解釈をしてかまわない。欧米や日本の企業が苦しむのは、まさにここ。この点だけで言えば、日本はむしろ法家の思想に近いと言えるかもしれぬ。日本でも、法律の最終的解釈は役人がやるではないか。アメリカでは政府と企業の争いは裁判所が決定する。日本では、そういった争いは殆ど裁判所には持ち込まれない。行政指導なんて法術の発想なのだ。しかし、その本家は中国だ。だから、中国に進出した日本企業はどんどんやられてしまう。

長らく中国で苦労された人々は言う。「中国には法律がない」と。それは近代リベラル・デモクラシー諸国におけるような法律がない、という意味であって、中国には確固たる法律はあるのだ。ただ、その法体系が、商鞅、申不害にはじまって韓非子でほぼ完成した法家の思想の法律なのである。

＊ボダン（Jean Bodin 一五三〇～九六年）　フランスの政治思想家、経済学者。七六年に『国家論』を著し、国家主権を最高絶対なものとして、近代的主権概念を確立。中世的秩序の没落をフランス君主制の樹立によって防止しようとした。

●中国の「官」は宗教における「僧」のようなもの

それに、もう一つ重大なちがい。

近代（欧米）法の中心にあるのは民法（civil law）である。中国法の中心にあるのは刑法（criminal law）である。

この違いによって法システム全体が根本的に変わってくる。

この「スィヴィル・ロー」（civil law）という用語（ターム）だが、「民法」とも「市民法」とも訳すことができる。もとは「世俗法」という意味で、その反対が教会法（ecclesiastical law・ローマ教会の中の法律）。

キリスト教や仏教とは違って、儒教や法教では、宗教団体（教会、サンガなど）に、世俗法とは違った法律があるという考え方はしていない。この点では、ユダヤ教、イスラム教と同じ。中国では、世俗法即（そく）宗教法。また、儒教にも法教にも僧（俗人と聖者との媒体（ばいたい））はいない。

僧の存否が、当該宗教の法社会学的意味を大きく規定する。例えば、仏教では、「仏法僧」と言うがごとく、僧の存在は不可欠である。ユダヤ教、イスラム教に僧は存在し得ない。最終的預言者ムハンマド（マホメット）を含めて、人間はすべて俗人である。キリスト教には、僧はあってもよく、なくてもよい。また、レビは俗人であって僧ではない。

儒教、法教にも僧はいない。そこで、イスラム教の法律家（ウラマー）のごとき、僧の機能代替者が必要になってくる。それが官（官僚。科挙の合格者）なのである。

一般普通の人が、法律、規範の解釈について疑問が生じたとき、これに最終的解釈を与えてやるのが官（僚）、行政官僚である。つまり、政治権力の手先。このことによって、法律は「人民が主権者から自分たちを守る楯である」という考え方は、中国には根づきようもないものとなってしまった。その一つの現れが、中国法が罪刑法定主義（事前に斯く明示的に法定された行為のみが罪として刑される）にまで行きつかなかったことに見える。

フランス革命の人権宣言にもアメリカ独立後の米国憲法にも見られるように、罪刑法定主義こそ、リヴァイアサンのような国家権力から人民を守る城壁である。

中国法は、すでに論じたように、古代、中世以来、驚くほど発達していた。仁井田陞博士の研究によると、罪刑法定主義の一歩手前まで行ったこともいくたびもあった。しかし、罪刑法定主義までは、ついに到達しなかった。

ここがポイント。

丸山眞男教授は言った。一歩の差が千里の隔絶を生む、と。罪刑法定主義こそ、「権力から人民の権利を守る」ことをテーマとする近代法の終着点。目的合理的な法律の実現である。

中国は、技術的その他ではずいぶん多くの要件が揃ってはいたのに、罪刑法廷主義へ行けそうで行けなかった。ここに、中国法、中国人の法意識、法行動の本質を見る思いがするではないか。

罪刑法定主義は刑法の話だが、中国法の中心は刑法にあるので、まずは刑法から論じ始めた。次に民法についてこれを見ることにしよう。

近代法の中心は民法である。民法の要請は、資本主義市場を作動させることにある。商品と資本の流通を、滞（とどこお）りなく目的合理的に行わせるにあるのだ。

資本主義市場が、ひとたび行動を始めたら、政治権力はこれに介入できない。レッセ・フェール（自由放任。古典派）のイデオロギーはここにあるのだが、ここまでは、ケインズもマルクスも同様なのだ。例えば、目的合理的な財政政策、金融政策というのではなしに、誰かが何やらいきなり市場法則の作動に介入してくるというのでは、ケインジアンもまるでお手上げではないか。こんなことでは、資本主義は、そもそも成立するわけがない。資本主義分析の巨匠マルクスの存在価値もありはしない。

罪刑法定主義が、刑法において「権力から人民の権利を守る」楯（たて）。近代民法の中心となるのは**近代的所有概念**。これがあってはじめて、目的合理的生産計画、流通計画は可能となり、資本主義的市場は作動し得るのである。

近代的所有とは、⑴所有者は所有物に対して絶対である（神が被造物（ひぞうぶつ）におけるがごとく何をしてもよい。例：利用・販売・処分が自由である）。⑵所有者と所有物の対応は一対一である

（誰が何を所有しているかが一義的（アインドイトリッヒ）に明確である）。(3)所有は抽象的である（所有物を占有していなくても所有権を主張することができる）。（川島武宜『日本人の法意識』岩波書店）

このような所有概念は、前近代社会にはなかった。

中国法には、このような所有観念がなかった。いまも未（ま）だない。

このことが、市場経済の作動をいちじるしく困難にしている。あるいは、不可能にしている。

●中国には市場がない

市場の本質は何か。**契約**の上に立つ。独特の「所有」権の上に立つ。このことである。

では、資本主義（モデルネ・カピタリスムス）における契約とは何か。所有（権）とは何か。

欧米資本主義国においては、あまりにも当然すぎることとして必ずしも意識に上らない。また、中国などの未資本主義諸国においては、資本主義的契約概念は未（ま）だない。すなわち、中国には市場がないのである。

しかも、中国へ進出した資本主義諸国の企業と中国人との最大のトラブルは、両者における「契約」という考え方のちがいに根ざす。契約概念のあまりもの相違に驚いて、これでは中国で仕事なんかできっこないと絶望して中国撤退をする企業があとをたたない。また、「所有」概念もちがいすぎる。ここでは、資本主義における契約とは何か、所有とは何かということについて社会学的分析を加えておきたい。

資本主義的契約（contract, Der Vertrag）の特徴は、「対等な両当事者の合意」に基づくことである。

資本主義はキリスト教諸国に発生した。キリスト教は啓典宗教であり、ユダヤ教やイスラム教と同じく、神との契約（神の命令）が根本である。それが、戒律（かいりつ）であり法律であり規範である。神との契約は絶対である。ここから、契約の絶対性が発する。これこそ啓典宗教の特徴である。タテの絶対契約がヨコの絶対契約になることによって資本主義が発生する。

ということは、換言すれば、啓典宗教ではない宗教においては、「契約は絶対ではない」。

では、「契約の絶対性」とはどういうことか。

絶対的であるとは、原則として、次の二つの特徴をもつ。

(1)契約は文書化されていなければならない。(2)契約は人間関係（人と人とのあいだの結合、連帯（コントラクト）など）から抽象（アブストラクト）されていなければならない。

これは実に、啓典宗教における「神との契約」の特徴なのである。

啓典宗教（ユダヤ教、キリスト教、イスラム教）における「神との契約」は、文書化されている（トーラー〈「モーセ五書」〉、『バイブル』、『コーラン』など）。

契約は成文化されている。これが大原則ではあるが、実際には、成文化されていない契約もある。慣習法上の契約もあり得るのである（例：英国憲法）。

しかし慣習法上の契約といえども、その内容は一義的でなければならない。意味不明瞭（めいりょう）であってはならないのである。「神との契約」は、救済（サルヴェーション）されるための条件であるから、こうも解釈できる、ああも解釈できるというのでは根本規範に成り得ない。救済されるようでもあり、されないようでもあるというのでは、絶対的信仰の対象とは成り得ないではないか。こんなことでは、信者はたまったものではない。

契約の内容が一義的であるとは、当該（とうがい）契約を「破った」か「破らなかった」かが二分法（ダイカタマス）的に確定し得るものでなければならない。

このことを集合論的に図示すると図10となる。

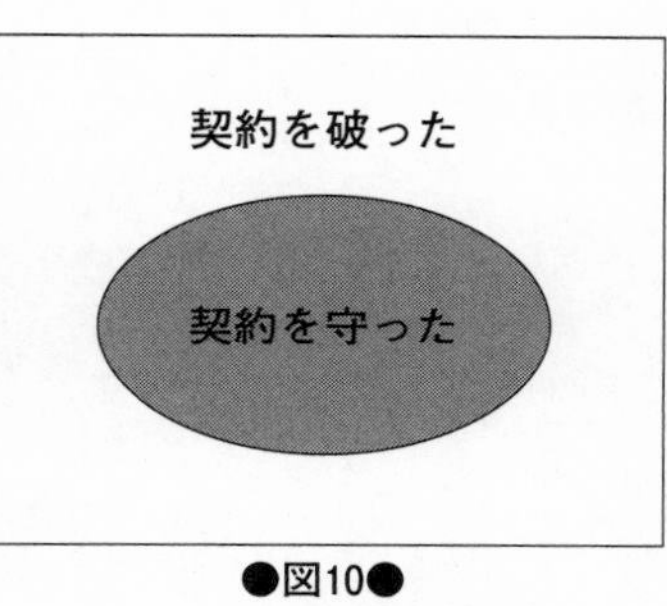

●図10●

契約は、「破った」か「破らなかった」か、これら二つの命題（文章）のうちの一方だけが成立する。両方とも成立することはないし、両方とも成立しないことはない。

ズバリ集合論的なのである。

すなわち、「破った」のと同時（サイマルテイニアスリー）に（simultaneously）「破らなかった」ということはない。「破った」と「破らなかった」の中間はない。また、その二者以外のこともない。

かかる「契約」の概念を理解することは、中国人にとっても日本人にとっても、実は絶望的なほど困難なのである。

●資本主義のルールは歴史上「特殊なもの」

近代法は、資本主義において、商品と資本とが円滑に流通するように作られている。また、経済主体（消費者と企業）が目的合理的に最適計画がたてられるように作られている。そのために、構成は二分法的である。集合論的なのである。

たとえば、権利・義務・所有などの基礎概念は、すべて二分法的である。権利（義務）は、「ある」のか「ない」のか、どちらか一方が、そして一方だけが成立する。所有も同じ。このように構成されている。

しかし、このことは、資本主義の特徴であり、「歴史上ユニークなもの」であり、いつ、どこでも発見できるものではない。この歴史上のユニーク性こそ、中国に進出する資本主義の企業がくれぐれも心するべきことなのである。

資本主義の企業は、資本主義的規範、諸ルールを、恰も当然のごとく心得ている。自然法のごとくに思い込んでいる。古今東西を通じて変わることのない「不磨の大典」視しきっている。すべての誤りはここに発する。

中国経済の将来について問われたとき、資本主義のエコノミストは答えて言う。「中国が世界のルールを受け入れることができるかどうかにかかっている」と。

これそも何の言(げん)ぞや。

資本主義の「ルール」を、あたかも古今東西を貫く天の理と信じ切っているのではないか。それであればこそ、中国人のルール、中国人の基本的行動様式(エトス)が、何ともいえないほど奇妙奇(き)天烈(てれつ)なものに見えてしまう。

お互いのルールを学びあうというのではなく、「中国のルールは間違っているから、早く世界のルールに合わせないと中国の経済発展は覚束(おぼつか)ない」などと言う。これこそ、中国人が最も嫌う態度ではないか。こんなことでは、いくら中国人とコミュニケーションしたくても、中国人が身を入れてこないのは当たり前。

中国へ進出する資本主義の人々は、「資本主義のルールは歴史上ユニークなものである」「歴史上特殊なものである」ことをまず認識、体感しなければならない。

資本主義において中心的役割を演ずる近代的「所有」概念の理解から始めよう。

資本主義において、主体は、あるモノを「所有する」か「所有しないか」これらのいずれかの片方であり片方だけである。「所有して」同時に「所有しない」こともなければ、両者の中間もない。所有しているようでもあり、所有していないようでもあることもない。二分法的(ダイカタマス)でである。集合論的である。

これが資本主義的所有の一つの特徴。もう一つの特徴は、それは客体に対する全包括的、絶対的な支配権であることである（川島、前掲書）。

これは、「神の被造物の支配」（「ローマ人への手紙1」）の人間への延長である。

右の「所有」概念は、ボダンの近代的主権概念に基礎を与えた。この近代的「主権」概念は、歴史上ユニークなもので、歴史上現れる他の諸々の「支配権」の形態から区別する必要がある。

主権が絶対であるとは、財産や生命や権力を全く自由に使用し、自由に処分できて何者の拘束も受けない支配権であるという意味である（福田歓一（かんいち）『政治学史』東京大学出版会）。例えば、主権は法王や神聖ローマ皇帝の権威に従うものでもない。自分の支配下の大領主によって制約されるのでもない（同右。また、拙著『これでも国家と呼べるのか』クレスト社）。このような「主権」は、近代より前には存在しなかった。

如何（いか）に強大な支配権といえども絶対的ではなく、統治（government）は、つねに何らかの制約を受けていた。例えば、臣下や人民も、法に基づいてそれぞれに抵抗権をもっていた。王に権利を犯されたときには、各自の抵抗権に基づいて王に抵抗しても忠誠義務に違反しないのである。例えば、『アーサー王物語』＊には、王と彼の最も忠実な臣との決闘場面が描かれているのではないか。

絶対的な主権とは、前近代的時代には見られなかった近代独自の考え方である。絶対的主権は、絶対君主の時代に現れ、リベラル・デモクラシーの時代に受けつがれている。

この主権の絶対性は、資本主義における所有権の絶対性と同型（isomorphic）である。福田博士は、「面白いのは……主権の絶対性が、近代的な所有権の絶対性とパラレルになっている点である」（福田、前掲書）という。

すなわち、「近代的な所有権の観念は、使用収益処分についていかなる拘束をも受けない絶対的な権利とされている」（同右）。

川島博士は、このことを「客体に対するあらゆる支配を含むところの全包括的な権利である」と述べ、民法はこのことを、「所有者ハ法令ノ制限内ニ於テ自由ニ其所有物ノ使用収益及ヒ処分ヲ為ス権利ヲ有ス」ということばで表現しており（二〇六条）、外国の民法典も類似のことばで同じ趣旨を表現している（たとえば、フランス民法五四四条、ドイツ民法九〇三条等）、と言っている（川島、前掲書）。

このことは、一言で言うと、所有物についてどのような行為をも「なし得る」というのである（同右）。

しかし、このことは、「近代法（資本制社会に固有の法）の歴史的特質にすぎない」ことを川島博士は強調する（同右）。

しかし、「契約」概念、「所有」概念、などの資本主義的諸概念についてはどうか。
中国も日本も、欧米資本主義諸国とはたいへんちがっているのである。この点に関しては日本も中国も同様で、近代（資本主義）以前なのである。

それゆえに、中国における資本主義的諸概念が、欧米資本主義諸国におけるそれらと、どれほどちがっているのか。このことを考えるに際しては、日本における右諸概念は中国分析のための補助線として有効である。

＊アーサー王物語　六世紀のウェールズの武将で、後のブリタニア王アーサーと彼を取り巻く円卓の騎士たちを主人公とした武勇と恋愛の物語。

●日本人もわかっていない〝所有概念〟

資本主義においては、所有は絶対である。所有者は所有物に対しては、どのようなこともなし得る。卑俗的表現を用いれば「煮て食おうと、焼いて食おうと勝手」なのである。

しかし、これは歴史的には資本主義の特徴なのであって、資本主義以前の社会ではそんなことはとんでもない。日本でもそうだ。中国でもそうだ。

たとえば寛永三馬術において、曲垣平九郎＊が、愛宕山の急階段をみごと乗馬のままで乗り切って馬術の冴えを披露した。天晴れ適れ！　将軍家光公＊から、ご秘蔵の名馬を拝領した。

この名馬は、すでに拝領した以上、曲垣平九郎の所有物であり、もはや、将軍家光のものではない。資本主義的「所有」概念をここに適用すると、まさにこうなる。

が、家光時代（一六二三～五一年）の日本は資本主義社会ではなかった。

もし、曲垣平九郎が、この馬で、サーカスもどきを演じたとすればどういうことになるか。イラハイ、イラハイ。これは家光公から拝領の名馬白兎馬なるゾ！　どんな芸をするのか、とっくりとご覧じろと、やったらどうなる。

平九郎は軽くて切腹、たぶん磔。将軍家から頂いた馬を、こんなふうに使用した廉によって。

頂いた以上、この馬は平九郎の所有物だから、平九郎は自由にこの馬を使用してよろしいではないか。――この理屈、徳川時代には通らない。徳川時代の日本は、未だ資本主義ではなかったからである。「所有」は絶対ではなかった。

所有権の行使には、未だ、多くの制約があった。

この例からも知られるように、将軍家拝領の馬ともなると、自由に使用してもかまわないなんていうことはあり得ない。収益なんて、とんでもない。自由に処分して肉を馬刺にしたら！どういうことになるか、イマジネーションも必要としないほどに、結果は知られよう。

そこまではいかなくても、拝領した馬の手入れが十分でなかったら。いや、ほんのちょっとでも不十分であったら。罪にまではなるまいが、名馬は即刻、曲垣平九郎から没収されて家光の厩へもどる。

当該の名馬の所有者（所有主体）は、平九郎か家光か。平九郎が所有者であるようでもあり、家光が所有者であるようでもある。曖昧模糊としてはっきりしない。

前近代的日本においては、「すでに与えられたものを取り戻す」（例：主君が家来から。親が子から）ということは決して珍しいことではなかった。

前近代的（前資本主義的）社会においては、「所有」は、一義的、二分法的ではなかった。

この点に関しては、中国も日本も同じ。

日本の例は、中国分析のためにも、たいへん参考になるのである。

そこで、周知の例を、もう一つ追加しておきたい。ご存知『忠臣蔵』である。

＊曲垣平九郎　講談『寛永三馬術』に登場する馬術の達人。江戸愛宕山の石段を馬で駆け登り梅花を手折って将軍家光の賞賛を博した。

＊徳川家光（一六〇四〜五一年）江戸幕府第三代将軍。二三年に将軍就任。武家諸法度、参勤交代、鎖国、キリシタン弾圧など江戸期の基礎政策をほぼ確立した。

●「忠臣蔵」は横領劇か!?

浅野内匠頭が殿中にて吉良上野介に斬りつけて、当人は切腹、お家は断絶。このニュースは早馬で封地赤穂に通報され、城代家老大石内蔵助は、さっそく、家臣（藩士）会議を開いた。

議題の一つは、藩のお金をどうするか。藩の動産整理をどうするか。

甲論乙駁の議論をやったものの、お金をはじめ藩の動産処分については、討論の末、城代家老大石が決めてしまって、藩士のあいだで分配した。これは誰でも知っている周知のストーリー。


しかし、これは驚くべきこと。とてつもないスキャンダルである。

藩の（お金などの）動産は誰のものか。所有権者は誰か。

切腹以前であれば、その所有者は浅野内匠頭である。

では、彼が切腹して藩の城地（城と領地）を没収された後は。

将軍（天下人）の権限で没収したのだから、当該不動産もまた将軍綱吉のものとなる。所有者は綱吉である。では、動産の所有者もやはり綱吉か。

今なら、これ以外には考えられないのであるが、大石以下の義士は、こうは考えなかった。

「義士」たちは、お金などの藩の動産の処理について、綱吉側と一切の交渉をしなかった。彼の代理者とのあいだでも。

このことを分析（analyze）すればどういうことになるのか。

前近代的日本においては、「所有」は一義的ではなかった。

たとえば、［赤穂］浅野藩の（お金などの）動産の所有者は誰なのか。とても一義的に決められるものではない。

将軍綱吉か。浅野内匠頭か。お取潰し以前には、もちろん、浅野内匠頭が所有者であった。お取潰し後は。城地、領土などの不動産は、将軍綱吉が没収した。当然、その所有者は綱吉である、が、（お金などの）動産は、没収の措置はとられていないのである。そうすれば、依然として内匠頭が所有者か。彼の切腹後は、彼の相続人（浅野大学か、未亡人瑤泉院か）が所有者となるのが筋である。家来が所有者でないことは言うまでもあるまい。

ところがどうだ。大石が議長となって会議を開き、家来どもで浅野家のお金を勝手に分配してしまったではなかったか。まことに驚くべきことだとは思わないか。

いや、さらにずっと驚くべきことは。右の行為は公金横領であるとコメントした者は、約三〇〇年間を通じて一人もいなかったことである。瀆職（汚職）だと憤激した者も皆無。

忠臣蔵では、吉良上野介が敵役で憎まれ悪人だということになっている。「悪人」だとされる理由の一つは、賄賂を貪るからである。

いかにも「賄賂はわるい」。これには忠臣蔵に接する人は同意する。

しかも他方、「公金横領はわるい」と感ずる者は一人もいない。「公金を横領したゆえに、大石以下の浅野の旧臣どもは上野介よりもずっと悪党だ」と主張した者はいなかった。

摩訶不思議だとは思わないか。

かくまでに不思議このうえないことが日本ではまかりとおってきた理由は何か。

その理由は、日本が未だ資本主義ではないからである。

すでに述べたように、前資本主義的所有は二分法的ではないからである。所有者は一義的ではないからである。所有者と非所有者とが集合論的に分かれているのではないからである。

浅野藩に残されたお金などの動産は誰のものか。誰が所有者か。将軍綱吉か。浅野内匠頭の相続者か。浅野の家来どもか。これら三者は、所有者のようでもあり、所有者ではないようでもある。所有者は曖昧模糊としていて一義的ではない。二分法的には決まらないのである。

ゆえに、誰が誰から「横領」したのか、判然とはしない。いや、「横領」という概念の発生する余地がないと言ったほうがよいであろう。

この「内蔵助公金横領劇」の見所をもう一つ。

日本のような前近代（前資本主義）的社会においては、「占有」と「所有」の区別がつかないのである。

日本人の「クセ」として、自分がいま持っているもの（占有しているもの）は、自分の所有物でなくても、あたかも自分の

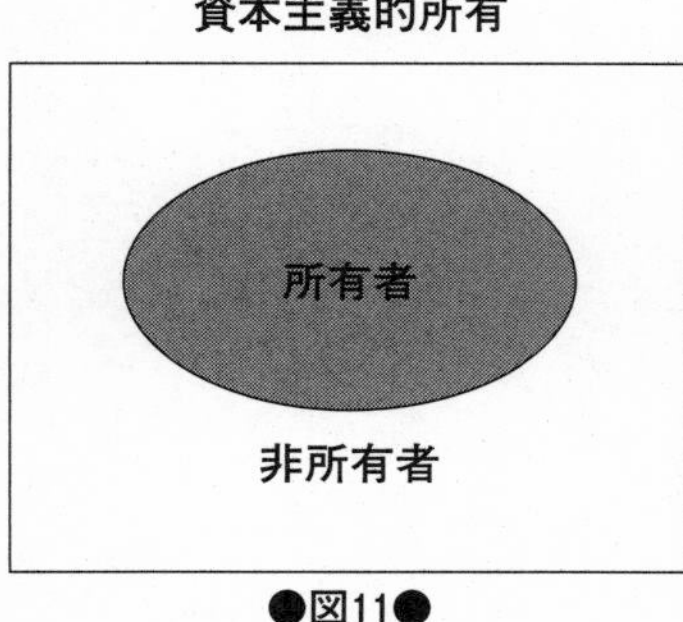

●図11●

所有物のような気になってしまう。

このようなことは、ウェーバー、川島も論じている。

なお、このことは、中国の特徴、日本の特徴というのではなくて前近代国（前資本主義国）共通の特徴である。一言で言えば、中国と日本との共通の前資本主義的欠陥なのである。その他の未近代（未資本主義）諸国についても共通のことなのである。

それ故（ゆえ）に、このことに関するかぎり、日本のことをじっくりと反省すれば、中国の本質もわかるということなのである。

いまここでこんなことを言えば奇異に感ずる人もいるかもしれない。

著者は、日本と中国とはここがちがう、あそこがちがうと、ちがう点ばかりを強調（ストレス）してきた。普通の人ならば、とても気がつかないことまでも強調することばかりしてきた。

それなのに、中国と日本との共通点を論ずるなんて――。

そんな気持ちになるかもしれないけれども、ま、ここは著者の言いぶんも聞いてもらいたい。

著者は、「感覚と論理とは、べつに考えてもらいたい」ということを論じたいのである。

そこで、こと「所有」に関するかぎり、前資本主義国（前近代国）という意味で、――ほかのこととはちがって――、日本と中国では共通であるので日本のことを反省するだけでも、中国にも「所有」概念がないことが理解されよう。

このようなことであるので、まず、日本に「所有」概念がないことを確認しておきたい。

●いまだに曖昧な「所有」と「占有」

第二次大戦中にしばしばいろいろな人から聞いた話であるが、疎開した都会の人が農家の蔵や押入れを借りて衣類などを置いたところ、預り主である農家の家族の人が、所有者に何のことわりもなく、お祭りの時などにその疎開衣裳を着て出かけたり、時計や置物の人形などを居間において日常用いたり、はなはだしいのは疎開してある石鹸を使ってしまった例が、決して少なくなかった。（川島、前掲書）

この事例について、川島博士は説明する。「その第一は、所有者が所有物に対して独占排他的な支配をもっているということの意識がない（或いは弱い）」。

さらに川島博士は註して言う。「特に所有者が所有物に対して現実に支配を及ぼしていない場合にもそうだということ」（同右）。ここがポイントである。

近代的（資本主義的）所有の歴史的特徴は、それが、観念的・論理的に決定される（同右）こと。すなわち、所有者が所有物に対して現実に支配を及ぼしているかいないかとは関係なく、「所有」権は、抽象的に決定されるのである。

ところが、日本はまだ資本主義に成り切っていないので、「所有」は抽象的ではなく現実の支配と切りはなしがたく結びついている。よく知られた例として、本の貸し借りがある。

私は学生から或る本を貸してくれとたのまれ、快く貸したところ、二年ばかりたっても返してくれないので催促した。彼はその本の各所にペンや鉛筆ですじをひいたままで、何の悪びれるところもなく返してきたのである。（同右）

この事件（event）を分析して川島博士は言う。

これらの事実は、右に述べた農村の例と同じことを示している。すなわち、私の所有物である本を他人に貸したときは、私の現実支配の事実が終ったことによって、その本に対する私の所有権は弱いものになり、これに対応してその反面で、借主があらたにはじめた現実支配の事実は、私の所有権から独立した一種の正当性をもちはじめ、だんだん所有権に近いものになってくるように思われるのである。（同右）

このような所有概念は、「マゼラン*が発見した当時のマリアナ群島の住民の世界に似ている」（同右）のである。日本の中国のというのではなく、前近代的（前資本主義的）社会は、みんなこうなのである。中世ヨーロッパも然り。

> 中世では、物に対する所有権の内容が何であるかは、権利者が物に対して現実にどのような支配行為をしているか（或いは、していたか）ということを離れては決定されなかった。
> （同右）

その例として、川島博士は中世における動産をあげている。

> このことが最も明らかな形であらわれたのは、家畜とか穀物とか身のまわり品等の動産についてであった。すなわち、動産に対する所有は、所有者が動産を現実に支配している（すなわち、実際に占有している）かぎり、権利として保護され得た。
> （同右）

換言すれば、中世には、動産は占有していないかぎり所有しているとは看做されないのである。中世においては所有権は抽象的（観念的、論理的）ではなかったのである。

それなのに、何故、近代（資本主義）法においては、所有は抽象的なものとなったのか。

その理由は、「所有権がそのような性格のものになったからである」（同右）。

資本主義社会においては一切の富の基本的型態は「商品」である。商品は交換され、このさい問題とされるのは具体的な財貨としての商品ではなくて、当該商品の抽象的な交換価値（価値×数量）だけである。ゆえに一切の所有権は、抽象的な（交換）価値の所有権ということになる。この理由によって、資本主義における所有は抽象的（観念的、論理的）なものとなった。具体的に占有しているいないとは無関係に所有（権）は成立し得るものとなった（同右）。

右の議論から明白なように、前資本主義における所有（権）はこのようなものではない。所有と占有（事実上、支配下にある）とは密接に連関しあっている。

すなわち、

「他人の財産」であっても、自分が管理支配している場合には、その財産に対する所有者は「何となく」弱いものに思われ、それにひきかえ、自分はそれに対し「何となく」一種の権利を生じているかのような意識が存在している。（同右）

このように論じてくれれば、件(くだん)の「忠臣蔵(ちゅうしんぐら)」ストーリーへの解答が得られるであろう。大石内蔵助(くらのすけ)以下の藩士は、藩のお金を自分たちのあいだで分配してしまった。資本主義ならば、明白に横領である。スキャンダルである。資本主義における所有権は抽象的であるから、占有していてもいなくても、論理的に決定される。もしこの論理が作動すれば、藩の「お金」の所有者は、綱吉か、あるいは内匠頭(たくみのかみ)の相続者か。どう考えても家来どもではあり得ない。ゆえに、家来どもが勝手にこのお金を山分けすれば、これは明らかに横領となる。

しかし、当時は資本主義でない。綱吉も内匠頭(たくみのかみ)の相続者も、当該の「お金」を占有してはいない。実際に支配下にはないのである。その「お金」を実際に占有しているのは、浅野藩の家来どもである。ゆえに、「一種の権利を生じているかのような意識が生じた」としても不思議はない。占有が所有に転化したと言えるのか。この転化に基づく「所有」権によって、浅野藩の家来どもは藩にあった「お金」を自分たちのあいだで分配したのである。

＊マゼラン（Ferdinand Magellan 一四八〇頃～一五二一年）　ポルトガルの軍人、冒険家。ゴア、モルッカ、モロッコなどへの遠征を経て、一九年、五隻の艦隊を率いて、二〇年、南米の南端（現在のマゼラン海峡）を通過、その西の大洋に太平洋と命名。翌年、グアム島を経てフィリピン諸島を発見したが、セブ島で原住民に殺された。

●所有概念の欠如が招く「役得」の発想

赤穂浪士の場合は、汚職とは考えられていない。

しかし、右の「占有の所有への転化」は、構造的汚職の温床である。

現代日本でよく知られた例としては、役得がある。

役得のはては、現在問題となっている「官々接待」であるが、大蔵エリートなどの特権官僚が公費を私するのは今はじまったことでない（朝日新聞社会部著『公費天国』朝日新聞社　昭和五四年刊。などを参照）。

『公費天国』に執筆した記者は、「良心のマヒの慢性化」に驚き、「自己浄化機能が備わっていない」と結論している。

しかし、ここで論理的に注目するべきは、このことではない。

官僚が腐敗していくメカニズムが構造的に（structually）内在している、ということである。

資本主義が未熟であるために、所有（権）は抽象化されていない。二分法的（「所有」しているかしていないかのどちらか）でない。所有は占有と結びついているために、占有は所有に転化しかねない。現に支配しているモノは何となく自分のもののような気になってしまう。

その一つが役得。

役得とは、「他人の財産の管理にあたる者が、その管理財産で私的に飲食ないし宴会をしたり旅行に行ったりする場合」(川島、前掲書)などを言う。

日本人が役得を利用してアメリカ人を接待すると、彼らは目を丸くしてその豪華さに驚く。が、役得の真相を知ると、「わたしは、株主のお金を、これほどまで勝手に使う人を信用することはできない」と、かえって信用を失ってしまう。

「もちろん、その管理者がその地位にもとづく職務として他人を接待する必要があって管理財産で飲食ないし宴会をしたり温泉に行ったりすることは、正当である」(同右)。

日本人は、役得として、はるかにその上をやりがちである。しかし、その範囲を越えて、私的な目的でそのような行為をすることは、「民事上は他人の財産に対する侵害」であり「刑事上は背任罪」である。ところが役得をする人には、そんな罪の意識なんか少しもない。あり得ようがない。

日本のような資本主義後進国においては、所有は二分法的(ダイカタマス)ではない。誰のものかはっきりしないことも珍しくないのである。

たとえば、株式会社は誰のものか。

株式会社の所有権は株主であり、株主だけである。資本主義であればきまり切っている。株主の他に株式会社の所有権はあり得ない。

資本主義国ではこのとおりなのであるが、資本主義に成り切っていない日本では必ずしもそうではない。

経営者のもののようでもあり、従業員一同のもののようでもあり、株主のもののようでもある。これら三者のうちで、株主はいちばん下位であるのかもしれない。いや、創業者株主であればべつかもしれないが、株主は「企業にお金を貸している人」くらいにしか思われていないのではないか。

よく知られているように、日本の経営者は株主への配当を大きくするよりも企業内配当金を大きくするために努力する。

日本では、株式会社という機能集団（functional group）が共同体（ゲマインデ）になってしまっている。共同体（ゲマインデ）の構成員は、この共同体の機能的要請（functional neguistites）に応じて行動する。日本における所有権は二分法的ではないから、株式会社が誰のものであるのか、実のところよくわからず曖昧（あいまい）なまま。所有（権）が一義的でないから、こういうことになる。

このことをよく理解する好例が、公認会計士である。

●日本の公認会計士は泥棒に雇われた裁判官

アメリカだと、公認会計士は弁護士とならぶ代表的プロフェッショナルであるが、日本ではまだそれほど普及していない。税理士の一種だと思っている人さえいる。実際、たいがいの公認会計士は税理士の仕事をしている。

しかし、公認会計士の本来の仕事は税理士のそれではない。公認会計士の本来の仕事は、企業の経営を監査するにある。

とはどういうことなのか。企業の経営を誰のためにどう監査するのか。資本主義においては、株主が株式会社の所有者である。所有者ではあるが、株主は企業経営の素人かもしれない。いや実際には、素人の場合が多いであろう。

素人にはとても、企業の経営内容を知ることはできない。いや、できっこあるまい。それはあたかも、法廷に出廷した（法律に）素人の原告や被告が、事件に関する法律的内容を知ることができないことと同様であろう。

そこで、法廷における原告も被告も、代理人（アトーネー）(attorney)を雇う。「アトーネー」は、民事裁判の場合には弁護士と訳すべきであろう。刑事裁判の場合には、被告の代理人は「弁護士」と訳してよいが、原告（大統領、知事、長官など）の代理人は「検事」と訳すべきである。日本だと、「検事」と「弁護士」は敵役（かたきやく）のように思われ、全くちがった人種のごとくみなされているが、アメリカだと、いずれも「アトーネー」、代理人なのである。

では、アメリカ人は、何故（なにゆえ）に法廷には代理人（アトーネー）を立てるのか。原告も被告も、たいがい、法律の素人であるからである。そこで、検事なり弁護士なりの法律の専門家を雇って自分の代理人（アトーネー）

にして法廷で争わせる。

資本主義の裁判はこのように出来ている。公認会計士も、これと同じことなのである。

裁判のときに、自分の代理人（アトーネー）として検事や弁護士を雇うがごとくに、公認会計士を雇う。そして、自分の代理人（アトーネー）として、企業の経営を監査させるのである。

株主の代理人（アトーネー）として企業の経営を監査する。これが公認会計士の役目。

このように考えてくると、公認会計士とは検事みたいなものだと思うといいだろう。

株主は、株式会社の所有者である。所有者であるから、自分の会社の経営状況を監査する権利がある。監査して気に入らなければ、直ちに経営者を罷免するのも自由である。

雇われた公認会計士は、株主のために経営を監査する。監査結果に基づいて株主は経営者の責任を問う。こういうふうに出来ている。

譬（たと）えて言うならば、公認会計士と経営者との関係たるや、検事と泥棒との関係なのである。

いや雇主（大統領、知事など）は、検事の論告どおりに制裁をするのではない。裁判官の判決を俟（ま）って制裁するであろう。公認会計士は、実は裁判官にも譬（たと）えられる。

資本主義においては、このように出来ている。それなのに日本ではどうか。

著者はかつて、公認会計士協会で講演したことがあった。

開口一番、諸君は泥棒に雇われた裁判官である、と言ってやった。咄嗟（とっさ）には何のことかわからなくて、みんなキョトンとしていた。が、その意味を説明すると爆笑。

日本だと、公認会計士は株主が雇うのではない。社長などの経営者が雇う。そして経営者のために企業を監査する。株主は関係ない。

こんなことでは、株主による経営者の経営責任追及なんかできっこないではないか。

もう一つ、例を追加しておきたい。

ある有名な出版社でストライキがあった。

この出版社、業績はよくて給与もその他の諸待遇もわるくはないのだが、社長がワンマンで横暴で威張りすぎるところが従業員の癇(かん)にさわった。経営者の責任追及のストを打ったところ経営者は雲がくれ、何のかんのといったところで、社長の腕でもっていた会社である。社長が居なくてはとても商売にも何にもならなくなって、従業員一同弱り果ててしまった。社長よ出てこいと叫んだところで、ストに嫌気がさしたか、社長はいつまでたっても行方不明。

この社長、経営ではワンマンであったが、株はたいして持っていない。大株主はべつにいた。

それでどうなったかというと。

社長を捜しあぐねた従業員の矛先(ほこさき)はついに大株主に向いたのであった。ストのスローガンは、何と「株主の責任追及」！

これは有名な話だから、憶えている人もいるかもしれない。

しかし、このうえなく奇妙奇天烈なことは当時の日本人の態度である。エコノミストも法律家も、誰一人として、「これは全く見当ちがいのストである」というコメントを発した者はいなかった。日本にはまだ、「資本主義とは何か」をわかっている人がいなかったのであった。

会社（株式会社に限らないが）は、完全に資本家の私有物（所有物）であり、これに何をしようと全く資本家の自由である。極言すれば、気に入らないというだけの理由でスクラップにして海中にほうり込んでしまっても、どこからも苦情を言われる筋合のものではない。会社（企業）も商品であり、アメリカなどの資本主義においては、会社の売買が大きなビジネスになっていることは周知である。

日本の会社（企業）は共同体になっているから、会社の売買なんてとんでもない。これも周知である。

それにしても、「会社は資本家の所有物である」という資本主義の初歩の入門の手ほどきすら、三〇年前の日本では知る人もなかったのであった。いまの日本でも、おそらく同様であろうし、中国も同様である。

それゆえにこそ、トラブルがあとをたたない。

では、何故、「会社は資本家の所有物である」ということが理解されないのか。

所有が一義的ではないからである。二分法的ではないからである。会社は資本家（株式会社ならば、資本家＝株主）の所有物であるとは考えないからである。

資本主義では、資本家は経営者を雇って会社（企業）の経営をやらせる（資本家と経営者が兼任することもある）。経営者は労働者を雇って企業を経営する。経営者は資本家に対して経営責任を負う。労働者に対しては、給与支払はじめ待遇に関して責任を負うのであって、経営責任を負うのではない。いわんや、資本家が労働者に対して経営責任を負うべきであると論ずるなど、資本主義においてはあり得べからざる事象（イーヴェント）である。

かかる事象が横行して、しかも誰一人その不思議さに気づかないとは、日本が未（ま）だ資本主義になっていないからである。所有が一義的ではない、すなわち二分法的ではないからである。

中国に起こっている事象も、また同じことなのである。

●汚職の概念がなかった中国

汚職の問題もついでに説明しておくとしよう。いまや、中国における汚職は、国を揺るがすほどの大問題である。「社会主義的市場経済」なんていったところで、汚職が頻発してどうにもならない。

その「汚職」だが、根本的理由は、近代的所有概念の欠如にある。

すなわち、（近代的）所有概念、罪刑法定主義の理念が人びとに行きわたっていないことが、汚職頻発の根本的原因である。

（近代的）所有概念がないから、どこまでが自分のモノで、どこから先が他人のモノであるのか。そこのところがわからない。そのことは前項の「役得」で説明した。

そのうえ、罪刑法定主義もないから、「どこまでなら許せて、どこからは許せない。処罰されるべきである」、この考え方もない。

汚職が繁茂するのも、社会学的に必然ではないか。

しかも、中国においては、商売（資本主義的活動）をするに当たっては、そのコントロールは、あげて役人にある。その役人が、右に論じたように、定常的に（本人の心がけが悪いというのではなしに）汚職的構造の中にある。その汚職的構造のそれぞれの特殊性を知らなくては、中国における商売（資本主義的経済活動）ができない。

ここに、欧米諸国における経済活動とは根本的に違う困難さが存在する。

この困難さは、実は、法教が生んだものなのである。

科挙の制度のあった中国では、高級官僚は極めて数が少なかった。なぜなら高級官僚というのは、べらぼうに難しい科挙の試験を通らなければなれなかったから。そこで役人はとくに強大な権力をもつことになった。

「官吏」という言葉がある。日本人は「官吏」と、続けて読んでいるけれども、実はそれではいけない。「官」と「吏」では全然意味が違うのである。「官」というのは科挙の試験に合格した高級官僚、「吏」というのは「官」が自費で勝手に雇った役人のことを指す。言ってみれば、地方に派遣された「官」は独立経営者のようなものなのである。

そして地方に派遣された「官」の仕事といえば、税金を徴収して中央に送ることが主であるが、驚くべきことに、国家の会計と個人の会計の区別はなかったのである。だから、地方の長官、いまでいう知事を三年務めれば、最も清廉潔白な人でも三代にわたって家がもつ、と言われた。まして、欲の皮の突っ張った人間ともなれば……。

ただでさえ中国には汚職の概念がなかった。したがって、中国の「汚職」といったら、これはもう日本などとは桁違い。汚職が発覚して調べてみたら、国家予算の何年分という賄賂を取っていたなどと、とても日本では考えられないようなケースまで飛び出す始末となる。

中国の（上級）官僚というのは、いわゆる組織の中の一員ではなく、独立経営者的な感覚を持って、法律を自由に援用して商売に当たっていると、そういう言い方も可能となる。役人イコール商売人。検事も裁判官も商売をしたがる風が残っているので、もうべらぼうである。役人の仕事は民間でもできることが多いが、絶対に私営にしてはいけないのが、収税吏と裁判官なのである。

一九世紀のアメリカでは民間の死刑執行株式会社があった。保安官も民間の人間に委託していた。小さい町などは役人だけだと手が回らないからである。しかし、裁判だけは、中央から任命された裁判官が来て、巡回裁判を行っていた。

中国人官僚のこうした体質はいまも残っている。そのことは、先ごろ社会学者橋爪大三郎氏等が翻訳した天津社会科学院院長・王輝氏の名著『中国官僚天国』（岩波書店刊）を見ても一目瞭然。こうした国柄だからこそ、日本人も欧米人も中国相手に商売するとなると苦労が絶えない、ということにもなる次第。

日本人は中国のこうした伝統を知らなすぎる、だから、いろいろなトラブルが起きる。

●「君子」は「立派な人」ではない

君子、小人という観念にしたって、日本人はとんでもない間違いをしている。

「君子は義に喩り、小人は利に喩る」（『論語』「里仁第四」）という言葉があるが、これなんか本当にとんでもない解釈をしている。

日本人というのは、社会科学的発想が全然ない。また、階級が今もないし、本質的には昔からなかったと言ってもいい。もう一つ、ザイン（sein　～だ）とゾルレン（sollen　～べきだ）の区別もない。

主語と述語をひっくり返しても平気でいる。だから、徳川時代に先の言葉はものすごい誤読をされて、いまでもそのまんまというありさま。

さて、どういう意味か。この言葉は「君子は義に喩り、小人は利に喩る」というそのままの意味で、単に事実関係を述べているだけのことだ。

ところが日本人はこう読んでいる。「君子は義に喩るべきであり、小人は利に喩るだけである」。ザインがいつの間にか、ゾルレンに変わっている。さらに、主語と述語をでんぐり返したりする。「義に喩るのが君子であり、利に喩るのが小人である」。もうべらぼうだ。

何でこんなべらぼうな読み方をしてしまうのかというと、先ほどいった階級ということを知らないから、ということにつきる。

君子とは何か。小人とは何か。中国の古典を読むほとんどの人は、「君子は正しい人、立派な人」、小人は「正しくない人、つまらねえ野郎」と、読んでいるであろう。だから、小人になっちゃいけません。一生懸命、義に喩って君子になりましょう。……こんな読み方、べらぼうだ。そんなもんじゃない、中国というのは。

この言葉の時代、周の時代だが、トップは天子、王。この下に諸侯がいる。公侯伯子男。王、諸侯は自分の領地、土地を持っている。諸侯の下に大夫がいて、その下に士がいる。だから単純な封建制度ではなく、多重封建制である。

そして庶人というのは一般人。細かく分ければ、自由民と奴隷に区別される。奴隷といっても西洋の奴隷とはちょっと違う、奴隷と農奴の中間みたいな立場。まあ、併せて庶人という認識でよろしい。

このように、周代の中国というのは、厳密な階級社会。そこには近代的一般規範という概念はない。身分によって規範は違うのである。嫁さんの数だって身分によって違う。天子一二人、諸侯八人、大夫四人、士二人、庶民一人といった具合に。規範のちがいはそれ以上。

参考までに述べておくと、方言の研究などの時には地域の方言のみを研究したって意味はない。たとえば、関西弁といっても、武士と商人では言葉は違うし、商人でも番頭さんと丁稚どんで違う。船場の人はまた違う。倫理規範もこれと同様に違うのである。

先の言葉に戻る。君子というのは、諸侯から大夫、士の階級を示す用語なのである。であるから、「君子は義に喩り、小人は利に喩る」というのは、単に階級の特性を言っているにすぎない。根本的にはそういうことなのだ。

「義に喩って君子になりなさい」なんて言ったって、庶民に生まれた人はどうしようもないというのが、当時の中国社会なのである。

ところが、日本というのは小者、足軽が関白になり、下級武士が元勲になれる。それでちっとも困らない。これは倫理規範が同じだから。

中国にも、一介の庶民から皇帝になった人はいる。たとえば、漢を興した高祖劉邦がそうだが、『史記』等を読むと、ものすごい抵抗があったのがわかる。

天下を取ったあと、初めのうちなどは、儒学者の帽子の鍔に小便かけて平気でいる。重臣たちにしたって、宮中で酒を飲んで暴れるわ、果ては柱に斬りつけるわで、ひどいものだ。儒学の先生が劉邦に朝廷の儀礼制定を申し出ると「めんどくさいのはごめんだ」と言う。それでも、何とか群臣に礼儀を習わせ、儀式を催したところ、「俺は皇帝ってこんなに尊いものだということを今日初めて知ったわい」と劉邦は感激するというありさま。

それにしたって、礼儀、道徳という規範は劉邦の重臣集団になかなか根づかなかった。武帝の代になってからだ、こりゃちょっと具合が悪いというので改めたのは。

先にも説明したとおり、儒教の救済とはよい政治をすることにある。だれがやるか。やる主体は天子である。しかし、いくら何でも天子一人では出来ないだろうから、君子の助けを借りてよい政治を行う。その君子とは誰か。もともとは諸侯、大夫、士である。

孟子もはっきり言っている。「恒産なくして恒心あるは、ただ士のみよくすとなす」（『孟子』「梁恵王」）と。十分な収入がなくてもちゃんとやる人はただ君子だけで、庶民は何やるかわかんない、と。これがいわゆる原始儒教。

ここでもう一つ重要なこと。儒教が国教になったのは、漢の武帝の時。このときの漢は中央集権国家であって、封建国家ではない。漢は成立時には半中央集権の郡国制をとっていた準封建体制であったが、呉楚七国の乱（次章で詳述する）があって以後、自主的に封建制を改組し、武帝の時にはほぼ完全な中央集権制度をとっていた。だから、儒教の教えというものは、もう時流に合わない。だいたい、諸侯、大夫、士なんて階級がなくなった。天子を助けて政治を行ういわゆる君子がいなくなってしまった。では、どうする。

しかたがないから、官僚が君子の役を行うことになる。だから、君子というのは、初めは諸侯、大夫、士という意味で、のちには官僚という意味になる。これが大きなポイント。

官僚制度が完成したのは宋代にいたってからだが、萌芽はやはり漢の時代。漢から唐代にかけては、官僚に一部貴族も登用しているが、庶民にも十分なチャンスを与えていた。これは最初からそういう制度で、たとえ身分が低くとも官僚に登用される。では条件とは何かというと、学問、儒学を勉強すること。漢の頃に科挙はまだない。それに代わるのは選挙である。といっても、入れ札ではない。地方の名望家などが政府に有能な人間を推挙する、これが選挙である。選挙には孝廉というのもあった。あいつは親孝行で、長老にも恭しく仕え、礼儀があって、行いもいいから登用してもらおうと推薦する。

それまでの選挙という形で官僚候補を推挙する習慣が変わったのは、隋の時代に科挙が始まってから。隋、唐で科挙が発達して、宋の時代にいたって科挙以外には高級官僚を採用しなくなった。科挙の試験科目は儒学に収束していった。しかし、ここでもまた問題は出てきた。

儒学というのは、根本的には共同体の道徳。道徳には立法という概念がない。したがって時の変化に合わせてどんどん改正するという余地がない。当たり前のことである。昔は親孝行が道徳だったけれど、今は改正されて殺してよくなった、なんてなるわけがない。

儒学の思想は、共同体の倫理を基礎にして国を治めようということ。孔子も孟子も、理想は周公の時代だとし、今の世の中はもっぱらよくないと言っている。二人とも、極めて素朴な時代を言っており、官僚制というものを予期もしていない。国の規模にしても、巨大な統一帝国ではなく、村に毛の生えたような国を理想としていたのだから、そのままそれが巨大な帝国に適用できると思うほうがどうかしているのだ。

孔子が目指していた封建制にしても、その実態は未成熟なもので、徳川時代ほどにはとてもなっていない。今の日本で言えば、問屋組織に似ている。一次問屋、二次問屋といった観念で、その段階段階でマージンを付加していく。であるから、諸侯が一次諸侯で、大夫が二次諸侯、士が三次諸侯みたいな構成である。これが、儒教の目指していた多重封建制。

国というよりも共同体に近い。だから、長幼の序なんて言っていられた。官僚の長幼の序といったら、年齢ではなく任命の順序になる。形式的に身分が低いか高いかの問題。長老だって、うだつの上がらない人は下臣でなければならぬ。

中国に進出した企業がほとほと手を焼く「秘密」は、これで解くための準備ができたのではないか。

中国と交流して、あるいは中国に進出して、トラブルを避けようと思ったら、とにかく法家の思想をよく知ることである。それには『韓非子』を読むのがいちばん。『韓非子』を熟読玩味することをお勧めする。

では、『韓非子』を読むときのポイントは何か。

法は王（政治権力）の上にある、という考え方がないことである。

法は王のためにある。したがって役人（権力者）は、これをどう解釈してもよろしい。この考え方が根底にある。

だから、表面上は欧米資本主義の法律のように見えたとしても、中国の法律は、役人の勝手な解釈を許す。法教以来、これが中国なのだ。

いや、ことによれば、「法律を役人が勝手に解釈してくれる」からこそ、あなたに有利に働くことだってあるだろう。こういった例も多い。

が、これが曲者（くせもの）。

ある日突然、何の前ぶれもなく、役人の態度が変わったら……。もうおしまい。あなたはどうしようもない。中国の法律は権力に対して人民の権利を守るものではないのだから。

ではどうすればよいのか。
このことを念頭において『韓非子』を読んでいただきたい。

【第五章】

中国の最高聖典、それが「歴史」

●中国的殉教者は歴史に殉ず

中国を本当に理解するためには歴史に如くはない。このことはすでに強調したことではあるが、いくたび強調してもしすぎることはない。どんな調査法よりも、はるかに有効である。

この章では、中国人にとって「歴史」がどう作用しているのかを徹底的に検証しよう。

「豹は死して皮を留め、人は死して名を留む」（『新五代史』「王彦章伝」）というが、「正史に名を残す」ことこそ中国人最大の願望であり続けてきた。

「既に芳を後世に流す能わず、復た臭を万載に遺すに足ざるか」（桓温）*

よい名前を後世に残すことができなかった。わるい名前でいいから万世に残したい。スキャンダルでも無名にまさる、ということである。

これが中国人の執念。悪名すら後世に残したいのだから、よい名声を歴史に残すためならばどんなことでもする。生命でも何でも、少しも惜しくなんかない。

たとえば、かの文天祥――吉田松陰、橋本左内（景岳）*はじめ維新の志士たちに熱狂的崇拝者が多いので日本でも知られている――彼の「正気の歌」はながく愛唱された。

元（蒙古）が、空前絶後（？　全盛期の大英帝国と、どちらが大きいかな）のウルトラ・スーパー超世界帝国を作った。この元が江南に逼塞していた南宋に襲いかかってきたのであった。南宋は文化大国、経済大国ではあったが、弱かった。北の国の遼や金*にも負け込んでいた。

金には巨額な貢金を与え、臣下の礼をとって、やっと許してもらっていたありさまであった。

そこへ、遼よりも金よりもずっと強い元が攻めてきたのである。宋はひとたまりもある筈はない。滅亡は時間の問題である。宋の皇帝度宗＊は詔を発して勤王の士を募ったけれども応募する者はいない。負けて殺されるにきまっているからである。

それでも文天祥は敢然として応募した。しかしやはり、羊が猛虎を搏つような暴挙であった。元軍に捕らわれて、皇帝忽必烈（世祖）の前にひきすえられた。

忽必烈カーンは、文天祥が人物であることを見込んで言った。降伏せよ。そうすれば首相（丞相）にしてやる。

大東亜戦争に負けたとき、東条英機（一八八四～一九四八年。日米開戦時の日本首相。絞首刑にされた）に、降伏すれば大統領にしてやるとでもいうような話ではないか。世界帝国元の首相になれば、もちろん、栄耀栄華は心のまま。

この申し出を文天祥は拒絶し、死刑に処された。

このときの文天祥の心境は、「零丁洋の詩」に述べられている。

「人生、古より誰か死無からん。丹心（まごころ）を留取して汗青（歴史）を照らさん」（人間は誰でも一度は死ぬものである。同じ死ぬならば、忠義の心を止めて歴史を照らして倫理の模範となろう）

文天祥は、歴史の範例となるために死んだのである。これが、中国的殉教(martyrdom)である。

第一章で、『史記』「刺客列伝」の予譲のストーリーを紹介した。友人の「いったん家来になって、隙をついて暗殺すればよいではないか」との忠告に対する、予譲の答えを思い出していただきたい。

「わたしが至難の道を選んだのは、後世の人びとに、二心を抱いて君に仕えることを愧じさせるためである!」

中国人は、「丹青」にたれる(歴史の手本になる)ためならば、どんなことでもする。身を傷つけ生命を棄てても悔いないのである、と紹介した。

状元の宰相(科挙トップの総理大臣)文天祥も、一刺客予譲も、その志は同じである。

太史公(司馬遷)も「刺客列伝」に取り上げている五人(曹沫、専諸、予譲、聶政、荊軻)を高く評価して曰う。

刺客は、義侠の行い(暗殺)に成功した者も失敗した者もいる。その志は明白であってそむきはしなかった(『史記』「刺客列伝第二六」の末文)。

さらに、最後の結論が、中国人の史観を一言で要約している。

「名声が後世におよんだのは当然である」

暗殺行を決行して生命を失う。その報酬は、歴史に名声を残すことである。刺客は義士であり代表的中国人と見做されている。殉教者である。その報いとして歴史に名声を残す。これが、個人の救済（salvation）である。このことが、「刺客列伝」によっても、再確認された。

＊桓温（三一二～七四年）　東晋の武将。四川攻略などに功あり、朝政を壟断。北伐失敗後、朝廷に帝位の禅譲を迫るも重臣らに阻まれ挫折、失意の内に病死した。

＊吉田松陰（一八三〇～五九年）　幕末の勤王志士、思想家。長州に生まれ、各地を遍歴し見聞を蓄え、下田でアメリカ船に乗船しようとし失敗、投獄。免獄後郷里に松下村塾を開き、名利のための学を排し修己治人、国家経世の学を説き、高杉晋作、伊藤博文など多くの人材を育てる。五九年、安政の大獄に連座し刑死を遂げた。著作に『留魂録』がある。

＊橋本左内（一八三四～五九年）　号は景岳。幕末の志士。福井藩の藩医に生まれ、大坂適塾で医学、洋学を修得。藤田東湖、西郷隆盛らと親交を持ち、藩主に見込まれ横井小楠らと共に、重商主義的な富国強兵を目指し藩政改革に従事。五九年、安政の大獄により逮捕され刑死する。

＊遼　契丹族の耶律阿保機が九一六年、東モンゴルに建国。国号を契丹とも称し、後に中国東北部まで勢力を広げるが、金と宋の挟撃を受け、一一二五年滅亡。

＊金　女真族の完顔阿骨打が一一一五年遼の支配から独立し建国。高麗、西夏を服属させ北宋も滅亡に追い込み華北の覇権をつかむが、一二三四年、モンゴルと南宋の連合軍に敗れ滅亡。

＊度宗（？～一二七四年）　南宋の皇帝。姓名は趙禥。一二六四年、元と対峙している最中に即位。性愚昧で、国政は宰相賈似道に壟断された。

●歴史は中国人の『聖書』

この、歴史に名をとどめることこそ中国の個人救済である。この点、ユダヤ教と同じ。

これは、キリスト教で、「神の恵み（grace）を与えられて永遠の生命を得る」にあたる。イスラム教で、「楽園（Jannah）に入る」にあたる。

キリスト教徒が神の救済を得るために殉教するように、中国人は歴史に救済を得る（名を残す）ために殉教する（死んでも悔いない）。

キリスト教徒が、死んで（殉教して）生きる（永遠の生命を得る）ごとく、中国人も、死んで（倫理のために生命を棄てて）生きる（歴史に名をとどめる）のである。

啓典宗教（ユダヤ教、キリスト教、イスラム教）における啓典（トーラー、『バイブル』、『コーラン』）に該当するのが、歴史なのである。歴史こそ中国の啓典であるから、中国の歴史家は歴史を記すときにキリスト教徒の正典（canon）決定にみられるほどの情熱を集中しつくす。

生命も惜しまない。かの文天祥の「正気の歌」にも言うではないか。

「時窮しては節乃ち見れ、一一丹青（歴史）に重る」（危機の時には倫理を守る人物が現れて、一つひとつ歴史書（丹青）に記されている）。

そう言って文天祥は、歴代王朝（もしくは大国）の代表的人物を一人ずつ挙げている。

斉の大臣崔杼が、君主たる荘公を殺した。ときの太史（トップの歴史官）は、「崔杼がその君を弑した」と史実をはっきり記した。何しろ、君主さえも殺してしまうほどの独裁大臣崔杼の暴行を明白に堂々と記したのである。もちろん、崔杼は、直ちに太史を殺した。そうすると太史の弟がまた「崔杼その君を弑せり」と記したので、崔杼は弟を殺した。そのまた弟が同様なことを記した……。このようにして、太史兄弟三人が殺された。さらに四番目の弟も同様にこの事を記した。さしもの崔杼も太史兄弟の剛強さに我を折ってそのままに放置せざるを得なくなった。

これが歴史家の態度。歴史を記すことに殉ずる。これほどの覚悟がないと太史は務まらない。同様な例として文天祥は、「正気の歌」に「晋に在りては董狐の筆」とうたっている。

斉の太史といい、晋の董狐といい、良史（よい歴史家。孔子は、「董狐は古の良史なり」と曰っている。『春秋左氏伝』宣公二年）は、政治指導者、常勝将軍などと並んで、各王朝、○○大国の代表的人物とされる。

古来、中国人は、これほどまでに歴史を重んずる。このことはくれぐれも銘記しておきたい。

●インドの文明に唯一勝った中国の「歴史」

東洋で文化の最も発達した国といえば、中国とインドであろうことは異論もあるまい。

が、どちらが、より発達していたか。

文化発達の程度を比べる素朴（ではあるがちょっと有用）な方法として、伝播説（propagation theory）がある。もちろん、この方法には制約もあるがわかりやすい。

文化は、高いほうから低いほうへと流れるという説である。

この方法によって見ると、インドのほうが中国よりも文化が高いことになる。

仏教をはじめ、宗教、哲学、思想、天文学（例、大衍暦＊）、発音学（声明＊）、論理学（因明＊）など文物は多くインドから中国に流れ、例外はあまりない（例外：張騫＊は、邛の竹杖や蜀布〈蜀名産の精細な布〉を大夏国で見たそうである。大夏人〈バクトリア人ともトハラ人ともいわれる〉の言によると、インドから輸入したそうである。ということは、これらの品を、インドは中国から輸入していたということになる。『漢書』「張騫列伝」）。

これらの諸例で見ると、宗教……論理学などの諸分野において、インドは、中国より格段に文化が高かったと言えよう。が、文化のすべての分野において、インドが中国よりも高かったのかというと、そうとも言えない。

反例（counter - example）の最たるものは歴史学である。

古代において、中国は歴史学の巨人。インドは小人。いや、小人どころではない。細菌、いやウイルス以下だ。何もなかったんだから。

インド人は、何兆年、何京（けい）年ともなく、ものすごく長い時間でものを考える。だから、何千年、何百年なんか、「刹那（せつな）」とあまりちがわない。

それに、中国人とはちがってインド人は、抽象的一般真理をとくに重んずる。特殊人間の特殊行動なんかに、あまり興味はないのである。仏教の一般真理とは、「すべての結果には原因あり」＝「因果応報」とあるのだから、それと関係のない人間の生きかたに価値のある筈はない。こんなことでは、「ただ人間がつねに如何（いか）に生きんとしたかということをみることだけで、悦（よろこ）びを見出すであろう」(Leopold von Ranke., Über die Epochen der Neueren Geschichte ランケ＊『世界史概観』鈴木成高・相原信作訳、岩波文庫）などということは考えられまい。

このようにして、インド歴史学は存在しないことになった。あまりにも未発達すぎるから中国から輸入しようなんて思い立つインド人さえもいなかった。

そのために、今にいたるまで、学界が被（こうむ）った損害は計り知れないものがある。

たとえば、釈迦（しゃか）は何時（いつ）生まれたかという推定すら、学者によって一〇〇年もの誤差があるほどである。

誤差があるにしても、釈迦（しゃか）の生年が推定しうるのは、西域（さいいき）諸国の資料に依（よ）ってである。

西域諸国は、インドの影響を受けるとともに中国の影響をも受けた。この「中国の影響も受けた」部分が、歴史学者にとって救いとなった。中国史学流に、「なるべく正確に事実を記述する」という方法を、西域の人びとは学んだのであった。

「あっ、今、釈迦が生まれました」なんていう情報は、いまさらどうしようもない。が、あれやこれやと重要な出来事をめぐっての情報は、なるべく正確に、時間を添えて記述しておいた。

これらの諸情報が、仏教の科学的研究のために、たいへん役立った。

＊太衍暦　唐僧一行が周易大衍の数理により製作、玄宗が七二八年に採択施行した暦法。

＊声明　古代インドの音韻、文法、注釈学。

＊因明　古代インドに発達した論理学。物事の正邪、真偽を考察論証する学問で、宗(命題)、因(成立要件)、喩(証明)の三つから成る。

＊張騫(?～前一一四年)　前漢の冒険家。武帝の命を受け、大月氏との同盟を画し、前一三九年長安を出立。中途匈奴に抑留され、一〇余年の後脱出、大宛(フェルガナ)を経て大月氏に到着。同盟はならなかったが、その西域諸国に関する見聞が新知識の獲得、そして交通網の整備に繋がり、武帝の西域経営の誘因となった。

＊ランケ(Leopold von Ranke　一七九五～一八八六年)　ドイツの歴史家。厳密な史料批判による客観的歴史研究の方式を提唱、二四年の著書『ローマ的ゲルマン的諸民族史』で認められた。ドイツ近代史学の創始者として多くの後進を養成、「ランケ学派」を形成した。

●古をもって鏡となす

いろいろと例を挙げつつ議論をしてきたが、著者がここでとくに強く言いたいことはこれである。

中国の歴史学は、古来、現代でも驚くほど発達していた。かくまで発達した理由は、中国人が歴史に生命を注ぎ込んでいたからである。

ゆえに、中国人のすべては歴史にあり。

そう断言しても、過言ではないであろう。

仮に過言（言いすぎ）であったとしても、「中らずと雖も遠からず」（『大学』章句）。

「歴史を見れば中国がわかる」――どんな社会調査も個人体験も遠く及ばない。

この命題（文章）を理解するためにもう一つ。

　それ銅をもって鏡となせば、もって衣冠を正すべし。古をもって鏡となせば、もって興替を知るべし。
（『貞観政要』任賢篇）

『貞観政要』のこの言は、中国史観のエッセンスを一言で要約している。

よい政治をするためには如何にするべきか。答えは、歴史を学べ、と言うにつきる。

歴史を学べば、興替（興亡盛衰）の法則を知ることができる。どうすれば国は興り盛んになり、どうすれば国は衰え亡びるのか。それを知ることが政治の要諦である。

『貞観政要』は、代表的名君をブランドとする唐太宗*と名臣たちの問答集である。長く、帝王学の最高のテクストとされてきた、太宗没後およそ半世紀、呉兢*によって編集されたものである。が、本質的にこれと同内容のテクスト（『帝範』）が、皇太子李治に与えられた。

日本でも、北条政子、同泰時*、徳川家康はじめ、『貞観政要』を政治の教科書とした指導者は多い。明治天皇も、元田永孚*（教育勅語の起草者でもある）のご進講を受けていらっしゃる。

が、ここでとくに引用する理由は何か。

中国史観のエッセンスを一言で要約しているからである。

この言葉でわかることは、歴史法則は古今東西を通じて一貫しているということである。**歴史法則は変わらない**。それであればこそ、古を鏡とすれば今を知ることができるのである。

もし、歴史法則（政治法則）が変化するものであるとすればどうか。

古をもって鏡とするなんてとんでもない。古と今とでは政治法則がちがってしまっているのであるから、興替（興亡盛衰）なんか知りようがないのである。歴史は政治の手本とはならないのである。

中国人と正反対の史観（歴史の見方）を持つのがユダヤ人である。

歴史をとくに重視することでは、ユダヤ人は中国人に劣らない。歴史重視における東西の双璧というべきか。しかし、歴史重視ということの意味が正反対、対蹠的なのである。

ユダヤ教は、その根本に神との契約（神の命令　Commandment）をおく。神との契約がすべてである。神との契約が戒律であり法律であり社会規範である。政治・経済を含めて、社会現象のすべては、その上に構築されている。政治・経済をはじめとする社会諸法則もまた然り。すべて（社会も自然も超自然も）は、神との契約（命令）のうえに成立する。法則もまた然り。神は、天と地と、その間のすべてのものを創造したもうた。天の法則と地の法則と、人間の法則もまた、すべて神の創造（creation）による。

ゆえに、神との契約（命令）が変われば、すべてが変わる。

神と人間とは、いくたびも契約を結んできた（神は命令を下してきた）。

しかも、神とイスラエルの民との契約（命令）として、いちばん大切なのは次のことだ。神は唯一。この唯一神以外は神とするな。

もしイスラエルの民が契約を守れば、のぞみの地（乳と蜜の流れるカナンの地）を得て永遠の繁栄を享受し得るであろう。どんなに強い外敵が攻めてきたとて、少しもこわくない。神は、奇蹟にてこれを邀撃(むかえうつ)して全滅させたまう。あたかも紅海の奇蹟のごとくに。

しかし、もし、イスラエルの頑民が、神との契約(命令)を破ったならば。

それで最後。ジ・エンド。最終編、おしまいなのである。その後は無い。

イスラエルの神さまは鏖しが大好き。何かというとジェノサイドをしたがるのだ。

ノア契約だけみても、このことは明白であろう。その他、ソドム・ゴモラ*だとか何だとか。

神との契約(命令)がすべてである。社会も自然も超自然も、すべてその上に作られている。

これが教義(dogma)だとすればどうか。

神との契約(命令)が変われば、社会も変わる、自然も変わる、超自然も変わる。それを貫徹する法則も変わる。当然、そういうことになる。

いましばらく、自然と超自然とは措く。

社会法則(政治法則、経済法則も含むことに注意)に焦点をしぼって考えてゆこう。

社会法則は、古今を通じて所与(given)のものではない。不変ではないのである。


*唐太宗(五九八~六四九年) 唐の第二代皇帝、李世民。父李淵(高祖)の次子として生まれるが、二六年、兄皇太子を殺し、即位。その後は房玄齢、杜如晦らの補佐のもと、貞観の治と呼ばれる治世を作り出し、唐の基礎を固めた。

*呉兢(六七〇~七四九年) 唐の歴史家。『貞観政要』編纂の他、『唐史』を私撰し後の『唐書』『旧唐書』の基礎を作った。

＊唐高宗（六二八～六八三年）　唐の第三代皇帝、李治。太宗の第九子ながら太宗晩年の皇位継承の混乱により即位。統治後半は皇后である則天武后により政治を壟断された。

＊北条泰時（一一八三～一二四二年）　鎌倉幕府の第三代執権。初代六波羅探題を務め、父義時の死後、執権職を継ぐ。評定衆を組織し、最初の武家法である御成敗式目を制定。この合議制と法治主義に基づく政体により執権政治を完成させた。

＊元田永孚（一八一八～九一年）　幕末、明治期の漢学者。熊本藩知事を経て、七一年より明治天皇の侍講となる。天皇中心の教育の確立に努め、修身教科書の編纂にも従事した。のちに、宮中顧問官、枢密顧問官などを歴任。

＊ソドム・ゴモラ　ともにヨルダンの低地にあった町。住民の罪により天からの火と硫黄で焼き滅ぼされたと「創世記」に記述され、罪悪と退廃の代名詞とされる。

●神との契約が変われば社会法則も変わる

「神との契約が変われば、社会法則は変わる」

イスラエルの民は、ここに救済（salvation）の可能性を見出したから、これが古代ユダヤ教(Das Antike Judentum, the Ancient Judithism）の根本教義となった。

古代ユダヤ教は、バビロン捕囚時代（前五九七～五三八年）に成立した。

『旧約聖書』ほどの「反聖書」は他に無い。断じてあり得ようもない。これ以上の瀆神（神さまをバカにする）、神の冒瀆は他には考えられない。ユダヤ人は、常に神にそむく。

悪魔の教団は、『福音書』を逆に読んで逆聖典礼を行うとか。

啓典を逆転することによって、悪魔の教団は、神への反逆を立証（demonstrate）するのである。瀆神の意志を明らかにするのである。

しかし、これとて、イスラエルの民の瀆神とは同日の談ではない。いや、同世紀の談ではない、というべきか。イスラエルの民の瀆神たるや、神の命令の言葉をさかさまに読む、なんていうほどの形式的なことではない。そんな生易しいことではない、断じて。

イスラエルの頑民の瀆神たるや、ズバリ、神の命令の正反対を行った。他の神を祭ったのである。神の命令の根本に違反し、神が禁止したまいしことを、そのまま行ったのであった。

ここまで神との契約（命令）に違反したのであるから、イスラエルの民は鏖しにされるべきであった。ソドム・ゴモラの民のごとく、ノア一族以外の人類のごとく。

しかし、どうしたわけか、イスラエルの民は鏖しにはされなかった。『コーラン』は、これは神のたいへんな慈悲であると強調している。トーラーは、モーセによる神へのとりなしであると説明している。

神は驚くべき寛大さを示したもうて、どういうわけか、ジェノサイドだけは許したもうた。

が、わが僕ネブカドネザル*に命じてエルサレムを占領させたまい、あらゆる暴行と略奪とをほしいままにさせたもうた。ソロモン*の神殿は焼かれ、契約の箱（The Ark of Testimony）

は行途(ゆくえ)不明となった。

多くのイスラエルの民は、バビロンに連れ去られた。

しかし、バビロン捕囚で辛酸(しんさん)をなめつくしどん底に陥って、イスラエルの民はやっとこのことに気づいた。ことの実相を理解し得たのであった。

本来「神の選民」であった筈(はず)のイスラエルの民が、神に見棄てられて今日の惨状にあるのは、神との契約（神の命令）を守らなかったからである、と。

やっとわかった。ものごとの根本が。本質が。実体が。

この骨身をけずるような徹底的反省から、古代ユダヤ教が生まれた。

古代ユダヤ教の根本的教義(ドグマ)は何か。

いま、イスラエルの民は世界の辺境民族として差別されている。世界の中心には他民族（アッシリア、新バビロニア、ペルシャ、エジプト、ヘレニズム諸国……）がいる。かくのごとく定められき、かくのごとくありなん。

すべての、神との契約（神の命令）が然(しか)らしむることである。

しかし、或(あ)る日、神の契約（命令）を更改するときがくる。

その更改されたる契約とは、かつての辺境の民たるイスラエル人は、世界の中心にきて、その主人公たるべし、と。

或る日、預言者（prophet）が現れて曰う。

さは記されたり、されどわれ汝じらに告ぐと。

今までの歴史は、すべて否定されて、このときから新時代がスタートするのである。

神との契約（命令）が更改されることによって、歴史が全く変わる。もちろん、歴史の中における、（政治的、経済的、社会的）諸法則も、すべて、全然ちがったものに変わる。

これが、ユダヤ教における史観（歴史のみかた）である。

中国人の史観とは、向かい合わせた足の蹠のように正反対ではないか。対蹠的ではないか。

古と今とのあいだに契約（神の命令）の更改があれば、諸法則は変わってしまっている。古を鏡にするなんてとんでもない。

金属疲労（metal exhaustion）のはてにグニャグニャにまがった銅のように、何がどう映るかわかったものではない。絶世の美女がゴリラに映るかもしれないし、チワワがライオンに見えるかもしれない。いや、映像がボオーッとして定かではないであろう。

この社会では、史籍から政治のための叡智を得ることは不可能なのである。

＊**ネブカドネザル**（?～前五〇二年）　新バビロニアの王・ネブカドネザル二世を指す。前五八六年、エルサレムを破壊、多くのユダヤ人を捕虜として連れ去る（バビロン捕囚）。ハンムラビ時代に並ぶ黄金時代を創出し、首都バビロン市にはバベルの塔伝説のもととなった七層の聖塔

の建設など多くの業績を残した。
*ソロモン大王（?～前九三二年）　イスラエル王。ダビデの子。エジプト、フェニキアと同盟し平和を保ち、軍備を拡充、厳格な徴税、賦役（ふえき）を実行し富国強兵に努め強国を作ったが、後に叛乱を誘発した。

●マルクス史観はユダヤ教史観に瓜二つ

さて、以上、ユダヤ教的史観について論じてきた。中国的史観と正反対であるという意味で、中国的史観を徹底的に理解するために恰好（かっこう）のサンプルであるからである。

イスラエルの、ユダヤ教のというと馴染（なじ）みがないのならば、マルクス史観を思い出すとよい。

マルクス史観は、線型進化論（リニアー・エヴォリユーショニズム）（linear evolutionism）による段階説である。

社会は、原始共産制、奴隷制、封建制、資本制、社会主義、共産主義と、直線的に進化する。後の段階は前の段階よりも高い。前段階から後段階への進化（例：資本制から社会主義への進化）は革命（revolution）による。

マルクス史観における「革命」はユダヤ教史観における「契約更改」に該当（がいとう）する。

革命によって、社会法則（政治法則、経済法則なども含む）は、ガラリと一変する。まったく違った法則が作動することになるのである。たとえば、資本制（資本主義）と社会主義とでは、まったくちがった社会法則（とくに経済法則）がはたらくようになる。

このように、マルクス史観はユダヤ教史観とそっくりである。瓜二つなのである（バートランド・ラッセル*）。

マルクス史観を引き合いに出すと、その反対物として、（古来の）中国史観がよく理解されよう。

*バートランド・ラッセル（Bertrand Arthur William Russell　一八七二～一九七〇年）　イギリスの哲学者、数学者。第一次大戦中、反戦活動でケンブリッジ大を追われて以後、社会評論の著作に従事、五〇年にはノーベル文学賞を受賞。哲学の分野では、数理哲学、記号論理学の発展に貢献。数理論におけるラッセルの背理は著名。

●超巨人・朱元璋の泣き所

ここにコメントを一つ。

中国人はマルキストでも、実質的には中国史観に立脚している人が多い。

たとえば毛沢東。彼はマルキストではあったが、愛読書は『三国志』と『水滸伝』。四書五経の造詣が深く、中国史全般に通暁していた。したがって、『毛沢東語録』は、中国の叡智に満ちている。

毛沢東は、『三国志』を読みぬき、古を鏡とすることによって、圧倒的に優勢であった蒋介石軍を破り革命を成功させた。

毛沢東こそ、中国的史観の活用者であり、方孝孺を今に見る思いがするではないか。

明の太祖朱元璋は、法体系を完備し、官僚システムを能率化して統治組織を精巧にして皇帝専制を徹底して揺るぎなきものとした。

「法家の思想による建国」の最初は始皇帝の秦であるが、完成させたのは朱元璋の明である。

韓非子は、政治の要諦は法術にありと喝破した（定法第四三）。剴切な法律を作って民を制御する。他方、適切な術によって官僚を駆使して統治する。商鞅の法と申不害の術とが相俟って政治は完璧であると論じた。韓非子にタイム・マシンを与えたならば、法術完備の政治家として朱元璋を見出すであろう。

朱元璋は、帝位を窺うおそれのある重臣はぜんぶ殺し、統治システムは空前の完成度をみた。

朱元璋の統治模型は五五〇年以上にもわたって、中国自身（例：清朝）、そして日本を含めて手本とされてきた。ヴォルテールも、この統治模型（とくに科挙制）を羨望し理想的な官僚制であるとした。

朱元璋はこれほどの人物であった。信長・秀吉・家康の三傑を併せ、何倍、何十倍にも拡大徹底したような、世界史上にも稀な「超巨人」なのだという説（堺屋太一氏等）もある。

これほどの超巨人にも泣き所、致命的欠陥（fatal defect）があった。それは、歴史の理解が浅かったこと。古を鏡にすることが不足していたのであった。

朱元璋は、漢の高祖劉邦を尊敬し彼を見習った。

朱元璋は、彼の皇子二四人を国内の要地に封じて王とした。とくに、辺境を守る王は塞王と称された。しかし、明の王は漢初の王とはちがっていた。呉楚七国の乱以後の漢の王のようなものだと言えばわかりやすかろう。

一般に、明の諸王は領地も持たず、自分の軍隊も持たなかった。政府派遣の軍隊をあずかっているだけである。皇帝の勅書が届いて初めて、この軍隊の指揮権が発動される。しかし、諸王は軍事を修得しているから、イザというときに軍事力を行使することは容易である。塞王制の目的は、帝室の藩屏とすることでもあったが、北辺の守備を固めさせることにもあった。

朱元璋は、北京から元（蒙古）を追ったのではあったが、元は滅亡したのではなかった。元朝は、数十万人にものぼる蒙古人を率いて祖宗の地たる蒙古へ亡命した。亡命したというよりも復帰した、とさえ言える。ここに新王朝をたてて、やはり「元」と称した。これを北元*と呼ぶ。

北元の領地は、東は満州（東北）から西は甘粛の北にまでおよぶ広大なものである。眈々として明の北辺を窺い、あわよくばと中国奪回を狙っている。北元をはじめ、北方諸民族の活動は、明にとって油断のならないものであった。塞王の任務は、北辺の防備である。いきおい、北辺の塞王には諸王の例外として強大な軍隊を与えることになる。西安の秦王、北京の燕王などは大部隊を持っており、なかでも、きわだって強大なのが燕王棣である。

朱棣は、太祖朱元璋の四男で、太祖は彼の武勇と人物を高く評価し、彼を燕王に封じ北京に都させ、大部隊を与えて北元の侵入に備えさせた。燕王棣はよく太祖の期待に応え、蒙古と戦ってしばしば偉功をたてた。太祖の評価はますます高く、一三九二年（洪武二五年）、皇太子が病死したとき、朱棣を皇太子にしようとさえしたほどであった。が、一徹な儒者劉三吾*が皇太孫を立てることを奏上して太祖はこれを許した。

一三九八年、太祖洪武帝朱元璋が崩ずると、皇太孫朱允炆が即位した。年号を建文と定めたので建文帝*とよばれる。即位後、方孝孺、斉泰、黄子澄*などの儒教学者が抜擢された。

彼らは中国史観の教えるとおり、古をもって鏡とすることにした。鏡に映してみて驚いたの何のって。まさに大乱の兆しが、ありありと見えてくるではないか。中国的歴史観を奉ずる儒学者には、前漢の呉楚七国の乱（一五四年）、晋の八王の乱（二九一～三〇六年）が思い出されたのであった。

＊北元　一三六八年、元の順帝が明軍の大都侵攻に抗しきれず長城を越え上都に逃れてからの元を指す。八八年に明洪武帝に滅ぼされ、北元のモンゴル人は明に帰属した。

＊**劉三吾**（？〜？）明の政治家。姓名は劉如孫、三吾は字。初めは元に仕えたが、洪武帝幕下に参加。翰林学士を務めた。

＊**建文帝**（一三八三〜一四〇二年）明の第二代皇帝、朱允炆。洪武帝の孫に当たり九八年に即位するも翌年、靖難の役による南京陥落の際憤死。

＊**斉泰**（？〜一四〇二年）明の政治家。建文帝のとき兵部尚書となり権勢を得、黄子澄とともに諸王の勢力削減を建策、かえって燕王棣の挙兵の名目となり殺される。

＊**黄子澄**（一三五九〜一四〇二年）明の政治家。姓名は黄湜、子澄は字。建文帝のとき太常侍卿となり、斉泰とともに諸王権力削減に乗り出すが、斉泰と共に処刑。

●呉楚七国の乱

秦の始皇帝は、完全な中央集権制（郡県制）を定めたが、秦は一五年で滅んでしまった。これに懲りたか、郡県制は時期尚早と覚ったか、漢の高祖劉邦は侯王制を復活した。というよりも、漢王劉邦は諸侯王の推戴を受諾するかたちで皇帝に即位したのであるから、侯王制ははじめから前提であったとも言える。

皇帝に即位するや、劉邦は一四三人の功臣を列侯に封じた。列侯には一県を単位とする封邑（領土）が与えられた。列侯の上には王があり、身分も封土の広さも雲泥の差がある。王の封土（領土）は、数郡何十県に及ぶものがあった。なお、中国の地方単位では、数（十）県が集まって郡となる。日本とは反対に、郡は県の上である。

高祖劉邦が天下を取れたのも功臣の働きがあればこそ、である。

高祖は、功臣や近親を次々と侯や王に封じたので、皇帝の直轄地は一五郡だけになってしまった。これに対し諸王の封土は三〇余郡にも及ぶ。

漢は、皇帝の直轄地には郡県制を敷いて、中央から官僚を派遣して治めさせた。

侯や王の封土は「国」と呼ばれ、国内の統治権は諸侯王に掌握されていた。その統治権は、周代の諸侯とはちがって、皇帝権に規制されていた。

が、諸王は広大な封土を領有していたので、時とともに王国の独立化を促し、中央政府への反抗の気運もたかまってきた。巨大な諸王の勢力が中央政府を脅かすほど強くなってきたのである。

このことの対策を論じたのが賈誼*である。

賈誼は、文帝*に、「諸侯（王）のうちに数郡をも領する者があるのは、古の制度に反するから、だんだん領土を削るのがよい」と上申した。また、「この事から患いが起こるであろう」とも言った（『史記』「屈原賈生列伝第二四」）。

「巨大な諸王が漢に反抗するであろう」ということを論ずるに際して、政治力学的に論じないで、古の例を引いてきていることに注意されたい。いや、中国古代史は、政治力学（political dynamics）のこよなきテクストでもある。だから、中国人が政治問題を論ずるときには、古を引照することを好むのである。また、そのことが他の中国人にとっても説得的である。

しかし、文帝は賈誼に説得されず、「諸侯（王）の領土を削る」政策は実行されなかった。

この政策を断行したのは鼂錯である。

文帝が崩じ、その子の景帝が即位するや、景帝は鼂錯*を重く用いて、諸王領土削減政策を決行した。中央に反抗して、呉王劉濞*をリーダーとする呉楚七国（呉と楚のほか、趙、膠西、膠東、菑川、済南）が兵をあげたのもまた素早かった。

有力な七王国の反乱は、漢朝にとっても危急存亡の秋であった。当初は勝敗の行方も知れぬほど反乱軍の勢力は強大であったが、漢は名将周亜夫*を総指揮官として三カ月で平定した。呉楚七国の乱後、王による王国統治は有名無実化、皇帝の支配は全国におよび、漢は実質的に中央集権国家となった。

雨降って地固まるの喩えのように、漢の中央集権制は呉楚七国の乱によって初めて完成をみた。結果的に漢朝への貢献は大きかったのである。

しかし、呉楚七国の乱は、歴史家に痛烈な印象を与えた。——あの大漢が、あわや滅びそうになった。封ぜられた王が、強大な力をもてば、皇帝が危うくなる。兄弟や近親でも、有力な王は皇帝の脅威となる。

賈誼や鼂錯が、古を鏡として強調し予言したことではあるが、呉楚七国の乱として実現されることによって歴史法則（政治法則）として定立された。

「歴史は繰り返す」というが、この法則の応用例として有名なのが、晋の八王の乱である。

『三国志』の曹操の魏（曹丕*が漢を簒奪）は、司馬炎*（司馬懿*の孫）によって簒奪されて晋となった。司馬炎を晋の武帝という。

武帝の次の恵帝*は暗愚であった。皇后の言いなりになって政治が乱れた。そのときすでに、魏は蜀を滅ぼしていたが、晋は呉も滅ぼして天下を統一した。

晋の武帝もまた近親者を諸王に封じ、有力な王が多かった。これらの有力な王のなかでも、とくに強力な八王が政権奪取をねらって、しばしば乱を起こした。これを八王の乱*と呼ぶ。この乱によって、せっかく統一した晋の天下も乱れに乱れた。

呉楚七国の乱で漢の天下は固まったのであったが、八王の乱で、晋の天下は箍が外れてしまった。ほどなく晋（西晋）は滅んだのである。

＊賈誼（前二〇〇～一六八年）前漢の政治家。文帝のとき重任され、儒教と五行説に基づく制度の実施を建策するも中傷にあい諸王の太傅に左遷。
＊漢文帝（前二〇二～一五七年）前漢第五代の皇帝。外戚呂氏の乱後即位。消極政策を採り治世を演出したが内には諸王の勢力拡大、外には匈奴の侵入など、次代の課題が山積していった。
＊鼂錯（？～前一五四年）前漢の政治家。景帝のとき諸侯勢力抑制のため領地削減などの政策を採り、呉楚七国の乱を誘発。その鎮静化のため讒言により処刑された。

＊劉濞（?～前一五四年）　前漢の諸侯。高祖の兄・劉仲の子。呉王に封じられていたが、中央の諸侯削減策を知り、周辺諸侯と共に挙兵、呉楚七国の乱を主導したが、敗走先で暗殺される。

＊周亜夫（?～前一四三年）　前漢の武将、政治家。建国の功臣、周勃の子。匈奴の防衛に功あり、呉楚七国の乱も鎮圧し丞相に昇進した。

＊曹丕（一八七～二二六年）　三国魏の初代皇帝、文帝。字は子桓。父曹操の死後の二二〇年、後漢の献帝より禅譲を受け、魏を建国。九品官人法など法術主義的政治を行うと共に、文人としても多くの佳作を残した。

＊司馬炎（二三六～九〇年）　西晋の初代皇帝、武帝。字は安世。魏の武将司馬昭の子、司馬懿の孫。二六五年、魏より禅譲を受け晋を建国。二八〇年、呉を征服し三国時代に完全に終止符を打つ。占田課田法、戸調式税制などを制定し国政確立に努めたが、一方で貴族らの奢侈、蓄銭の風潮を生み、綱紀の紊乱、皇族、外戚の跳梁の遠因を作った。

＊司馬懿（一七九～二五一年）　三国魏の武将。字は仲達。孫の司馬炎が晋建国後、宣帝と諡された。曹操に仕え、魏の重臣として活躍。大将軍として対蜀戦を指揮、諸葛亮の北伐をたびたび撃退するも、「死せる孔明、生ける仲達を走らす」の故事を残す。二代明帝の死後、皇族の力を排し、朝政を司馬一族で独占した。

＊晋恵帝（?～?）　西晋の第二代皇帝、司馬衷。字は正度。武帝の次子で性暗愚。皇后賈后に政治を蹂躙され、朝廷は混乱、八王の乱を招く原因となり、自身は一族の実力者で、賈后を暗殺した司馬倫に帝位を奪われた。

＊八王の乱　西晋の内乱。皇族を要地の王に封じ兵権を与えていたため、諸王ら、外戚の勢力争いが激化。恵帝の時に帝位を簒奪した司馬倫に始まり、一族が次々と政権を蹂躙、司馬越

による恵帝洛陽帰還をもって一応の終結を見たが、国力衰微、匈奴・鮮卑の台頭を招き、五胡十六国の混乱を引き起こすことになった。

●歴史は繰り返す

ここで、中国人の史観を理解するための絶好のサンプルである、明代の「靖難の変」前における方孝孺ら儒者たちの議論に戻る。

方孝孺、斉泰、黄子澄などの儒者は、漢の呉楚七国の乱、晋の八王の乱を思い出した。強大な王の存在は皇帝にとって脅威である。いつ反乱を起こすかわかったものではない。脅威を除くために、早く領土、兵力を削減しなければならない。

明の太祖朱元璋が崩じたのが一三九八年であるから、漢、晋の乱からずいぶんと時間もたっている。しかし、方孝孺は、賈誼、鼂錯などと同様な意見を抱いたのであった。

何千年の昔も今も、歴史を貫く法則は同じ。——このことである。

「一〇〇〇年以上もたてば、制度文物は一変しているのだから、当然、社会ではたらく法則も一変している筈である」

中国人はこうは考えないのである。**歴史を貫く法則は不変**であると考える。

但し、太祖朱元璋は例外であった。彼は、法律を整備し（一三九七年に大明律を公布した）、官僚制を完璧にし、統治システムは漢や晋などと比べ格段の完成度を誇っていた。

太祖が強大な塞王を封じたとき、儒者は呉楚七国の乱などを引き合いに出して反対した。太祖洪武帝は、従来の諸王朝とはちがってわが統治システムは絶対であるのにいらん口出しをするのはけしからん、骨肉の情を裂くものである、として儒者を斬罪にした。

この太祖洪武帝が崩じた後即位した建文帝を支える方孝孺、斉泰などの学者グループは、歴史を分析して、前漢景帝の時に似ていると判断、諸王勢力の削減が建文帝政府の方針となった。周王朱橚、斉王朱榑、代王朱桂、湘王朱柏、岷王朱楩……と矢継ぎ早に諸王が廃された。めざすは燕王朱棣であるが、棣はこれを察して一三九九年、先手をうって兵を挙げた。挙兵のスローガンは「靖　難」、すなわち建文帝を誤らせた君側の奸・斉泰、黄子澄を除くにあるというのであった。

四年にわたる戦いの後、燕王棣は勝って都南京（当時）を占領して帝位についた。成祖永楽帝である。建文帝は行方不明となった。

方孝孺はじめ儒者の歴史分析は正鵠を射たものであり、予言は的中した。これを「靖難の変」、もしくは「靖難の役」という。この一事だけで中国人の史観を理解するのに十分であろう。

●反復に反復を繰り返す中国史

本書では、歴史から中国人の基本的行動様式（ethos）を抽出することで、中国人を理解しようと努めている。そのため、歴史が中国人にとっていかに大切なものかを縷々述べてきたが、読者は次のような疑問をお持ちかもしれない。

「確かに昔の中国人にとって、歴史は最重要物だったかもしれないが、現在の中国人はそんなに歴史に関心がないのではないか。従って歴史からエトスを抽出するという手法はもはや有効性がないのではないか」

著者の答え。

中国史の勉強は今でも、中国人の基本的行動様式を抽出するためのベストな方法である。いかなる調査よりも、いかなる体験談よりも、はるかに有効であり、比較を絶して有効な方法なのである。

基本的行動様式を抽出するための調査は未だない。また、体験談は一面的であり、これを理論化することは困難である。

体験談といっても、体験者が科学的訓練を受けたことのない人の場合には、「体験談」はデータとして使用し得ないのである。例えば、かの人類学（anthropology）。初期の「人類学」は、旅行者やら宣教師やら軍人などの体験談の上に作られていた。が、これらの体験者は科学的訓練を受けていなかったから、かかる「人類学」は学問とは言えず、どこまで信頼できるか判然としないものがあった。人類学が一つの科学となったのは、マリノフスキー、ラドクリフ・ブラウン*の努力による。マリノフスキーは、物理学を手本にして人類学における科学的方法を樹立した。また、ラドクリフ・ブラウンは、デュルケム*の社会学的方法を応用した。

人類学を例にしても明白なように、**科学的調査法を欠いた体験談はデータとはなり得ない。**

本書では、マックス・ウェーバーを祖とする**比較歴史学的方法を用いる。**

幸い、中国史は比較歴史学的データとして十分使用に耐え得る理由がある。

その理由はと言うと、一つには、中国史の記述は驚くほど**正確**であるからである。

もう一つの理由は、中国史は**反復に反復を繰り返す**からである。

このことは、「中国史では法則は変わらない」「歴史は繰り返す」ということの系(コロラリー)(corollary 必然の結果)でもあるが、「繰り返されるところに法則あり」という近代科学のスローガンでもある。科学者は追実験で同じ結果を得たときに、法則は発見された(確認された)とする。同じことが繰り返されたゆえに、前の実験と追実験とでは、同じ法則が作動していることが確認されたからである。

前の実験と追実験とで結果がちがえば、めざす法則は発見されたとは言えない。法則が変わったのかもしれないし、それ(科学者が法則だと思い込んだ仮説)は、そもそも、法則なんかではなかったのかもしれない。これほどまでに、法則発見のためには、繰り返しが重要である。

しかし、歴史書においても、同様な事件（イーヴェント）の繰り返しが、そうも頻繁（ひんぱん）に行われるとも限らない。

「歴史における事件には、それぞれ固有の意味があるのであって、同一事件は二度とは起きない」という考え方もあるが、この史観では、歴史から社会（に働く）法則を求めることは困難、いや、不可能であろう。

＊マリノフスキー（Bronislaw Kasper Malinowski　一八八四〜一九四二年）　イギリスの文化人類学者。ポーランドに生まれ、民族学を志しロンドンに学ぶ。文化発達の考察に機能主義の方法を開き、心理学的観点を導入。ラドクリフ・ブラウンと共にイギリス人類学の創始者とも言われる。

＊ラドクリフ・ブラウン（Alfred Reginald Radcliffe-Brown　一八八一〜一九五五年）　イギリスの社会人類学者。王立人類学協会会長を務め、文化を社会生活が共同性を保持するための適応機構と考え、社会構造からの説明に務め、「文化人類学」に対して「社会人類学」を提唱した。

＊デュルケム（Emile Durkheim　一八五八〜一九一七年）　フランスの社会学者、教育学者。社会的事実を個人の心理や意識を超越した存在として捉えるべきとする社会学主義を提唱した。

●持続の帝国かくのごとし

ヘーゲル＊の世界史は、世界精神の展開過程であり、それは、東洋的世界に始まり、ギリシヤ、ローマ世界を経てゲルマン世界で完結する。各時代において世界精神を担った民族の興亡こそが世界史の内容である。

世界史は、こう展開するべき筈なのに中国史はどうか。

革命（易姓革命）によって王朝が倒れても、その後には全く同型（isomorphic）な王朝が成立して、全く同じような政治を行う。呆れはててヘーゲルは、「かかる没落は決して真実の没落ではない」と言った（『歴史哲学緒論』G. W. F. Hegel, Die Venunft in der Geschichte, Lasson, dritte Aufl., S 253　丸山眞男『日本政治思想史研究』東京大学出版会）。

いかにもそのとおり。中国の革命は社会革命ではない。社会構造も社会組織も規範も変化しない。法律も本質的には変わらない。制度革命ですらない。統治機構も階層構成もほとんど変わらない（ギリシャ、ローマ、ゲルマン社会などと比べての話ではあるが）。

革命によって変わるのは、天子の姓である（姒→子→姫→嬴→劉→王→劉→曹（魏を正統とすれば）→司馬→……→楊→李→……→朱→愛新覚羅など）。ゆえに易姓革命。

ヘーゲルは続ける。革命によって前王朝が没落してもそれは真実の没落ではない。その理由は、「けだしかうした一切の止むことなき変化をつうじてなんら進歩が行はれてゐないからである」（同右）。

ヘーゲル史観もマルクス史観も進歩史観である。が、中国史観は進歩史観ではない。中国は、現象はうつり変わっても、その本質はなんら変わることはない。年々歳々、ひと同じからず。
年々歳々、法則あい似たり。いや、あい似たり、ではない。全く同じなのである。
ヘーゲルは結論づける。

それは持続の帝国（Ein Reich der Dauer）である。
いいかえればそれは己(おの)れを己(おの)れ自身から変化させることができない。　（同右）

持続の帝国(アイン・ライヒ・デル・ダウエル)であるから、いつまでたっても、同じようなことばかりが起きる。反復、反復、また反復である。いつまでたっても、繰り返しである。

このことは中国の偉大な歴史家といえども痛感してうんざりしている。

黄宗羲(こうそうぎ)*といえば近代中国の代表的学者として知られている。歴史家であり思想家・考証学(こうしょうがく)の祖として学説史上不動の地位を占めている。

それほどの大学者の黄宗羲(こうそうぎ)が、あるとき、正史をかたっぱしから読破してみようと思い立った（安能努(あのつとむ)『中華帝国志（上）』講談社文庫）。彼ほどの歴史家が、未(ま)だ正史さえ読み通していないとはおどろきだが、碩学(せきがく)（大学者）にとってさえ、中国の正史を読み通すということは、やはり難事であるとの告白か。

黄宗羲大先生は、正史を読破しようと決意した。もちろん、司馬遷の『史記』からスタートする。『史記』は文学作品としても最高に面白いことでも定評がある。

中国の歴史書は、時代を下るにつれて面白くなくなり、『漢書』はいいが、まあ面白いのは、それに『三国志』『後漢書』くらいまでである。『五代史』『宋書』になると、資料価値はあるかもしれないが、砂を噛むよう。『唐書』ときた日には、出来ばえがあまりにわるい（旧唐書）ので、怒った欧陽脩が書き直したほどであった。『元史』は、あまりにも杜撰であったので、那珂通世博士は『支那通史』を編むにあたって『元史』を捨てて記述は宋で終わっている。『史記』は二五史一史稿（『清史』はまだ発行されていない）のなかでも断然、卓抜している。

そのうえ、その主内容たるや、中国の思想と活動が頂点に達した春秋戦国時代。それに秦の大統一と滅亡。所謂「楚漢軍談」（項羽と劉邦）。説客が一躍して首相に成る『太閤記』もどきがあれば、農民の子が皇帝に成る話さえある。理念は白熱し権謀術数し、面白くない筈がない。

この『史記』を、大歴史家黄宗羲先生は、ほぼ半年をかけて、予定どおり読み了えた。

その最後の一巻（第一三〇巻）を読み終わって彼は振り返る。感動は残ったがなにも覚えてはいなかった（同右）。

何故か。「無数に生起する『似たような事件』を整理することができず、記憶は混沌としている」（同右）からである。

つぎに彼は、班固＊の『漢書』を読んでみた。同じことであった。

黄宗羲は正史を読む試みを断念した。

正史を通読できないのならば、ダイジェストならどうか。

大学者として昔から日本でも有名な宋の司馬光＊が、宋の神宗＊の代に『資治通鑑』を編集した。戦国から五代にいたる一三六三年（前四〇三～後九六〇年）史で、ながく理想的な中国史ダイジェストとして、中国でも日本でも、人々にひろく読みつがれてきている（ウルトラ大）名著である。

司馬光は一九年の歳月をかけ、心血をそそいで、二九四巻からなる編年体の史書を書きあげた（同右）。もちろん、世紀の大傑作として世の絶賛を受けた。後日、御同輩を訪ね、そして書評を仰いだ。「ご立派でござる。恐れ入りました」と同僚も、さらに後輩も口を揃える。そして申し合わせたように、それに続く言葉を口にしなかった（同右）。

何故か。

いかに中国人が歴史を重視しようとも、「『資治通鑑』ほどもの浩瀚な大冊を繙くことは億劫このうえない。絶賛するだけで誰も読んではいない」のであった。

ただ一人彼の親友王勝之だけが読んでくれた。名誉ある例外であった。司馬光は忌憚のない批評を求めた。親友の腹蔵のない感想は、「うむ、たしかに読むには読んだ。だが実は、何が書かれていたか申し訳ないがまったく覚えていない」（同右）。

このように、苦心の理想的ダイジェストすらその内容は頭に入らないのである。

その理由は、「類似の事件」の「延々たる繰り返し」であるので、「記憶力の限界を破られ忍耐力を失う」（同右）からである。

このように、中国の歴史は偉大なる歴史家にとってすら難物なのである。

しかし、**科学者にとっては絶好のサンプルである。**

同型(アイソモーフィック)（isomorphic）、あるいは同型(ホメオモーフィック)（homeomorphic）に近い現象が続けて生起し続けるとき、そこに法則を発見し得るからである。

＊**ヘーゲル**（Georg Wilhelm Friedrich Hegel　一七七〇～一八三一年）ドイツの哲学者。フランス革命に理想的自由社会の到来を見出し、徹底した客観的観念論を展開。世界を絶対者の自己展開として捉え、絶対精神の自己外化、止揚の弁証法を説いた。近代ヨーロッパ最大の哲学者と呼ばれる。

＊**黄宗羲**（一六一〇～九五年）明末、清初の学者。字は太冲。明の滅亡後、清朝に抵抗し明の復興を目指すが失敗、学究の道に入る。朱子の理学に対して「気」を重視、陽明学の主観主義にも批判的で、客観的事実の優位性を尊重した。中国最初の学術史・思想史とも言われる『明儒学案』を編纂するなど、歴史的な観察を深め、清朝考証学の発展に寄与した。

＊**班固**（三二～九二年）後漢の歴史家。父・班彪の遺志を継ぎ、妹・班昭とともに『漢書』

を著したほか、『両都賦』など詞賦にも長ず。西域を冒険した班超は弟。
＊司馬光（一〇一九〜八六年）北宋の学者、政治家。字は君実。新法を推進した王安石に反対し、旧法党の中心として君臨。一時中央を追われるが、六五年英宗の命により『資治通鑑』の編纂に専念。二〇年近い歳月をかけ完成させた後、新帝の即位により宰相となり、新法をすべて廃すが、間もなく死去した。
＊宋神宗（一〇四八〜八五年）北宋の第六代皇帝。名は趙頊。遼、西夏による外圧、財政の逼迫などによる低迷期に即位。王安石を起用し財政を立て直すが、旧法党による王安石排斥が効を奏し、後半は親政を行う。官制改革、科挙制改正などの成果を上げた。

●共産革命にもかかわらず、歴史の法則は不変

社会科学に実験はできない。自然科学とはちがって社会科学の進歩がおそい所以である。

しかし、同型の事象が、続けてはてしなく生起してくれれば、実験をしなくても、実験をしたのときわめて類似性の高い条件が見出されるであろう。また、ウェーバー派の比較社会学（comparative sociology）の座標軸としても、中国史は絶好なのである。

このように、中国史というサンプルは、歴史家を不幸にするが、科学者をこのうえなく幸福にするのである。「類似の事件」が「延々と繰り返し」生起するが故に、そこに法則を発見し得るからである。

換言すれば、それはこういうことになる。

「類似の事件が連続して起こるのは、事件が実は『仕組まれた』もので、偶発的なものでなかったことを示している」（安能、前掲書）

「仕組まれた」ものとは、そこに定石（モデル）があるということである。定型（フォーム）があるということである。その「定石（モデル）」や「定型（フォーム）」を発見することが歴史における社会法則（政治法則、経済法則を含む）の発見にほかならない。

それであればこそ、**われわれは、中国史のなかに中国の本質を発見し得る**のである。**中国史は、如何（いか）なる調査よりも有効に、中国人の基本的行動様式（エトス）を教えてくれる**のである。

このさい、中国人が歴史をどう意識するのかは関係ない。中国人の歴史知識とも関係ないのである。**社会法則は、人間の意志や意識とは関係なく独立に動く**。このことは英国古典派によって発見され、マルクスはこれを人間疎外（エントフレムデュンク）（Entfremdung）と呼んだ。

たとえば、ジャガイモの価格は、これを作った人の意志とも所有者の意志とも関係なく独立に市場法則によって決定される。市場に命令してもどうしようもない。

天保（てんぽう）改革のときの水野忠邦＊や現在日本の大蔵官僚は、このことを理解しなかったので大失敗した。おろかにも彼らは、市場は役人の命令によって動くと錯覚したのである。

スターリンも、経済と社会は独裁官の命令で彼の意志どおりに動くのだと盲信した。これはどマルクスの学説に反することはないのに、スターリンも彼の後継者もここに気づかなかった。このマルクス誤解こそがソヴィエト帝国を崩壊させた。

社会は人間から形成されるが、社会法則は人間の意志や意識とは関係なく独立に動く。

この人間疎外（エントフレムデュンク）を理解することこそ、社会理解の急所である。

大切なことなので、念のために（誤解している人があまりにも多いので）例をもう一つ追加しておきたい。

失業は誰しも（政府も一般国民も）欲しないことであろう。しかし、失業はなくなれと命令したところで失業はなくなるものではない。失業の存在は、誰かの意志に依（よ）るものではなく経済法則による。

ケインズは、「失業は有効需要の不定による」と言った。古典派は、「（非自発的）失業はあり得ない」と言った。論争は果てしない。が、いずれにせよ、失業の存否は経済法則に依（よ）る。人間の意志や意識に依（よ）って失業が発生するのではない。ゆえに、失業をなくそうとすれば、正しい経済学の知識に依（よ）らなければならない。

それはあたかも、癌（がん）をなくそうとすれば正しい医学の知識によらなければならないということと同様である。癌（がん）がよくなれと命令したとて、どうなるものでもあるまい。

いや、それどころではない。間違った医学知識なんかで癌（がん）を「治そう」としたらどうか。ときには、こじらせてかえって悪化することだってあり得るではないか。経済もこれと同じ。

一九三〇年代の経済は、ケインズ経済学がピタリと適合する経済であった。

それなのに、多くの為政者（政治権力者）はこのことに気づかなかった。闇雲な政策で失業をなくそうとしたが、いっこうに効果がなかった。欧米デモクラシー諸国で共産革命が起きた国はなかったが、多くの国々がファシズム化した。

当時、失業をなくすのに成功したのはヒトラー*だけである。

空前絶後の有能な独裁官ヒトラーは、経済に総統命令を下したりはしなかった。ナポレオン*のごとく「生得の知識」（プラトン*のいう anamnesis）でケインズ経済学の本質を見抜いていたのであった。適切な財政政策と貨幣政策で失業をなくすべし、と。ヒトラーは、ピラミッドの造営などはしなかったがアウトバーン（高速自動車道路）を作ったり大軍拡をしたりして有効需要を激増させた。他方、シャハト*の巧妙な貨幣政策でインフレをおさえた。かくて、経済の武陵桃源（桃源郷のこと。陶淵明の『桃花源記』による）たるインフレなき好況を実現した。失業は救済された。ヒトラーこそ、「人間疎外」の意味を理解していた指導者であった。

このように、社会法則は、人間の意志や意識とは関係なく独立である。

この人間疎外を理解していれば、**現在の中国人から歴史の知識と興味が失われたとしても、**

中国史の法則は、依然として貫徹していると断言してもよかろう。

歴史法則は、フロイト*も研究しているように、人間の意志や意識よりも、ずっと深いところにある無意識によって決定されるものなのである（『人間モーセと一神教』など）。

フロイトの精神分析（psycho-analysis）は、元来個人を単位とするもので、民族を単位とする研究はその拡張であるという意見もある。が、著者は、民族単位の精神分析こそフロイト理論の本流であるとする（例：岸田秀氏も著者と同意見である）。

たとえば、アメリカの代表的社会学者タルコット・パースンス*は、四大社会学者の一人としてフロイトをあげている（あとの三人は、ウェーバー、デュルケム、パレートー*）。

フロイトの社会理論のエッセンスは、「歴史法則を決定する無意識は、きわめて根深くて、ほとんど不変である。表面に生起する諸事件とはかかわりなく、容易に変化しないものである」というにある。

フロイトの弟子（?）、ユングと社会学の始祖デュルケムとは、民族の集団無意識を重視する。

各個人に無意識があるがごとく、**民族などの集団にも無意識がある**。ゆえに、個人において幼児体験が決定的な意味をもつがごとく、民族においても、太古における「幼児体験」が決定的な意味をもつ。幼児体験は、強力な複合体（コムプレクス）（complex）となって無意識の底に盤踞（ばんきょ）していて、人間行動を規定する。民族行動もまた同じ。

このように考えれば、歴史を貫徹している社会法則は、滅多なことでは変わるものではない。ウェーバーも、人間の基本的行動様式は、滅多なことでは変わるものではないことを強調している。

人民革命や文化大革命にもかかわらず、毛沢東の教育にもかかわらず、**中国史を貫く社会法則は不変である**。こう考えるべきである。

「古を鏡とすれば興替を知るべし」とは、唐の太宗李世民のときに正しかったごとくに今も正しい。中国の本質を知るは歴史にあり。

個人体験は必ずしもアテにはならず、中国史は、いかなる調査にもまして中国を理解するための最良のサンプルである。

われわれは、この立場に立って中国の理解を深めていきたい。

＊水野忠邦（一七九四～一八五一年） 江戸後期の政治家。肥前唐津藩主に生まれ、後、遠江浜松へ転封。三四年、老中に就任。一二代将軍徳川家慶のとき天保の改革を断行、農村の復興、都市民の生活統制および物価政策に成果を上げるも、反発を招き、四三年罷免。

＊ヒトラー（Adolf Hitler 一八八九～一九四五年） ドイツの独裁者。一九年、国民社会主義的ドイツ労働者党（ナチス）を創立、二三年ミュンヘン一揆を主導。禁錮後、大衆運動に転換し、民族主義的社会的デマゴーグ活動により勢力伸長。三三年首相に就任、同年ナチス以外の

政党活動を禁止し、三四年、総統に就任。オーストリア、チェコスロバキアを併合し、第二次世界大戦に突入するが、戦局破綻。四五年ベルリンで自殺を遂げた、とされる。

＊ナポレオン（Napoléon Bonaparte　一七六九～一八二一年）　フランスの皇帝。コルシカの小貴族に生まれ、フランス革命軍砲兵士官として軍功をたて、司令官としてイタリア、エジプトに遠征。九九年、クーデターにより、執政政府を樹立し第一執政に就任、〇二年終身執政、〇四年皇帝。新憲法の制定、行政、司法改革、フランス銀行の設立など、近代フランスの基礎を作る。イギリス打倒を目指す大陸封鎖令、モスクワ遠征に失敗、諸国民の解放戦争の激化で国力衰退、一四年退位しエルバ島に流されるも翌年脱出、百日天下を実現するが、ワーテルローで敗退。セントヘレナ島に流され生涯を終える。

＊プラトン（前四二七～三四七年）　ギリシャの哲学者。ソクラテスに学び、アカデメイアを創立。研究と教育に生涯を捧げ、アリストテレスなどを育てる。「善のイデア」を最高の実在とする観念論的理想主義を唱え、哲学者の統治する国家を理想と考えた。

＊シャハト（Horace Greely Hjalmar Schacht　一八七七～一九七〇年）　ドイツの財政家。通貨改革に従事しドイツの第一次大戦後のインフレを終息させ、ドイツ銀行総裁に。ヒトラー政府を支持し経済相も務めるが、戦争経済策を巡りゲーリングと対立し引退。後ヒトラー暗殺計画に加担し投獄されるが、戦犯としては無罪判決を受けた。

＊フロイト（Sigmund Freud　一八五六～一九三九年）　オーストリアの精神病理学者。ナチスの迫害を受けロンドンへ亡命。精神分析学を体系づけ、基礎的理論を確立した。心理現象の動因は性欲であるとし、これが自我・超自我に抑圧されて無意識層に沈み、それと意識との葛藤により神経症が起こるとする彼の説は、社会科学、文学などに大きな影響を与えた。

＊タルコット・パースンス（Talcott Parsons　一九〇二～七九年）　アメリカの代表的社会学者。

ウェーバーの社会学をアメリカに導入し、米社会学の経験主義偏重を批判、理論と調査の総合をはかり、行為の一般理論を提唱した。

＊パレートー（Vilfredo Pareto　一八四八〜一九二三年）　イタリアの経済学者、社会学者。経済的均衡の数量化に努力し、力学をモデルとする方法を展開。社会理論もこれを応用し、いくつかの因子の均衡した社会体系が、この均衡の変化により社会変動をもたらすという、循環理論を創始した。

【第六章】

中国市場経済はどうなっているか

●民主・台湾に焦る独裁・中国

さて、中国市場経済の現状分析にうつる前に、中国を巡る国際情勢を整理しておこう。

一九九五年夏、台湾の李登輝（りとうき）総統の訪米問題のゴタゴタから米中関係は緊迫していった。七九年の米中復交後も、アメリカは、台湾を保護してきた。中国も、しばらくは、台湾を武力「解放」しようとする試みを放棄したかのごとき態度をとってきた。ところが最近になって中台間の緊張が進んで、米中間の緊張がにわかに高まってきたのであった。

台湾独立の可能性がほの見えてきたからである。

人民革命後、蔣介石（しょうかいせき）が台湾を占領して以来、台湾（中華民国）も大陸（中華人民共和国）も、みずからを唯一の中国政府としてきた。現状をストレートに是認して二つの中国を認めることは、両者ともに絶対に拒否してきた。

しかし、台湾の大躍進が、状況を根本的に変えてきた。

台湾経済の発展は知られている。一人当たりGNPは一万五〇〇〇ドル、大陸のそれの四〇倍近い。外貨準備高では九〇〇億ドル以上。日本に次いで世界第二位である。貿易総額では、人口六〇倍の大陸のそれにほぼ等しい。台湾はすでに巨大な資本輸出国で、アジアに対する投資は、日本に次いで第二位。ただし、ベトナムでは第一位。中国（大陸）では日本より上位である。

技術力も高く、台湾はすでに経済大国である。台湾は、経済発展の結果、先進国、経済大国まで行きついた範例として、いまや、発展途上国の手本となった。

こうなると、開放政策をごり押ししたために、急成長とインフレの板ばさみになって矛盾が噴出している中国（経済）にとっても、やはり、台湾経済はお手本。「台湾崇拝思想を克服せよ」と叫ばなければならないほど台湾の影響力は浸透してきた（中嶋嶺雄『台湾はこうなる』講談社）。

たとえば、広東省（カントン）や福建省（例：厦門（アモイ）経済特区）は、「外国資本、特に台湾資本の誘致に熱心であり」「台湾資本は特に重化学工業やハイテク産業を中心として進出」（同右）。それゆえ、福建省の将来は、「まさに台湾化以外にはありえないのであろう」（同右）。

すさまじい勢いではないか。

「儲けることはいいことだ。迷うな。開放政策を推進せよ」一九九二年二月の鄧小平（とうしょうへい）の南巡（なんじゅん）講話以来、市場経済は突進した。急成長と急インフレと。人々の生活は目に見えて（見掛けでは、か？）よくなっていったが、矛盾撞着（どうちゃく）はいたるところに山積した。この矛盾を解く答えが、「台湾に学べ」であったならば、中国の指導者にとって戦慄である。夢魔である。

ロシアの指導者がマルキシズムを棄て去ったのに対し、中国の指導者はマルクシズムを棄ててはいない。依然として、マルクス・レーニン主義を信奉していることになっている。マルクシズムの公式によると、「経済という下部構造が、社会のすべての上部構造を規定する」、つまり「経済が行くところへ全社会がついてゆく」「経済が全社会（政治も権力もイデオロギーも含めて）を決める」。

すなわち、「経済は台湾に学べ」とは「中国は、すべてを台湾に学べ」ということになる。経済の次には、自由とデモクラシー。「儲けることはいいことだ」の経済開放は、「自由にふるまうのはいいことだ」との社会開放に結びつく。

一九八七年以来、台湾から中国（大陸）を訪れる人の数は、のべ六五〇万人にも達した（同右）。これらの人々は、豊かで自由な台湾という生の情報をもっていくのである。

大陸の中国人の生活は急上昇しつつあるとはいうものの、まだまだ台湾の人々のそれに比べれば足もとにも及ばない。そのうえ、台湾には何ものにも替えがたい貴重な「自由」がある。

資本主義と近代法とリベラル・デモクラシーとは、三位一体。これらの三者のうち、どれか一つが不完全でも、他の二者も不完全になってしまう。三者が手を携えてというのでなければ、健やかな発育はできない。中国の市場経済（資本主義とまでは行きつかなくても）がある程度以上に発育すれば、法律も政治も今のままではやっていけなくなるのは、すでに目に見えている。

台湾のデモクラシー化は急速である。

一九九四年一二月、民進党（民主進歩党）の陳水扁候補が台北市長に当選した。選挙直後、李登輝総統は反対党の勝利に満足の意を表した（同右）。これで、台湾（中華民国）は独裁国ではないことが証明されたのである。

さらに九六年三月には台湾総統直接選挙が行われ、国民党・李登輝候補が圧勝した。敗れた民進党の彭敏明候補も、「民主主義を完成させたこの選挙の意義は大きい」と述べるにいたっている。

これに対し、中国（大陸）はいまだに一党独裁である。多党の存在なんかとんでもない。いや、それどころではない。近年、政府は民主活動家への弾圧をいっそう強めてきているではないか。自由を求めての運動が支持を集めている証拠である。

これがまた、クリントン政権［一九九三—二〇〇一］が台湾支援を強化している理由でもある。クリントンは就任以来、自由とデモクラシーの旗幟をますます鮮明にしてきている。政治的デモクラシーと市場の自由（資本主義）を守るためならばあえて武力の行使も辞さない、と。

台湾は自由市場（資本主義）の国であり、デモクラシーは確立しつつある。他方、中国は、自由市場を目指しているとはいうものの実際にはそこからほど遠い。デモクラシーはまだまだであり自由は不完全である。その大陸が台湾に攻めかかろうとしている。さかんにミサイルを撃ち込み、大規模の軍事演習を繰り返す。

アメリカは、「中国はまだ台湾征服のための軍事力はもっていない」と高を括るが中国もさる者。「軍事力はただのデモンストレーションではない。軍事力行使を否定はしない」なんて言って脅す。

右に論じてきたように、台湾の経済力とデモクラシーとが中国にとって脅威であるだけではない。

台湾独立の気運が、少しずつではあるが確実に熟しつつあるのである。

陳水扁が台北市長になって中国が気をもむのは、彼がデモクラシーのシンボルである（多党化の結果）という理由だけに依るのではない。氏の民進党の政策が台湾独立であるからである。デモクラシーの手続きによって、もし、民進党が政権をとったら――。中国の権力者は、そう思っただけでも身ぶるいすることであろう。

いや、陳水扁の民進党だけではない。

中国は、李登輝総統もまた「かくれ独立派」と思い込んでいるふしがある。いや、確実にそう思っているにちがいない。

台湾の第三代総統李登輝は、初代蔣介石、二代蔣経国とはちがうのである。初代、二代総統は、中国からわたってきた人で台湾人ではない。大陸人なのである。李登輝氏は、生まれながらの台湾人である。ところが中国（大陸）では一度も中国（大陸）に居住したことのない李登輝総統を中国人とは認めない。

中国（中華人民共和国）は、中・長期的には、経済的・政治的・イデオロギー的に、台湾（中華民国）に併呑される勢いにある。

この勢いは、年々歳々、滔々たる大潮流となり、澎湃たる大気運となることは疑いをいれない。

だから、中国は焦りに焦る。大演習を繰り返し、ミサイルを射ち込み、台湾を恫喝する。

●中国市場制覇は一〇〇年来のアメリカの宿願

クリストファー米国務長官は中国の劉華秋外務次官と秘密会談を行ったが、会談後、同長官は、「われわれは、『重大な事態』という言葉を使った」と「ニューズ・ウィーク」の記者は語った。

これはたいへん。外交慣行上、「重大な事態（grave consequence）」とは戦争を意味する。だから、外交官は〝ＧＲＡＶＥ〟という用語をなるべく使わないようにしないといけない。今は昔、戦前もずっと以前の話ではあるが、日本のある外交官が、アメリカで不用意にこの言葉を使ったために、たちまち追放されたという事件すらあった。

今回、「重大な事態」という言葉をあえて使ったと、人もあろうに米国務長官が明言したのである。いつ米中戦争が勃発しても不思議ではない。

それでいて、アメリカは、熱心に中国市場制覇を狙っているのである。

巨大な中国市場は、何人の予想よりもはるかに急速に拡大を続けていくので、市場としての魅力はさらに激増した。

クリントン政権にとって中国市場の開拓は死活問題でもある。早急に景気をよくし失業を減らさなければならない。これが至上命令である。先年、八八％の支持率を誇ったブッシュ大統領（当時）は景気後退の廉で一期かぎりで落選してしまったのではなかったか。その事実を思い出すだにおそろしいクリントン政権は、何がなんでも景気をよくしなければならない。そのためには、有効需要（effective demand）を大幅に増やさなければならないのであるが、アメリカ経済の成長率は低い。人口も中国の六分の一にすぎない。消費も投資も、大きく増える見込みはない。とすれば有効需要を大きく伸ばすことはできないのである。

ここで、クリントン政権にとって中国市場は決定的に重要になってくる。

中国市場制覇――。これこそ実に、アメリカの夢、宿願であり伝統的国策でもあり続けてきた。

一九世紀末から二〇世紀初頭にかけて、アメリカ合衆国は、国是としてきたモンロー主義をかなぐり棄てて、門戸開放主義を国策とするようになってきた。「門戸開放主義」というと聞こえはいいけれど、その実体は中国市場の制覇である。

アヘン戦争（一八四〇～四二年）を転機として、英仏はじめ帝国主義諸国の中国侵略は本格化した。フロンティアが消滅したアメリカも、帝国主義に乗りおくれまいと参加したということである。

大東亜戦争の原因も、究極的には中国市場征服という野望にあった。それが何より証拠には、大東亜戦争へ至る過程において「中国問題」を除いて、日米の対立点は何もなかったのではなかったか。

ひとたび中国問題が俎上にのぼるや、それまで親しげであった日米は、たちまちいがみ合うのである。

当時の日本は中国市場なくしては生きてゆけなかった。

米英経済の日本しめつけは年ごとにきびしくなる。そして、支那事変は泥沼へ。行きつく果ては日米戦争。

アメリカは戦争に勝ったけれども中国を失った。中国は共産化したので中国市場の制覇なんて夢のまた夢となってしまった。

しかし、一九八〇年代半ば、鄧小平による「社会主義市場経済」路線への転換によって状況は一変したのであった。

中国は急速に経済成長をとげ、大きな需要が生まれた。一九八九年六月四日の天安門事件によって急成長はケチをつけられたかと思われたが、急成長はとどまるところを知らない。

一九九二年二月の南巡(なんじゅん)講話以来、市場経済は爆発的となった。「迷うな。儲けることはいいことだ」。空気は一変し、誰もが自由に儲けるようになった。

北京(ペキン)市でも副業自由の通達が出された。華南の諸都市では副業は自由ではあったが、保守主義の北京(ペキン)でさえも副業は自由化された。かくて、たいがいの中国人は、役人も含めて、公然と副業ができるようになった。副収入のほうが正規の収入より多いなどということは珍しくない。

中国人の可処分所得(消費に使えるお金)は(正規の)収入をずっと上まわることが多い。「月給より消費が多い」なんていうことは日米では異常だけど中国では普通である。中国人は見掛けよりもずっと購買力があるのである。中国人の消費は鰻上りとなった。巨大な消費市場である中国。ここに、欧米企業は目をつけた。

「対中投資」というと日本人はとかく、「安い労働力の供給源」ということだけに注意が集中しがちであるが、消費にももう少し注目してよいのではないかと思われる。

●中国投資新時代の展望

さて、中国投資新時代はすでに到来していると言えるのだが、これまで縷説した要諦、そして現状を鑑み中国市場を分析していこう。

中国に関する情報は、不足していて困るというよりは、多すぎて困る。とくに困るのは、矛盾したデータが多すぎることである。

問題は、これらのデータをどう解釈するか、である。

いまの日本人、とくに企業がいちばん関心がある、中国に投資するべきかどうかという問題にも正反対の意見がある。

対中投資について、ある人は言う。

「ドブに捨てても惜しくない金額」だけを投資すべきです。

（浅井隆『チャイナ・プロブレム』徳間書店）

すなわち、「投資したカネがまったく返ってこなくても、『中国のためになればそれでいいんだ。アッハハ……』と笑えるくらいの人だけが、いま中国に投資すべきでしょう」（同右）。

他方、一九九三年から九四年にかけて、日本のマスコミは円高を背景として中国投資ブームをあおり、中国へ進出しない企業は時代に乗り遅れるかのような印象さえ創り出された（同右）。その後、アメリカ資本や華僑（かきょう）資本が足踏みしたこともあって、中国投資は水をさされた感もなくもない。

が、九五年末になっても中国投資の有利さを強調し、推奨する意見もある。

「『どうしてもの投資であれば、中国に投下すれば三〇倍の効果があるんですよ』と、人件費の安さや建築費の安さを例にとり、それらがコストに跳ね返る日中の投資効率の違いを説明した」（露木孝夫『中国は日本に勝つ』ＴＢＳブリタニカ）

この人は、例えば中国人技術者の月収一万円は日本人のそれの四〇分の一であるから、工業製品の価格は一〇分の一になる場合をあげて、中国における投資が如何（いか）に有利であるかを論ずる。人件費がどんなに安くても、労働力の質がわるければどうしようもあるまい。この人はこの疑問に答えて言う。「この中国とは現在ただいまの中国のことであって、六、七年前の中国ではないのである。……中国は瞬（また）く間であるこの六、七年にすさまじいまでの変貌をとげたのである」（同右）。

労働力の質は向上した。怠け者の労働者はよく働くようになった。衛生観念も向上した。教育も普及し技術は進歩した——。

はたしてそうか。それとも、現代中国は依然として本質的には変わらないのか。中国は旧(きゅう)阿蒙(あもう)［昔のままで進歩のない人物］ではないのか。本質的には元の木阿彌(もくあみ)にもどってしまうのか。

これらのことを徹底的に分析するために、今まで準備した枠組を用いたい。

ここではまず、中国投資は無駄(むだ)か有効か。不利か有利か。中国投資はなすべきか、なさざるべきか。はたして、「たとえ一円でも、ドブに捨てる気はないという人は、いま中国に投資する資格はない」のかどうか。

いや、「ドブに捨てる気」になっても、投資せざるを得ない企業もある。

たとえば、東海鍛造(たんぞう)。

「うちの鍛造(たんぞう)作業員の平均年齢は五〇歳。作業者不足、後継者難で、もはや日本では技能を必要とする鍛造(たんぞう)業は廃(すた)れていく一方」「これらの技術を伝え、残せるのは中国しかない」（週刊ダイヤモンド特別取材班『成長の中国へ——最後の巨大市場に挑む日本企業——』ダイヤモンド社）。

日本ではどうしても、労働者が見つからず、仕事が続けられない。この理由により、東海鍛造は九〇年九月無錫(むしゃく)に中国と合弁会社を作った。

このような例は枚挙にいとまがない。日本には人がいないのである。

日本国内では人手不足のため、中小の縫製工場の廃業が続いている。「もはや日本では縫製をやる人がいない」。

ミドリ安全は、広東(カントン)省の省都・広州(こうしゅう)（人口六二九万）にメイン工場を作った。材料の生地の七〇％は日本から仕入れ、完成品にして九九％を日本に送り返している（同右）。

いやこれは、縫製だけではない。

日本を支えてきた中小企業が絶壁の前に立たせられているのである。

こうなるともう、お金を「ドブに捨てる覚悟をして」でも海外投資をせざるを得ない。投資するに足る強力なパワーを持つ国として、中国は依然、大いなる魅力を持っている。

●熱気は経済の大敵

さてそれでは、現在の中国はいかなる状態にあるのか。どうとらえていけばよいのか。

まずはもう少しわかり易く印象的なことから考察をスタートしようと思う。

中国に投資しようという人たちは、経済特区などを視察して、一年も経たないうちにガラリと変わっていることに驚き、

「ちょっと前までは、中国というと二〇〇〇年経ってもほとんど変わらないと思われていたのに、これほどまでに素早く変化しているとは、まことに素晴らしい」

と、異口同音に語り、目を見張る。

経済特区の見事な変貌ぶりというのは、たしかに事実。例えば一九七九年後半に、初めて広東省にできた経済特区の一つである深圳は、一四年間で人口三〇〇万人の一大経済都市へと発展した。これはほんの一例。どの経済特区でも今では高層ビルが林立し、東京などよりも立派な感じさえする。

「中国人のものすごいエネルギーに圧倒される」という声もしばしば耳にする。

あっというまに高速道路が出現する。このまえ行ったときには北京の街は自転車の大群が走っていたのに、こんど行ってみるとタクシーの大群が疾走していた。平成の初めには、中国のモータ－ライゼーションはいつの日のことかと思われていたのに、今では田舎の町でもベンツやレクサスが大人気。化粧品をはじめ高級品ほど人気があるとか。人民服の紅衛兵が横行闊歩していたのは何年前、いや何世紀前であったか。

九六年三月に開かれた全国人民代表大会（全人代）では、九一～九五年にわたる第八次五カ年計画のＧＮＰの伸び率が年平均一二％であったことが報告され、これでは過熱しすぎると、今後は八％に落としたいとか。八％でも、目の回りそうな高度成長ではないか。

中国経済を見て、たいがいの日本人は、「熱気に当てられた」と言う。たしかに、当てられよう。しかし、当てられるほどの熱気があれば経済発展は健全なのだろうか。

例えば、かの「大躍進運動」、「文化大革命」＊の熱気のすさまじさときたら。今でもご記憶の方もおいでであろう。

しかし、今となっては、「文化大革命」が中国経済に致命傷に近い重傷を与えたことは周知の事実。中国経済はメチャメチャになり、餓死者すら出した。「文化大革命」は、むしろ、経済にとって熱気がいかにおそろしいものかを立証（demonstrate）した格好である。このことは「大躍進運動」も同様。

これらの諸例からも知られるように、経済にとって、げにおそろしきは熱気かな。

このものすごいエネルギーにもかかわらず、現在の中国経済には、実に問題が多い。帮や宗族などの中国独特の人間結合の存在や、法家の思想などから来る基本的行動様式の差異はこれまでに詳説した。いずれも中国の近代的（資本主義的）発展を抑制している事項ではあるが、その作用が現実の経済学的諸要件にどう影響を与えているのかを検証してみよう。

＊大躍進運動　一九五八～六一年に毛沢東の提唱で展開された大衆運動による経済建設運動。理念が先行し、災害、ソ連の援助引き上げなどもあり失敗した。

＊文化大革命　一九六六年に始まった中国の政治、文化、思想闘争。「造反有理」をスローガンに旧弊の一掃を主張、実権派の劉少奇を失脚に追い込んだ。その極左的傾向は四人組の専横などの弊害を生み、周恩来、毛沢東の死後の七七年、終了が宣言され、八一年、「文革は毛沢東の重大な誤り」との歴史決議が採択された。

●本当に「市場経済」へと向かっているのか

まず、中国経済とは何か。その実態は。本質は。

ビルがたくさん建ったり高速道路ができたことに目を奪われて、経済成長がものすごいと考えるのはあまりにも浅薄で危険きわまりない。日本のバブル時代を思い返しても明らかなように、不動産投資ほど危険なものはないのである。ビルがたくさん建ったからといって、それを借りる人がいなくなればどうなるか。いったい、誰に何の目的で使わせるために、これだけ多くのビルを建てているのかということを調べる必要がある。

今の中国の経済体制は、社会主義的市場経済であると言われている。これは中国側が、イデオロギー的にそのように言っているだけのことであって、簡単に言えば、「資本主義になりたがっている」ということ。資本主義という言葉を使えないので社会主義的市場経済と言っているだけのことであろう。

では、中国は、いうところの「社会主義的市場経済」、すなわち資本主義経済へと、本当に向かっているのか。日本からはいろんな人が中国を視察に行っているが、この点に関しては、ほとんどまともな調査をしてはいない。

私が初めて中国に行ったのは、今から一七～一八年前［一九八〇年代末］のこと。そのときまず何を調べたかというと、中学校から大学院までの数学と物理学および経済学の教科書を見たのである。近年訪れた折りも中国の外務省の人がびっくりするほどたくさんの教科書を買い集めた。

その教科書をすべて読んでみたところ、数学と物理学の教科書に関しては非常によくなっていると言える。中学校から数学と物理をきちんと教えているということは、教師の質にもよるであろうが、技術分野に関しては望みがあることを示している。経済学については、一七〜一八年前よりはかなりよくはなったが、まだまだと言わねばなるまい。

このように教科書から見ても、数学や物理学と経済学との水準がアンバランスであるわけだが、これは実際の現代中国にも当てはまる。現在の中国では、マーケットメカニズム（market mechanism）が、まだ十分には機能してはいない。

マーケットメカニズムが本当に機能しているのかどうかは、「完全競争（perfect competition）」が行われているかどうかという観点から計測することができる。「完全競争」が十分に行われていれば、「一物一価の法則（one price for one goods）」が成立する。別な表現を使うと、「定価」が存在することになるのである。

「完全競争」というのは、もちろん一つの理念型（Ideal Typus）だが、現実を分析するための方法として重要なのである。

それにしても、「完全競争」という用語は、一般にあまりなじまないかもしれないので、本稿では、「自由競争」という言葉で「完全競争」を意味することにする。

ところで、日本の百貨店では、三越がいちばん威張っているが、これには理由がある。日本の百貨店で、いちばん最初に定価をつけたのは三越（越後屋）なのである。定価がついてはじめて近代資本主義社会になるわけであり、少なくとも定価がつかないようでは前資本主義段階と呼ばれても仕方がない。であるから、三越は日本の資本主義の元祖ともいえる百貨店だ。

定価について敷衍（ふえん）すると、日本では、徳川幕府の時代にはまだ一般には定価などはない（確立していない）。明治になっても、まだない。昭和初期ともなると、もう定価があってもよさそうなものだが、実はまだない市場もあった。これは、当時よく行われていた「バナナの叩き売り」を思い出してもらえば明らか。バナナに定価がついていなかったからこそ、叩き売りができた。また、当時は、古本屋でも値切ったものである。

店の側、売るほうとしては、相手の面構えや態度、その他特殊な人間関係などによって、そのつど売り値を決めていた。第二章で述べた情誼のような格好である。どのような人であれ、決まった価格で売るという定価販売をしていなかった。

●「一物一価の法則」がまだ成立していない

湾岸戦争のとき、中近東に長く住んでいた人たちが、一斉にそのときの体験談を発表し始めた。湾岸戦争を契機として一種の中近東ブームが起きたようだ。

それを読むと、中近東のほうには価格などあってないようなものであったことがわかる。面白かったのは、それをもって「アラブの特徴」であるかのように書いてあったことだが、これは前資本主義の特徴であってアラブの特徴ではない。日本においても、資本主義が未熟であったときには、たとえ「価格」がついていたにせよ、それはないも同然であった。

インドには今でも定価はない。欧米諸国においても、ドイツやアメリカには定価があるが、イタリアの定価はというと、これはかなりいい加減。私も実際に経験したことがある。靴を買ったのだが、ちょっと目を離したすきに正札を付け替えられてしまった。イタリアというのは、あれだけ才能のある人たちを輩出している国ではあるのだが、客の目を盗んで正札を付け替えるようなことが罷り通っているために、ドイツやアメリカに経済の面ではとても太刀打ちできはしない。イタリア経済がうまくいかない根本的な理由はそこにあるとも言える。

イタリアでは、同じ商品に対してたくさんのお金を支払わせるために正札を付け替えられたわけだが、これで、イタリアは「一物一価の法則」*が貫徹していないことがわかった。「定価」がないのだから、イタリア資本主義は不完全である。これが、イタリア人が天才的才能を有しつつも、イタリア経済が、日本、ドイツ、アメリカなんかに大きく水をあけられ、張出し先進国に堕した理由。

トルコ資本主義となるとイタリアと比べてもずっと未熟である。「一物一価の法則が貫徹していない」どころではなく、原則として定価は「ない」と言ったほうがよいであろう。

定価はなくて、売買のときの値段は、人間関係、状況、印象（この客はお金を持っていそうだとかの）、取引交渉（バーゲイニング）などによって決まる。油断していると、べらぼうな価格をふっかけられてとんでもなくふんだくられることだってある。筆者も、少なからず体験済みなのだが。

しかしこれは、文句を言うのが間違いであることに気づいた。これは詐欺でも不公正取引でもない。定価がないのだからまったく正当な行為であり、またトルコ人が、がめついわけでもない。

これとは反対の経験もした。黒海沿岸のトルコ側のレストランに入ったとき、そこにトルコ共和国建国の父とも言える英雄ケマル－アタチュルク＊の肖像画が飾られていた。「トルコに行ったら、とにかくケマル－アタチュルクを褒（ほ）めちぎるに限る」という話を聞いていたので、シードル（リンゴからつくる発泡酒）を飲みながら、これを盛んに褒（ほ）めちぎった。そうしたところ、亭主がたいへん喜んで、シードルを無料にしてくれたのである。好意には今も感謝しているのだが、これもまた「一物一価」が成立していない例と言えよう。

さて、中国である。国立工芸美術館なるところに行ったのだが、そこでは中国浙江（せっこう）省産の印材で、赤く美しい斑点をもつ鶏血石（蠟石の一種）の印鑑を販売していた。驚いたのはその印鑑の価格。最初は一二万円といっていたのが、交渉をしていくうちに五〇〇〇円にまで値を下げた。

また、上海には日本資本のデパートがあって、ここで物を買うことはたいへんなステータスであるようだ。デパートだから値切ったりできないかというとそうでもない。日本円にして八万円ほどする鞄があったのだが、目の前でこれを五万円を切るまでに値切った人がいた。中国はいまだに一物一価の法則が成立しておらず、トルコやイタリアと同じということである。

今回も中国で講演を頼まれ、「中国経済がどれほど資本主義化しているかは、『一物一価の法則』が、中国経済においてどれぐらい貫徹しているかにかかっている。中国は社会主義的市場経済を目指しているといわれているが、市場経済という意味では実に未熟きわまりなくトルコ以下かもしれない」というような話をしたところ、中国の経済学者はたいへんよく納得し、こう言ってくれた。

「先生が指摘されたところによく気をつけて、中国の経済政策を実施するように、われわれも学者として政府に進言したい」

しかし、経済学者以外の人たちは、当然のことであるが、実に憮然たる面持ちであったのだ。

＊一物一価の法則　競争が完全であれば、特定時点の同一財の市場ではただ一つの価格しか成

立しえないということ。

＊ケマル＝アタチュルク（Kemal Atatürk　一八八一〜一九三八年）　本名はムスタファ・ケマル。アタチュルクは、「父なるトルコ人」の意の称号。トルコ共和国の創立者・初代大統領。第一次大戦後トルコ民族の独立を図るため民族解放軍を組織、二〇年、アンカラに革命政権を樹立、二三年に共和制を宣言した。国家資本主義の採用など、民族主義的改革を遂行した。

●自由競争で最も大切なことは破産である

「一物一価の法則」が成り立たないと、合理的生産計画および合理的消費計画が立てられない。そのときの状況や駆け引きのいかんによって定価が変わるようでは、目的合理的な計画など立てられず、能率が悪くなり、経済の力がぐっと下がることになる。

そこで、「一物一価の法則」の成立を資本主義への最初の関門であるとするならば、第二の関門は「破産」ということになる。この「破産」、すなわち「バンクラプトシィ（bankruptcy）」というのは、自由競争においては極めて大事なことであり、「バンクラプトシィ」がなければ、自由競争のよいところがまったく発揮できないといっても過言ではない。

簡単な例としては、たとえば日本の大学教授。日本の大学の講義が世界で最もつまらないのは、ひとたび教授になれば、よほどのことがないかぎり、辞めるということがないからだ。ほとんど研究らしい研究もせず、論文らしい論文を書かなくても、大学教授がクビになるということはない。企業で言うならば、どれほど赤字を出しても決して破産しない状況にあるのが日本の大学教授。自由競争によって磨き抜かれていくということがないのだ。

日本の銀行も、つい最近までの戦後半世紀のあいだ、一行たりとも「取りつけ騒ぎ」のあるような潰れ方をしていない。不良債権が山のように積み重なっても、決して潰れなかった。景気の足を引っ張っているのはそのような日本の銀行の体質にほかならず、おかげでこれだけ平成不況が長引いてしまい、その歪みは今度の住専問題のような大事になってしまっている。

このことは、アメリカと比べればよくわかるだろう。アメリカはわりあいに早く景気後退から立ち直ったのだが、その一つの理由は盛んに銀行を潰したからにほかならない。

アメリカは、八〇年代半ばまで、預金保険制度が銀行の面倒を見すぎた。これは、たとえ銀行自らが愚かな融資をしたせいで預金者の預金を保障できないような事態が生じたとしても、銀行保険基金（ＢＩＦ）がその銀行の預金を保障するという制度である。

アメリカは預金者の保護という観点からこの制度を導入していたのだが、そのうちに銀行がこの制度のうえにあぐらをかくようになってしまった。預金保険制度があるから、ということで、力以上の貸出しをするようになっていった。その結果、銀行が不良債権を山のように抱えて、アメリカ経済全体はおかしくなってしまった。

そこで、「これは愚かな制度である。これじゃいけない」ということで、アメリカはその後に、銀行がバタバタと潰れるような制度に変更した。そうしたところ、三分の一ほどの銀行が潰れることになったが、そのおかげでアメリカ経済が回復したのはご存じの通り。

そのような好個の例があるにもかかわらず、何故大蔵省が銀行をなかなか潰さなかったかというと、潰すと天下り先を減らすことになるからというのが本音。日本は一応は資本主義ではあるのだが、銀行に関してはスターリニズムといってよい。

まごまごしていたら破産する、それが自由競争のよいところではないか。破産を許さなければ日本の大学や銀行のようになってしまうのである。

そこで中国に戻るが、よく調べてみると、驚くべきことに中国では破産法があるにはあるのだが、外国企業に対しては、原則として破産が大変しにくい状況になっている。破産するためには、企業責任者が全員一致で破産を決議し、当局の許可を得なければならないというようになっているのである。

これには、二つの大きな問題がある。まず第一に、多数決であるからこそさまざまな問題が効率よく決定されていくのだが、全員一致でなければならないということは、できるだけ決定させないようにするということにほかならない。

第二に、中国における外国企業のほとんどは、中国との合弁会社だということ。そのために、企業責任者の半分ないしは少なくとも一人か二人は中国人で、だいたい、片方が董事長（会長）なら、もう一方が総経理（社長）というのが慣例のようになっている。その中国人が破産に反対すれば破産できないという仕組みになっているのだから、実質的には破産を許さないということに近いと思わねばならない。

破産できない。そのことがどのような意味を持つかというと、毎月赤字を出していたとするならば、それをずうっと続けなければならないということだ。経営が改善される見通しがなくても撤退することが許されず、累積赤字を積み重ね続けなければならないということなのである。中国において経常赤字を出している企業は、そのために尋常でない七転八倒の苦しみを味わわなければならない。

同じことが資本金についても言える。中国では外資導入に積極的であるということから、増資についてはいとも簡単に許可が下りるものの、減資を行おう、資本金を減らそうとすると、なかなか許可が下りない。増資はスムーズで、減資が不可逆反応のようになっているわけであるから、これも近代資本主義のルールに反していると言わざるを得まい。

●「資本金」という概念のなかった中国

中国で銀行の専門家を呼んで話を聞かせてもらった。中国の金融のことを知りたかったからである。そうしたところが、どうも話が噛み合わず、言葉が通じない。そこで、あえて事細かに、初歩的なことから段階的にいろいろと尋ねてみた。そうして、ようやくわかったことは、中国人には「資本金」という概念がないということであった。

かつて、旧ソ連邦のエコノミストと話をしたとき、「減価償却」＊（depreciation）という言葉がどうしても通じなかった経験がある。そのエコノミストは、英語がたいそう流暢であったにもかかわらず、「減価償却」という言葉が通じなかった。それは「減価償却」という考え方そのものに理解がなかったからである。旧ソ連邦には、そもそも利子というものがなく、会計監査というものもなかったのだから、「減価償却」というような考え方は必要とされず、「減価償却」という考え方そのものがあろうはずがない。

そのように、考え方そのものがない国の人に対して、その概念を伝えるというのは至難の業と言える。留学してもらったり、何カ月もかけていいということであるならば、あるいは伝えることができるかもしれないが、通常の意見交換や対談、講演での質疑においてはほぼ不可能。

中国において「資本金」というものは、旧ソ連邦における「減価償却」と同じように、そう簡単には相手に通じやしない。しかしながら、それでも中国において企業をつくるときには合名会社、合資会社、有限会社、株式会社、あるいは合弁会社、いずれにせよ、とにかく資本金を払い込まねばならない。資本金を払い込むことによって、会社を成立させなければならないからである。

その資本金を払い込むに際して、中国では「ドルで払い込まなければならない」と決められているのだが、これも中国の定価と同じように、「誰が行おうとも、絶対にそうでなければならない」というものではないようである。それが証拠には、よく調べてみると、円で払い込んだ会社も存在した。

そこで「円で払い込むということも許すのですか」と尋ねたところ、さっぱり要領を得ない。ならばということで、質問を整理して次のように尋ねてみた。

「香港であるならば香港ダラー、シンガポールならばシンガポールダラー、イギリスならポンド、ドイツならマルクというように、その国の通貨で資本金を払い込むのは当然のことです。ここは誇り高い中国なのですから、なぜ自国通貨である人民元で資本金を払い込まずに、アメリカの通貨であるドルで資本金を払い込むのですか?」

「人民元でもいいが、そんな例は少ない」

「では、円はどうなのでしょう?」

「うーん、そんな例は……」

「多いか少ないかを尋ねているわけではありません。法律的に許されるか否(いな)かを尋ねているのです」

「許されるからこそ、実例があるわけです」

「ならば、その例を挙げてください」

「明日までに調べてきます」

そんな調子で、決してウソをついているわけではなかろうが、とにかく要領を得ない。

資本主義国においては、資本というのは単なる「元手」というものではない。元手ならば「シンドバッド」の頃からあった。資本主義国では資本金を払い込むことによって法人組織が発足するわけであり、資本金を払い込むということは、そのことにより法人の権利を確立することなのである。そこのところの理解がまったくない。

大塚製薬は、十数年前に資本金を円で払い込んで中国に会社をつくったということだったが、それでは法律に反するのではないかと思い、詳しく問いただしたのだが、結局満足のいく答えを得ることはできなかった。これは、中国人の法概念によるものであるが、それは前稿を参照していただきたい。

ここで重要なことは、中国には「資本金」という概念がないということ。このような根本的な概念が形成、浸透されるためには、たいへんな時間が必要となるにちがいない。

＊**減価償却**　使用および時の経過のため固定資産に生ずる減価を、各決算期毎に費用として記帳していくこと。

●中国の会計は複式簿記でないのか

一七～一八年前に中国を訪ねて教科書を見たとき、「この国の会計は、複式簿記*ではない」ということに、初めて気づいたのであるが、ちょうどその頃、中国でたいへん興味深い大論争が行われていた。

それは、「古い会社がどんどん枯死(こし)していくが、そのときその企業が儲けた分を、元の企業に残しておくべきか、中央政府が吸い上げるべきか」というものである。

この大論争が行われている最中に、たまたま著者が経済学の専門家として居合わせたものだから、「先生、これはどのようにすればよろしいのでしょうか」という質問が寄せられ、答えなければならないことになった。

このとき著者は、こう答えた。

「これは、利益を元の企業に残しておくべきか、それとも中央政府が吸い上げるかという二者択一の問題ではありません。あなたがたは、利潤でないものを利潤と錯覚(さっかく)しているのです」

というのも、このとき見せられた資料は、出るお金と入ってくるお金とを記した、言わば「大福帳」であり、複式簿記で記されていなかったので、そもそも利潤があるかどうかの判断がつかなかったのである。もっとも、莫大な利益をあげている企業ならば、たとえ中国であれ「枯死」するはずはないから、おそらく利潤があがっていなかったのであろう。

その逆に、「儲かった、儲かった」と喜んでいて、突如破産してしまった企業というものもある。これは、昔の日本にも多かったのだが、複式簿記をつけていなくて、「大福帳」的な感覚で経営をしていると、そのようなことにもなりかねない。

レーニン*は「複式簿記こそ、人類が発明した最大の発明である」と絶賛しているが、複式簿記というのはそれほどまでに重要なもの。にもかかわらず、あの時点で、中国に複式簿記が十分に定着していなかったのはいかなる理由によるものか。

まさか「旧ソ連邦が意地悪をして、中国に教えなかったから」ということではないだろうが、レーニンがすでに認めていたものを七〇年代末の中国において未消化であったということは、たいへん奇妙なこととしか言いようがない。

そこで、そのとき複式簿記を採用するよう進言をした。そして一九九四年五月、中国に行って知ったのは、複式簿記を採用すべしという法律ができたことだった。この法律は九三年七月一日にできたということである。

つまり、当時から一〇数年間、中国は正式には複式簿記を採用しないで、社会主義的市場経済というものを運営しようとしていたわけであり、これはまったく呆(あき)れ返るしかないではないか。

＊複式簿記　すべての取引を、ある勘定の借方と他の勘定の貸方に同じ金額を記入し、貸借平

均の原理に基づいて組織的に記録・計算・整理する記帳法。

＊レーニン（Владимир Ильич Ленин　一八七〇～一九二四年）　ロシアの革命家、政治家。九四年に発表した『人民の友とは何か』でナロードニキを批判、逮捕、流刑を経て、一九〇〇年亡命。〇三年、ロシア社会民主労働党の分裂によりボリシェヴィキのリーダーとなる。帰国、亡命を繰り返しながら武装蜂起の機をうかがい、一七年一〇月革命を主導し、労農政府、人民委員会議首班に。旧制度の破壊、土地、銀行、大企業の国有化などを推進、一九年、コミンテルンを創立、戦時共産主義から新経済政策への転換を指導した。

●貨幣の流通していない市場経済!?

一八年前に中国を訪ねたとき、当座預金の口座を作った。中国銀行の北京本店に行って「当座預金をしてください」と頼んだところ、「いいですよ」ということだったので、当座預金をし、いまでも小切手帳を持っている。

その頃の中国の小切手というのは、驚くべきことに相手の名前を書くことになっていて、その相手にしか通用しないものだった。それでは実質的にトラベラーズチェックと同じことではないか。

小切手（cheque）は法律上は有価証券だが、経済学では貨幣（money）である。すなわち、流通手段。銀行がお金の貸出しをするとき、現金でヤットコサ、というのは滅多にしない。小切手は貨幣（マネー）の一種なのだから小切手で貸出しをする。手形（の割引）という手もあるが、手形は貨幣ではなくて証券（セキユリテイ）（security）であるから、流動性（リクイデイテイ）（liquidity）において小切手のようにはいかない。考えてもみよ。手形の割引率は相手の信用の程度によって千差万別なのだ。小切手は原則として、ストレートに流通することになっている。これが市場経済の大原則。貨幣は経済の血液であると言われるが、現金で流通することは滅多にない。実際は、小切手（の流通）こそが経済の血液なのである。

だから、小切手が自由に流通できないなんていうことになったら、経済が脳血栓（けっせん）になってしまう。全身不随、いや、はじめっから、市場経済的に動きようがありはしない、とてもとても。「小切手が名前を書いた相手にしか通用しない」ということは、自由に流通できないということであり、これでは流通手段としての小切手は貨幣として機能しない。

すでにコメントしたように、市場経済において貨幣として用いられる流通手段の大部分は小切手。その小切手が流通しないというのだから、本質的に言って、貨幣がないということである。少なくとも、ほとんどないということではないか。

貨幣がほとんどない市場経済！　これが実は中国市場経済の実態なのである。

というのが実態であるとすれば、どういうことになるか。

貨幣政策（マネタリー・ポリスイー）（monetary policy）が行えない、ということになってしまう。

市場経済における貨幣政策の基礎は信用の創造（クリエーション・オブ・クレジット）（creation of credit）にある。その前提として貨幣（マネー）（小切手を含む）はスムーズに流通していて、銀行が貸出しすると決めたらいつでも実際に貸出せること、この命題が成立していなければならない。

さて、この中国特有の小切手について、「その後、どのようになりましたか?」と尋ねたところ、「いまもあまり変わりはない」との答え。それでは、中国政府はどのようにして金融緩和や引き締めを行うのかというと、銀行の主だった人が企業に出向いて、「この金はこう使え、あの金はああ使え」というように指導するのだそうである。

そもそも銀行というのは、「銀が行くところ」という意味ではなく、頼母子講（たのもしこう）・無尽講（むじんこう）といった一種の金融組合、または相互扶助組織を指す「銀の講」という意味なのだ。中国の銀行は、つい最近までその原意にかなり近い存在であったと言える。今でも市場経済における銀行とは、ほど遠い存在と言わねばなるまい。

だからこそ、外国企業には人民元を扱わせないのである。なぜなら、外国企業に人民元を扱わせれば、外国の銀行にも人民元を扱わせることになり、中国の銀行はみんな競争に負けてしまいかねない。

統計を見ると、中国の銀行のほとんどは国家と密接に結びついた政策銀行であって、商業銀行というものはごく少数。政策銀行というのは、政府の政策に沿って金融枠を設定し、「あそこの省にいくら融資せよ。こちらの省にいくら融資せよ」という政府の指導に沿って行う銀行のことを指す。この場合、政府が指導する融資先というのは、日本でいうと都道府県、市町村などの地方公共団体。それに、とくに重要なのは国有企業である。

中国においては商業銀行に預金するのは主に農民であり、政策銀行から融資を受けるのはだいたいが地方公共団体と国有企業なのである。中国は経済成長が目覚ましく、ビルなどもどんどん建っているわけだから、どうしてもインフレになる。そうすると、農家の人たちの預金は実質的には目減りすることになり、また、地方公共団体と国有企業の多くは融資を受けても返済しないことが多いのだ。だからといって、地方公共団体や国有企業を競売にかけることもできないから、融資は結局、焦げついてしまうことになる。

●中国人が消費に走る理由

もともと中国人は、国家システムも銀行などの公的金融機関も、あまり信用してはいなかった——と言うよりも、「全然、信用してはいなかった」というほうが真実に近い。

高度成長の結果、お金は流れ込んでくる。とくに、副収入は激増する。政府も銀行も信用がならぬというのならばそのお金をどうする。タンス預金のほかないではないか。これが何千年来の中国の知恵。

それにしても、何のお金でタンス預金をするのか。

一九九四年一月一日までは、中国には二種類のお金があった。外貨兌換券と人民元との二つのお金があったのであった。

中国のお金は、どうにもいけない。なにしろ、インフレが猛烈なスピード、いや加速度（acceleration）で昂進しているのである。中国のお金で持っていた日には、見るみる減価していくことは目に見えている。

自国のお金をタンス預金しておくことは、あまり意味がないのである。悲しいことながら……いや、中国の歴史で考えれば当然のことながら。

中国人は、ドルを盲信する。金だといちばんいいのであるが、金がダメならドルがあるさ、と思い込んでしまうあたり、中国は、何千年とは言わずとも、何百年くらいはおくれている。

いや、実にこれ、経済学無知の告白である。

「金なら信用できる」――これは、地金主義（bulletism）時代の考え方ではないか。おくれているだけではなく、資本主義にはナンセンスな考え方。「金」だって一種の商品だ。金の価格だって上がったり下がったりする。市場の変動法則から自由ではあり得ない。だから、「金で持ってたら安全だ」なんてとんでもない。

では、米ドルなら（爾後「ドル」といえばそれは「米ドル」を意味する）。中国で外貨といえば、即ドルだと言ってよい。中国人の〝ドル信仰〟といったら、ロシア〝旧ソ連〟以上。ロシアだと、〝ドル〟の他にマルクもまた信仰しているが、中国だとドル一辺倒。ここでもまた、経済学未熟を告白している。ドルでありさえすればそれでいいのか。

ある中国人は、しみじみと著者に語った。ドルではひどい目に遭いました、と。

この人、貿易やら何やらの日中経済交流で多額の円を稼いだ。でもこの人、ドルの信奉者。せっかく稼いだ大枚の円をみんなドルに換えてしまった。ドルほど安全なお金はない。何しろアメリカ経済は世界を支配しているのだ、と。この人は有能なビジネスマンにはちがいはないのだけど、経済学を知らないのが玉に瑕。いくらドルだって価値が変わらないということはあり得ない。現在では為替相場は自由になったのだから、ドルといえどもその価値は不断に伸縮する。

結果はごぞんじのとおり、円高ドル安。

円とドルとの比率は、二倍以上にもなった。

ドルで貯め込んでいた人の資産価値は、可哀そうこの上ないことながら、半分以下になってしまう。そんなことをやった中国人が、あとを断たなかった。

賃金は急上昇する。副収入はもっと増える。インフレは昂進する。中国人は、もともと銀行なんか信用していないところへもってきて、銀行がくれる利子程度ではインフレに追いつきっこない。そこでタンス預金ということにならざるを得ないのだが、右に論じたように、中国のお金もダメ、外国のお金もダメ。どんと入ってきたお金、行き場所がない。困った。エイヤ、使っちまえ。激増した収入は、消費へ殺到する。

とくに、物価が上がる前に、耐久消費財を買っておこうという需要となって表れる。

もともと、デフレでは「モノより金」だが、インフレでは「お金よりモノ」だ。これが経済法則。

しかもそのうえ、「なにしろ上海の人々は、〝攀比〟ですからね」（週刊ダイヤモンド特別取材班『成長の中国人』ダイヤモンド社）。

攀比とは、「つまり、見栄っ張りで、負けず嫌いなんですよ。隣に住んでいる人が、日本製の大画面テレビを買うとするでしょ。すると、もう、いてもたってもいられない。自分も同じものを買わないと気が済まなくなるんです」（同右）。

経済学用語でいうと、デモンストレーション効果（Demonstration Effect）である。中国人は、とてつもなくデモンストレーション効果が大きいということである。

デモンストレーション効果によって起きた消費増は、果てしなくとめどもなく拡がってゆく。

右の攀比ストーリーは上海の話ではあるが、あに上海のみならんや。沿海地方のように、高度成長を続ける地帯の人々は、みんな攀比なのである。

デモンストレーション効果が、きわめて大きいのである。

収入を投入しつくしても足りないとなると借金までして買いまくる。

「さすが、なによりメンツを重んずるお国柄である。〝パンピー〟な上海っ子が、分割払いに飛びつくのは、時間の問題かもしれない」（同右）

この消費の爆発が有効需要の激増を生み、それがまた、ＧＮＰの大幅な増加を結果する。つまり、高度成長をさらに促進する。

すなわち、中国の高度成長には、いまや自己再生産過程が組み込まれた。高度成長がまた高度成長を生むというメカニズムが構造化されたのである。

↓
高度成長（GNP 増）
↓
消費増
↓
有効需要増
↓
GNP 増（高度成長）
↓
…

経済学ではこれを、スパイラル（spiral　らせん）現象という。普通、悪循環過程（vicious circle）を指すが、それに限ったことではない。二つ以上の変数が、互いに原因となり結果となって、相互作用の過程が果てしなく進行していくことをスパイラル（過程）という。「善循環」という用語（ターム）はないけれども、これに該当する過程があるとすれば、これもスパイラル。バブルで人々がひどいめにあうのも、スパイラル過程が作動するからである。

善循環過程が悪循環過程に逆転するときがおそろしい。たとえば、土地の価格が上がり続けていれば、借金をして土地を買えば儲かる。この土地を担保にして借金をしてまた儲かる。この過程を続ければ、借金も増えるけど土地も増える。土地の価格が上がり続ければ（少なくとも上昇率が利子率よりも高ければ）、これは儲けのプロセスである。

が、ある日、突如として土地の価格が下がりはじめたら、善循環が悪循環に変わってしまう。中国の高度成長のスパイラルは善循環か悪循環か。いまは善循環であるとしても、一夜にして悪循環に転化することはないのか。スパイラルが逆転してバブルがはじけることはないのか。その危機に直面しているのが、国有企業なのである。

●「スターリンの呪い」

市場経済へ向けての中国経済には、突破しなければならない幾多の関門があるが、その最大のものが金融システムの整備であり、この整備がとてつもなく困難なのだ。すでに述べたように、市場経済の作動を通じての金融政策がまともに行えないほど未熟なのだから。政策当局（中央銀行）が、ハイパワード・マネーを増減させたり、通貨・預金比率、預金準備率などのパラメターを変動させて貨幣供給量を効果的に制御するというわけにはゆかないのである。

市場経済の作動を通じての金融政策が効果的に行えないとすれば、どういうことになるか。

金融機関は、政府が主に行政手段を用いて企業を管理するという伝統的計画経済の柵の中で行動するしかないではないか。

現在の中国経済は、たいへんな跛行性に苦しんでいる。郷鎮企業や外資系企業などの非国有諸企業がめざましい高度成長をしているのに対し、多くの国有企業の不振はいっそう深刻化している。生産の伸びが低いだけではない。経営不振による赤字が露呈されてきているのだ。

「九四年三月末現在で、何と四九・六%の国有企業が赤字に陥っています」(呉軍華「ジレンマに苦しむ中国経済の舵取り――マクロ・コントロールに必死――」『週刊東洋経済』臨時増刊一九九四年七月十三日号)。

半数の国有企業が赤字である！　合理化に成功した国有企業もなくはないが――。

三角債(企業間の焦げつき債務)も激増し、九四年三月末現在で三〇〇〇億元(約三兆六〇〇〇億円)にも膨らんでいる。これは年間国家予算の半分以上にあたる額(同右)。

国有企業の赤字は、年々歳々、急速に拡大するばかりなのだ。

この赤字はどうする。

まずは、乏しい国家財政から補填するしかあるまい。これこそ、ソ連がいつか来た道。勿論、おそろしいジレンマを内包している。企業全体が破産するか国家が破産するかの二者択一なのである。ここでも、「スターリン*の呪い」が祟ってくる。破産なき国有企業は、国家財政を破綻させずにはすむはずがない。乏しい国家財政からの補塡金なんか、加速度的に急増する国有企業の赤字に対しては焼け石に水である。

ここで国有企業がいさぎよく破産してくれると助かるのだが、「スターリンの呪い」によってそうはいかない。そこで、切羽詰まった国有企業は、弱い環である中国経済の金融システムに食いつくことになる。何しろ、政府が行政手段を用いて企業を管理しているのだからおそろしい。国有企業の背後には国家権力がある。国有企業が破産しそうになると、国家権力が蠢動する。銀行に貸出しを強要してくるのである。中国の大多数の銀行は商業銀行ではなくて政策銀行だから、右のような政策金融を断り切れない。

これが国有企業が強引に借り出す事情だが、銀行のほうでも渋々と右の政策融資に応じているわけではない。貸出金利は統制されて銀行が自由に決めることはできない。そうだとすれば、利潤を大きくしようとすれば貸出量を増加させるしかないではないか。

まさに、魚心あれば水心。貸出しはとめどもなく増えていくことになる。

ここでも、「スターリンの呪い」が祟ってきた。

市場経済の国々では、銀行が貸出しをあまりに増やしすぎると、焦げつく危険も増加する。

だから自制する。焦げつく危険と利潤増大と貸出量増加は諸刃の剣なのである。

しかし、銀行が破産しないとすればどういうことになるか。

貸付金が「焦げつく危険」なんか何のその。際限なく増加する貸付金に歯止めはかからない。

かくて、金融機関の赤字国有企業に対する貸付けは増えるわ増えるわ。

何しろ国有企業の経営不振によって、その赤字たるや雪達磨式に膨張し、今や国有企業の半数が赤字企業なのである。九五年次には約三分の二が赤字との報告もあった。

この企業赤字を国家財政で補塡しようにも、国家財政はもともと乏しいうえ、国家財政もまた、急速に赤字財政に転落しているのだから。GNPに財政赤字が占める比率は、八五年には〇・八%であったのが、九二年には三・八%、九四年には四・五%にも達した。そのため、赤字国有企業は銀行などの金融機関に駆け込むしか方法がなくなっている。

ところで、この赤字国有企業に対する貸付けであるが、国有企業の赤字はもともと経営不振から生じたものである。この経営不振は、年ごとに悪化するばかりであって、改善の可能性は見えない。今後、国有企業の経営不振はますますひどくなるばかり、ということは国有企業の赤字は今後も激増するばかりである、ということだ。それ以外に考えられようか。

現に、九四年三月で赤字に陥った国有企業は四九・六%だが、おどろくなかれ、前年比で一五・四%も増えているのである。かかる大趨勢からの結果は、言わずと知れた不良債権の大量発生、それに決まっている。

経営不振で赤字になった国有企業が一時凌ぎのためにお金を借りたが、経営はますます不振になる、赤字はますます増えるでは、借りたお金、到底、返せるわけがないではありませんか。

金融機関における不良債権。聞いただけで目を回す人も多いでしょう。

大量の不良債権は、クレジット・クランチ（信用危機、貸し渋り）をはじめとする信用不安を惹起し、はては金融恐慌を呼び、経済が枯死するおそれさえある。といって、手荒な方法で処理すれば、旧ユーゴスラビアやロシアのようにインフレの昂進も招来しかねない。まことに厄介このうえない怪物なのである。

今の世界には、不良債権という怪物が徘徊している、とも言えるであろう。

その怪物不良債権が中国経済にも現れているのだから、これこそ、たいへん、大変。

中国経済も、バブル破綻後の日本のような目に遭わせられかねぬ。

では、不良債権の額はどのくらいになるのか。

中国では、「不良債権」の定義がないので、不良債権とそうでない債権との境界は曖昧だ。

また、顕在的な不良債権の他に厖大な潜在的不良債権があり、後者は把握困難である。

でも、公式な調査によれば、「専業銀行の不良債権は全貸出の約一〇％で、そのうち大半は回収不能」だそうである（人民銀行、周副行長、前掲『週刊東洋経済』臨時増刊）。

これでも大変な数値であるが、これを鵜呑みにするエコノミストはいやしない。著者が直接会ったエコノミストもみんな異口同音に、とても一〇％なんていう数値ではないだろうと言っていた。

では、およそ何％くらいか、と切り返すと、自信をもって推定してくれる人はいなかったが、二〇％以上はたしかだろうというのが大勢であった。なかには、東欧なみに三〇％を超すだろうとまで言ったエコノミストさえいたのである。

なお、ここにある「専業銀行」とは、工商銀行、農業銀行、建設銀行、投資銀行、中国銀行のことだが、すべての銀行、その他の金融機関の不良債権の総額がどれほどのものになるか。

正確な金額は推定の限りではないが、右に述べた不良債権発生のメカニズムからもおわかりのとおり、その主な発生源は国有企業の経営不振によって生じた赤字にあるのだから、急速に激増することはたしかで減る見込みは全然ない。

将来、加速度的に増大して、その重みで中国経済の背骨はへし折られそうである。

かつて東京都も、美濃部（亮吉）都知事の頃に危ないことがあった。その頃、私は都知事に依頼されてソシアル・インディケーター（社会指標、国民生活指標）を作っていた。統計局のお役人が、私のもとで実作業を行い、これを完成したわけだが、そのときの東京都はまさに破産寸前。

現在の中国は、国家規模でかつての美濃部(みのべ)都知事時代の東京都の末期のような状態にあると思ってよいのではないだろうか。とても、健全な市場主義への道程にあるとは考えられない。

＊スターリン（Иосиф Виссарионович Сталин　一八七九〜一九五三年）　ソ連の政治家。早くから非合法革命活動に従事、逮捕、流刑、逃亡を繰り返し、論文をレーニンに認められて以後、『プラウダ』編集に携わる。二二年、レーニンの推薦で党書記長に就任。トロツキー、ブハーリンらとの党内闘争にも勝ち残りスターリン憲法を制定。その前後暗殺、反革命裁判による大粛清を行い多数の党幹部を処刑。真相は今でも明かされていない。

●鉄が欲しければ桟橋が必要

産業連関論という経済学の分野がある。これは各産業間の相互連関性を明らかにする学問であり、すべてがすべてに依存しているという経済の姿を明らかにする学問なのである。日本でも、六〇年代の初め頃から「産業連関表」を作り始めている。

ところが、中国では七〇年代の初めに産業連関論がいちおう入ってきてはいたが、理解はされていなかったので、すべてがすべてに依存するという産業連関の基礎がわかってはいなかった。にもかかわらず、その頃どうしても鉄を作りたかった中国は、日本のメーカーの協力を仰ぎ、必死の思いで上海近くに宝山製鉄所というのを作ったのである。

この製鉄所は中国側の希望により最新式の技術で固めたものだが、これがうまくいかなかったのだ。なぜなら、当時の中国人は、「鉄が欲しければ製鉄所を作ればよい」とだけ考えていたからである。これは経済的にナンセンスもいいところ。

そうして、とにかく世界最新鋭の設備を誇る宝山製鉄所だけを作り、それを動かしたわけであるが、その途端に上海が停電になった。何故か。鉄を作るためには電気が必要なのに、中国人はその電力を供給するということが頭になかったので、たちまち上海が停電になってしまったというわけ。

そして、上海市民に厳しい節電を強要し、ときには上海の街を停電にしてまで宝山製鉄所に電力を供給していたのだが、それでも宝山は動かなくなってしまった。何故か。製鉄所に原料の鉄鉱石がなくなったためである。

中国は世界一の鉄鉱石の産出国なのだから、中国に鉄鉱石がなくなることはあり得ない。鉄鉱石そのものはたくさんあるのに、その鉄鉱石が最新鋭の製鉄所に合わないために、オーストラリアから輸入せざるを得ないという状況にあったのだ。

そこで、いざオーストラリアから輸入をするとなって困ったことは、鉄鉱石を運ぶような船がないということであった。これは八方手を尽くしてなんとか解決したものの、次に問題となったのは、どの港に船をつけるかということ。なぜなら、そのような船をつけるために栈橋が必要であるということがわからなかったからである。

そこで、桟橋もなんとか作ったものの、今度はそうして陸揚げされた鉄鉱石をいかにして製鉄所まで運ぶかという難問にぶつかった。鉄鉱石を運ぶ鉄道がなかったから――。

経済は、すべてが他のすべてに依存をする。

産業連関に関するこの理論が、多くの中国人に理解されていなかったので、そのようなことになってしまったわけだ。それが、実は大躍進運動などが無意味化した最大の原因でもあった。

旧ソ連邦ですら、そのことに気づいたのは、ずうっと後になってからのこと。

旧ソ連邦の教科書には、「経済学における産業連関分析の創始者であるレオンティエフ*は、ロシア人である」と、実に誇らしく書いてある。調べてみるとたしかにレオンティエフは、画期的な業績である『ザ・ストラクチャー・オブ・アメリカン・エコノミー』(『アメリカの経済構造の研究』一九五三年)を出版したときに、まだアメリカに帰化していなかったので、ロシア人には違いないが、問題は、旧ソ連邦がレオンティエフの考え方を理解していなかったというところにある。

中国がレオンティエフの考え方をある程度理解し始めたのは七〇年代に入ってから。七〇年代初頭にレオンティエフは中国に招聘(しょうへい)され、彼の理論を学んだ中国の学徒の手によって、新しい「産業連関表」が作られてからである。

この新しい「産業連関表」はおそろしく早くできたのだが、それは毛沢東(もうたくとう)と周恩来(しゅうおんらい)の命令によったためであった。であるから、早くできたという点に関しては大成功だったのだが、内容はというとこれがガタガタ。当時の中国では統計学がまだ十分に発達していなかったので、たとえ「毛沢東（もうたくとう）の命令である」ということであっても、すぐさま十分に経済分析のために使用可能なデータが集まらなかったためである。

それに、国民所得といっても、「所得とは何か」ということが正確に認識されていなかったので、「とにかく、これだけのお金が入ってきました」と正直に報告されても、それは「所得」ではないわけだから、産業連関分析を行うための基礎的な資料にはなり得ない。

また、利益も正確に把握されている必要があり、そのためには複式簿記が必要である。テレビを作ってこれだけの売上げがあり、下請けにはこれだけ支払ったといっても、そこからさらに従業員の給料を引いて、家賃や通信費などを引いて、設備の減価償却費を引いて、利子を引いて……というようにしていかなければ、利益というものは算定できない。それをしないで、売上げから支払いを引いて、あとは儲けだということにすれば、これはもう「山賊の山分け」のようなものだ。七〇年代の中国は、まだそのような段階であったのだ。

こういうわけだから、せっかくレオンティエフ大先生を招いて、「産業連関表」らしきものを作っても、これを活用することはまったくできなかった。これを活用して中間における各産業の相互連関を分析することなどとてもとても。

活用できなかった理由は――。
中国人が経済理論を理解していなかったからだ。中国の経済学が未熟だったからである。経済学、統計学が未熟であれば、信頼できる産業連関表を作ることはできない。また、仮に信頼できる産業連関表を作ったとしても、それを利用することなどできやしない。

＊レオンティエフ（Wassily Leontiev 一九〇六～九九年） アメリカの計量経済学者。ロシア生まれ。二三歳で南京国民政府経済顧問となり、三一年渡米。産業連関分析を行いレオンティエフ表にまとめたほか、理論経済学のあらゆる分野に業績を残し、七三年、ノーベル経済学賞を受賞。

●経済援助より経済学援助が必要

さて、右のレオンティエフ・ストーリーは、ほんの一例。中国の経済発展を阻（はば）んでいる理由は数々あれど、その根本の一つが経済学未熟。

いまの中国には、経済援助よりも経済学援助が必要なのである。これが、著者の持論。

経済学を知らなければ、せっかく経済援助をしても、その資源（リソースイズ）（resources）は最適配分（オプティマル・アロケーション）（optimal allocation）されないかもしれない。政策ミスによって、それほど必要でないところに浪費されてしまうかもしれない。

では、いまの中国にとってそれを知ることが焦眉（しょうび）の急であるところの経済学のエッセンスとは何だろうか。

一つは、複式簿記（double entry book-keeping system　中国では、複式記帳と言う）。

市場経済が成立するためには、企業経営が目的合理的、とくに形式合理的でなければならない。理念型的には、最大利潤をあげるためには何をどうしなければならないかが、キチンと計算されなければならないのである。

ところで、「複式簿記」（複式記帳）は、個々の企業に関する話にすぎない。すなわち、微視的（ミクロ）である。が、複式簿記の考え方は、巨視経済（マクロエコノミクス）においても、大変重要なのである。

ヒックス＊は、複式簿記の考え方を国民経済全体に適用して社会会計学（ソーシャル・アカウンティング）（Social Accounting）を作りあげた。社会会計学があってはじめて国民所得（ナショナル・インカム）（National Income）の計算が可能となる。国際収支表（インターナショナル・アカウント）（International Account）もまた複式簿記の原理によって構成されている。

このように、中国にとって大切な経済学の道具の一つが複式簿記と言える。

そしてもう一つ、さらに大切なのが、「経済は、すべてが他のすべてに依存する」「経済変数はすべて相互連関しあっている」、あるいは「経済循環」の構造である。

経済現象における因果関係は、Aが原因でBが結果であるというような、線形因果関係（リニア・コーザリティ）

(linear causality) ではない。景気と消費との関係はどうか。景気がわるいから消費が少ないのか、消費が少ないから景気がわるいのか。どちらが原因でどちらが結果なのか。まるでタマゴが先か、ニワトリが先かみたいな話で返答に困るなんて言いたもう勿れ。ワルラス*は、ちゃんと答えた。

景気と消費とは、互いに因となり果となり相互連関関係のなかで、同時(サイマルテイアスリー)に決まる。すなわちそれは、相互連関しあっている諸変数のあいだの因果関係なのである。それを分析するための理論を作りあげたのが、ワルラス。それを、ヒックス、サムエルソン、アロー、ノイマン*などが彫琢(ちょうたく)して今日に至っている。

この理論を一般均衡論 (general equilibrium theory) と呼ぶ。この理論あればこそ経済学は社会科学中、唯一の真の科学であると言われる由縁でもある。

レオンティエフの産業連関論にしても、彼自身、「ワルラスの生産の一般均衡論の実証化である」と言っている。これだけでも、一般均衡論の決定的重要さ、知られるではないか。

中国人が、せっかく作った「産業連関表」を使いこなせなかった根本的理由は、ワルラス－サムエルソン流の一般均衡論を理解していなかったからに他ならない。

今の中国人が、何を措(お)いてもまずなすべきことは、一般均衡論の理解なのである。

＊ヒックス (John Richard Hicks　一九〇四～八九年)　イギリスの経済学者。ケインズ革命後

にその中心的命題の一般均衡理論への組入れを試み、四〇年代以降は、ハロッドの経済成長論の上に独自の景気循環論をたてた。七二年、ノーベル経済学賞受賞。

＊**ワルラス**(Marie Esprit Leon Walras　一八三四〜一九一〇年)　スイスの数理経済学者。経済現象の相互依存性を連立方程式群によって示した一般均衡理論を提唱。数理経済学の先行者として、ローザンヌ学派を形成。とくにその理論は三〇年代以降の計量経済学の発展に多大の影響を及ぼしている。

＊**サムエルソン**(Paul Anthony Samuelson　一九一五〜二〇〇九年)　アメリカの経済学者。数学的方法による分析で、近代経済学に寄与した。七〇年、ノーベル経済学賞受賞。

＊**アロー**(Kenneth Joseph Arrow　一九二一〜二〇一七年)　アメリカの経済学者、統計学者。均衡理論の数学的解明、非線型計画論等新厚生経済学の樹立に貢献。七二年、ノーベル経済学賞受賞。

＊**ノイマン**(Johann von Neumann　一九〇三〜五七年)　アメリカの数学者。ハンガリーに生まれ、三一年、アメリカに移住。集合論、実関数論、数学基礎論、ヒルベルト空間論などを研究。量子力学の数学的体系を築くと共に、統計学では趨勢(すうせい)分析に貢献、電子計算機設計の理論的基礎を確立した。三六年には「ノイマン・モデル」として知られる経済の多部門均衡成長モデルにより、数理経済学に新機軸を築く一方、線型計画、活動分析の先駆となった。ゲーム理論の始祖。

●中国に契約なし

ここまで縷説(るせつ)したとおり、中国は資本主義国としてあまりにも異様すぎる。トラブルは続出する。

そのトラブルたるや、資本主義では想像を絶する事件ばかり。本書を締めくくるにあたり、その実例を今まで述べてきたことで解析してみよう。

たとえば、ロス・エンジニアリング社事件（NHKスペシャル『NHK中国プロジェクト』日本放送出版協会）。

「安い労働力をもとめて中国に生産工場を作る」という日本式進出であるから、このトラブルは、日本企業にとっても、おおいに参考になる。


ロス・エンジニアリング社は、工業用電池をアメリカやカナダで販売する会社である。人件費の安い中国に生産工場を作ることにし、一九八八年、同社のアロンソン社長は、子会社のレブ・パワー社と上海の極東航空技術輸出入公司と合弁契約を結ばせ、後者が電池を製造して前者に売りわたすことにした。契約書には、契約成立から三年間は電池一個の売り渡し価格を変更しないことが明記してあった。

その品質が基準に達したので、一九八九年一一月から本格的に製造発注を行うことになった。

ところがである。中国側は同じ年の一二月、上海の労働コスト上昇を理由に電池価格の五〇%値上げを要求してきたのであった。

典型的な事情変更の抗弁である。

同様な体験をした日本企業はあまりにも多い。他山の石どころではない。ズバリ、サンプルなのである。

しかし解決法となると、日本企業の場合とはいささか、いやおおいにちがうところもあるので参考になる。

もちろん契約違反である。こんな要求をもち出してくること自体、たいへんおかしい。アロンソン社長は、三年間は価格変更はできないという契約を楯に、中国側の要求を拒否した。

しかし、中国側は、あくまでも値上げに固執した。

五〇％も電池の価格が高くなれば儲けはほとんど消し飛んでしまう。三十数万ドルの投資はドブに捨てたも同様である。アロンソン社長は一年半もかけて中国側と執拗に交渉を重ねたが、中国側は少しも譲歩しなかった。

ここで重要な発見。

中国に契約なし。

契約を結んでも、中国人はこれを守らない。いや、守らなくても平気である。蛙の面に水どころではない。膃肭臍の面に水なのである。「契約違反がわるいことである」とは誰も思っていないのである。

これが一つのポイント。

もう一つのポイントは、契約を守らないことによる社会的制裁も受けない、ということ。

資本主義においては、契約違反はたいへんな罪である。きびしい社会的制裁を受ける。一度契約違反をやらかしたが最後、その企業は誰も相手にしなくなってしまい、商売が成立しなくなってしまうのである。だから、ひとたび契約を結べば、どんなに苦しくても契約は守る。破産したとて契約は守るのである。

ところが中国ならどうか。契約を破ったからとて、何の社会的制裁も受けないのだから、滞りなく企業活動が続けられる。何の差し支えもないのである。

と、ここまで言い切ってしまうと、日本人は呆れ返る。怪訝な顔をして審問してくる。

そんなことでいいんですか。契約を破られたほうはどうなります、と。

よい質問です。本格的なお答えをしておこう。

「中国に契約なし」と言った。が、この命題（文章）、正確には、「**中国には資本主義的契約はなし**」と言うべきである。

資本主義的契約は絶対。絶対的な神との契約（タテの契約）が、ヨコの契約となることによって資本主義が生まれたのであるから、ヨコの契約（人と人との契約）もまた絶対である。

「絶対である」とは、特定の人間関係、社会条件状況から独立であるということである。人間関係が変わったとて、社会条件（例：物価、賃金など）が変わったからとて、一方だけの当事者（one of the two parties）が勝手にこれを変更することは許されない。もし、契約を変更するとすれば、必ず、両当事者の合意を必要とする。

資本主義的契約には、破ってよい契約と破ってわるい契約との差別はない。必ず守らなければならない。必ず、文面どおりに守らなければならない。

ところが、**中国では破ってよい契約と破ってわるい契約とがある。**

こう言ってしまうと、資本主義の住人は、あっと驚く。

そして、「破ってもよい契約」なんて、そもそも何の意味があるんです。どんな契約なら破ってもいいんですかと質問してくる。

●中国の契約は、内容よりも結んだことに意義がある

ここが、中国理解の大難関。

「破ってもよい契約」にどんな意味があるのか。

人間関係を固めてゆく意味がある。交渉をスタートさせる意味がある。

ここが、中国理解のポイント。

中国では、資本主義的契約とはちがって「契約」とは、交渉の行きついたはてに、その結果として結ばれるのではない。そんな「契約」とは、正反対なのである。

中国では、契約は交渉の始まりである。「これから一緒に仕事をしましょう。そのための交渉を本気になってやりましょう」。そのための意思表示なのである。

交渉を通じて、両当事者の人間関係が次第に深まってゆく。初めの契約は、深まりゆく（であろう）人間関係のスタートなのである。

初めの契約が結ばれた段階では、両当事者のあいだの人間関係は、まだあまり深くはない。

本書では、中国は二重規範(ダブルノルム)の国であることを強調した。「親しい人間」の集合をとると、その内(うち)と外(そと)では、全くちがった規範が通用している。ということは、この状態下では、殺そうと騙(だま)そうと自由（例：『三国志』の呂布(りょふ)）。すべては、当事者の人格（呂布(りょふ)のような人ばかりではなく、関羽(かんう)ほどの義を重んずる人もいるではないか）と諸条件（「事情変更の法則」も許される）とにかかっている。

中国人は「契約が結ばれた直後ですら変更が可能だと思っている」（ＮＨＫ中国プロジェクト、前掲書）という資本主義の住人にとっては驚倒すべき命題も、まかりとおる。驚いて、いくら飛び上がっても足りまい。中国人は、異星(アナザー・プラネット)（another planet）の人に見えてくる。

しかし、中国では人間関係がすべてであるから、このくらいのことに驚いていたのでは中国での企業活動なんかあきらめたほうがよい。「交渉の過程は人間関係を作り上げる過程なのです」(同右)。

中国では個人のあいだの人間関係（人間結合）がすべてであることを本書では繰り返した。集合論的にいうと、139ページの図6を参照されたい。

知人 → 関係(クアンシー) → 情誼(チンイー) → 帮(パオ(ほう))

これらのいずれの段階であるかにしたがって、「契約」の意味も異なってくる。

知人であるなしで相手の態度がガラリと変わる。「知人」集合の外(そと)であれば、「ギブ・アンド・テイク」の法則すら通用しない。

知人の外では、「契約」はナンセンスである。あれども無(な)きがごとし。

知人段階では、契約がどこまで守れるかは、相手の人格、社会的な条件、状況にも大きく左右される。いつ、事情変更の原則が援用されるかわかったものではない。

関係(クアンシー)段階ともなると、これは、そうとうに深い人間関係である。かなり固い人間結合である。

この関係(クアンシー)という個人的な関係は日本の〝恩〟や〝義理〟の概念と似ています。

中国の関係(クアンシー)とは、貧しいパートナーは金持ちからの援助に無制限に依存することが許され、豊かなパートナーは喜んで援助するべきだということです。（同右）

関係(クアンシー)段階の契約は、任意に破ってもよいとは思ってはいない。いきなり廃棄されたりはしない。無制限に事情変更の原則を適用されたりもするまい。

全体的な関係がしっかりしていれば、個別のことについては何とか解決できる、うまくあしらえる、変更出来る、行きつ戻りしてもかまわないと考えています。（同右）

契約書にサインされたとき大切なのは、契約が結ばれたこと自体であり、契約の内容ではない。極論すれば、契約の内容なんかどうでもいいのである。

この点、資本主義の契約とは根本的にちがう。

資本主義においては、契約の内容こそが問題である。

中国における契約は、神との契約に発している資本主義的契約ではなく「人と人とのあいだの約束ごと」に発する。これは、救済のための条件ではない。ゆえに片言隻語(へんげんせきご)、そのまま正確に守ることにそれほど大きな意味はない。それが結ばれることによって人間関係がより深められ、人間結合がより強固になることにこそ大きな意味がある。

換言すれば、「中国人は、契約を結ぶ際に、契約内容の詳細については目をつぶる傾向があります」（同右）。そして、「中国では、契約を結ぶのは、単に新しい段階の始まりと考えられているのです」（中国社会科学院法学研究所の劉海年所長の言。同右）。

つまり、契約が結ばれることにより、交渉は新段階に入るとともに人間関係も新段階に入ったことを意味する。

ある人は、「中国では会議の決定や取り決めについては契約段階で明確な分立がある」とし、備忘録、意向書、合意書、契約書とランク分けされていると指摘している（露木、前掲書）。

契約書ができたとは、右の契約段階で、いちばんランクの重いところまで達したということにすぎない。

契約書ができれば、決定、取り決め、交渉がすべて終わりというのではない。**本格的な交渉は、契約書ができたところからスタートする**のである。

欧米資本主義では想像を絶する契約概念である。

このことは、いくたびも強調したが、いくら繰り返しても、繰り返しすぎることはない。

●契約など不必要な関係「帮（ほう）」と「情誼（チンイー）」

さらに人間結合の深い、情誼（チンイー）段階における契約はどうなるか。

契約は必要なくなるのである。

情誼（チンイー）段階ほどの深い人間結合ともなると、どんな大金を借りたって証文なんか一切不必要。どんな大切な取り決めでも口約束だけ。それで十分。口約束でも必ず守られる。安心しきっていてよい。

日本には、これほどまでの人間結合はないから、口約束のあまりの固さに日本人は驚く。中国人ほど信用のおける人間はいないと感服する。

情誼（チンイー）内の規範は絶対であるか、絶対に近い。

情誼（チンイー）外の規範がすべて相対的であるのと著しい対照をなす。

情誼（チンイー）内規範の絶対性は、中国人固有の基本的行動様式（エトス）によって保たれる。啓典宗教（ユダヤ教、キリスト教、イスラム教）とはちがって、**中国に絶対神はいない**。**人間関係がすべて**である。ゆえに中国（社会）人のエトスは、究極的人間関係を絶対視する。情誼（チンイー）は究極的人間関係かそれに近いから、情誼（チンイー）内規範は絶対であるか、ほとんど絶対である。また、規範を破った者に対する制裁は確実であり、途方もなくきびしい。

情誼（チンイー）内の規範を破ったりしようものなら、そのニュースは、情誼（チンイー）内のネットワークを通じて、直ちに、はてしなく広がる。途端に、この違反者は人間扱いされなくなる。村八分どころではない。社会十分である。

社会（人間関係）がすべてである中国人にとって、これこそ、死にまさる苦しみである。

情誼（チンイー）の理想は、「管鮑（かんぽう）の交わり」であるとされている。これについては第二章で詳述したが、人の交わりの中でも、とくに重要なのは、相手を知ること。相手の真価を認めること。鮑叔（ほうしゅく）が管仲（かんちゅう）を知ったほどまでに「人を知る」ことは容易ではないし、滅多にあることではないが、そこまではいかなくても、「人を知る」ことこそ、中国的人間結合のエッセンスである。

情誼（チンイー）においては、外（そと）に対しては利害を共にし、内（うち）においては利害をめぐって争うことはない。だから、どんなに大切なことでも口約束だけで十分。それも、細目に関して約束しておく必要なんかない。お互いの利害は、最良に計量して、約束なんかしておかなくても、すすんで十分に実行してくれる。

そして情誼（チンイー）が深まれば帮（ほう）に収束してゆく。

帮（ほう）は最も固い人間関係。帮（ほう）においては約束の必要もない。いわんや契約なんか。

桃園の義盟でも、「君臣水魚」の交わりでも、契約なんか何もしていない。具体的な約束ごともない。人間結合が最高に固いので、もはや、そんなものを必要としないのである。

帮（ほう）こそ、中国における根本的人間関係の模型（モデル）（理念型（イデイアール・テユープス） Ideal Typus）である。

中国を徹底的に理解するためには帮の理解に如くはなし。

その帮を理解するためには、刺客の理解がいちばんである。

アメリカの殺し屋とは全くちがって、刺客と依頼者とのあいだに契約はない。約束すらない。予譲と智伯のあいだにどんな契約があったか。聶政と厳遂（仲子）とのあいだに、どんな契約があったか。その他、曹沫も専諸も高漸離も、一切、契約なんかしていない。いや、「依頼者」すら存在しないことがある。たとえば、予譲や高漸離の場合には、仇を討って報いる人はとっくに死んでしまって、依頼者に成りようもないのである。また、魯の荘公は、曹沫に斉の桓公を脅しつけることを依頼したわけでもない（以上、『史記』「刺客列伝第二六」）。

刺客は契約がなくても、依頼さえなくても、自ら人の意中を忖度して自発的に断じて行う。

帮においては、究極的には、契約は消滅するのである。あるいは、少なくとも零に収束していくのである。

以上の分析から、つぎの結論が得られる。

中国における契約の特徴は、人間結合の段階によって異なる。

資本主義とはちがって、**人間結合から抽象された「契約」というものは存在しない。**

このことを理解しなかったがために、資本主義の住民が如何に苦汁をなめたか。そしてついに中国撤退のやむなきにいたったか。

●人民を保護しない中国の法律

それにしても、本書の目的は、矛盾する情報を前に、読者自身が如何に分析するかのアプローチ法を提供するにある。

ちょっと練習問題。

問一　ＮＨＫプロジェクトが見つけてきたケースで、ロス・エンジニアリング社のアロンソン社長は中国の契約概念について何をどう誤解していたのだと思いますか。

答　中国の契約には、人間結合の固さに応じて段階のあることに気づかなかった。それゆえに、中国にも欧米資本主義諸国のような普遍的契約概念があるのだと思いこんでいた。

問二　アロンソン社長が結んだ契約は、どの段階の契約だと思いますか。

答　知人段階。

その理由は、中国側が、いきなり事情変更の原則を持ち出してきたからである。そして、相手のアロンソン社長がどんなに困っても意に介さなかったからである。明白に契約を破っても、少しも自責の念にかられなかったからである。

関係（クアンシー）段階の契約だとするとこうはならない。契約の文面に違反することはあり得るし、事情変更の原則に訴えることもあり得る。しかし、相手に致命傷を与えることはしない。袋小路に入ったように見えるときでも、お互いに工夫して、何とか抜け道をと模索（もさく）するのである。

情誼（チンイー）段階に達していれば、身を殺しても相手を助ける。

と言ってみたところで、外国人が中国人と関係（クアンシー）、情誼（チンイー）の段階まで進むことは困難である。いや、ほとんど不可能だと言ってよい。

そうすればどうなる。アロンソン社長が、すでに投資した三十数万ドルを放棄したように、せっかくの投資をドブに棄てざるを得ないハメになる。

この種のトラブルは、どの調査によっても頻発して激増していることがわかる。

それが何より証拠には、「一九九五年八月までに中国に現地事務所を設立した外国の法律事務所は五七にものぼっている」（ＮＨＫ中国プロジェクト、前掲書）。

トラブルの原因は、中国の契約概念が欧米資本主義とあまりにもちがうからである。また、このことを理解しないで中国に進出する企業が多いからである。

では、これらのトラブルにおいて、法に訴えれば何とか解決されうるのか。

とんでもない。何とも解決のしようがないのである。**中国の法律は、資本主義のトラブルを解決するようには作られていない**のである。

サンプルとして、アロンソン社長のその後を追跡してみよう。

アロンソン社長は、一年半あまりをかけて中国側に譲歩を迫ったが、中国側は値上げ要求を引っ込めなかった。

「交渉は平行線のまま、ついにこの対立は国際仲裁裁判所の裁定にゆだねられた」（同右）。

ストックホルムの国際仲裁裁判所の裁定は。


中国側に契約違反があり、ロス・エンジニアリング社が実際に投資した金額の損害賠償に加えて、契約どおり生産されれば得られたであろう逸失利益を合わせて六六〇万ドルを支払うことが中国側に命じられた（同右）。


アロンソン社長の圧勝である。資本主義の法理は、当然こうならざるを得ない。

しかし、裁判に圧勝したからとて無駄（むだ）。中国の法律は、国際仲裁裁判所の裁定に実効性をもたせるようには出来ていないのであった。

裁定後、二年たっても、中国側からは鐚一セント支払われてこなかった。アロンソン社長は、強制執行を求める訴えを上海の中級人民法院に起こした。だが判決は、アロンソン社長の訴えの却下であった（同右）。

このような例は、あまりにも多い。

中国側に契約を蹂躙されて大損害を受ける。仕方がないのでストックホルムの国際仲裁裁判所にかける。その裁定を、中国の調停委員会では無意味なものにしてしまうこともある。いや、調停委員会までは意味のある裁定をしても、中国の裁判所が実効性をもたせないのである。

アメリカのコンピュータソフト会社の件では、調停委員会では一五〇〇万ドルを支払えと裁定したのに、人民法院が言いわたした金額はわずか一八〇ドルであったというケースさえある。

こんなことでは、どうしようもあるまい。

これらは、一九五八年のニューヨーク条約の違反である。この条約によると、「国際仲裁裁判所の裁定に従わない企業に対し、当該国の政府は、その裁定に従うように企業を指導しなければならない」ことになっている。中国もこの条約に加盟している。

中国の法律は、未だ、人民を保護する役目をはたしていないのである。

まことに見事に、法教（法家の思想）が貫徹されているではないか。

法律とは、主権（国家権力）から人民の権利を守るものである、ということがまだ実現されていない。いや、その萌芽さえ見られないではないか。

契約が資本主義（市場経済）の根本的前提であることは言うも更なり。これなくして市場の資本主義的作動はあり得ない。

それゆえ、市場経済（の健全な作動）を目指す政権は、何がどうして何となっても、諸企業が契約を必ず守るように担保しなければならない。この主旨にそって当該国の法律も、これに関連する国際諸法も確実に守られるように保証しなければならない。

中国政府は、これらの努力をしていない。

中国の市場経済への道、日暮れて道遠しと言うべきか。

あるいは、三たび吾が身を省みる（『論語』学而第一）か。

小室直樹（こむろ・なおき）

1932年東京生まれ。京都大学理学部数学科卒。

大阪大学大学院経済学研究科中退、
東京大学大学院法学政治研究科修了。

マサチューセッツ工科大学、ミシガン大学、ハーバード大学に留学。

1972年、東京大学から法学博士号を授与される。2010年没。

著書は『ソビエト帝国の崩壊』『韓国の悲劇』『日本人のための経済原論』『日本人のための宗教原論』『国民のための戦争と平和』他多数。

渡部昇一氏との共著に『自ら国を潰すのか』『封印の昭和史』がある。

【新装版】小室直樹の中国原論

第１刷――2021年10月31日

著　者――小室直樹
発行者――小宮英行
発行所――株式会社徳間書店
〒141-8202　東京都品川区上大崎3-1-1
目黒セントラルスクエア
電話　編集(03)5403-4350
販売(049)293-5521
振替　00140-0-44392

本文印刷――本郷印刷株式会社
カバー印刷――真生印刷株式会社
製　本――東京美術紙工協業組合

ISBN978-4-19-865369-9